Contents

SS09000M

Aspects of political life in the French-speaking world

A Level skills

Kerboodle for AQA French A Level Year 2 includes resources focused on developing key grammar, vocabulary, listening, reading, translation and writing skills. These engaging and varied resources include videos with native French speakers, self-marking tests, listening activities with downloadable transcripts, practice questions with study tips and comprehensive teacher support.

Our AQA French A Level Year 2 Kerboodle resources are accompanied by online interactive versions of the Student Books.

Find out more at www.kerboodle.com

Introduction

AQA A Level French

The AQA A Level French specification is divided into four main subject areas, called themes. Each theme is divided into three sub-themes, making a total of twelve sub-themes to study during the course. Theme 1 and Theme 2 below are also included in the Year 1 and AS specification. The themes and sub-themes are as follows:

Theme 1: Aspects of French-speaking society: current trends

La famille en voie de changement
- Grands-parents, parents et enfants – soucis et problèmes
- Monoparentalité, homoparentalité, familles recomposées
- La vie de couple – nouvelles tendances

La « cyber-société »
- Qui sont les cybernautes?
- Comment la technologie facilite la vie quotidienne
- Quels dangers la « cyber-société » pose-t-elle?

Le rôle du bénévolat
- Qui sont et que font les bénévoles?
- Le bénévolat – quelle valeur pour ceux qui sont aidés?
- Le bénévolat – quelle valeur pour ceux qui aident?

Theme 2: Artistic culture in the French-speaking world

Une culture fière de son patrimoine
- Le patrimoine sur le plan national, régional et local
- Comment le patrimoine reflète la culture
- Le patrimoine et le tourisme

La musique francophone contemporaine
- La diversité de la musique francophone contemporaine
- Qui écoute et apprécie cette musique?
- Comment sauvegarder cette musique?

Cinéma – le septième art
- Pourquoi le septième art?
- Le cinéma – une passion nationale?
- Évolution du cinéma – les grandes lignes

Theme 3: Aspects of French-speaking society: current issues

Les aspects positifs d'une société diverse
- L'enrichissement dû à la mixité ethnique
- Diversité, tolérance et respect
- Diversité – un apprentissage pour la vie

Quelle vie pour les marginalisés?
- Qui sont les marginalisés?
- Quelle aide pour les marginalisés?
- Quelles attitudes envers les marginalisés?

Comment on traite les criminels
- Quelles attitudes envers la criminalité?
- La prison – échec ou succès?
- D'autres sanctions

Theme 4: Aspects of political life in the French-speaking world

Les ados, le droit de vote et l'engagement politique
- Pour ou contre le droit de vote?
- Les ados et l'engagement politique – motivés ou démotivés?
- Quel avenir pour la politique?

Manifestations, grèves – à qui le pouvoir?
- Le pouvoir des syndicats
- Manifestations et grèves – sont-elles efficaces?
- Attitudes différentes envers ces tensions politiques

La politique et l'immigration
- Solutions politiques à la question de l'immigration
- L'immigration et les partis politiques
- L'engagement politique chez les immigrés

You will also be required to study either a film and a literary text or two literary texts, from a list of prescribed films and texts.

Assessment

The exam is divided into three papers – the contents of these exams are summarised in the table below:

Paper	What's assessed	Length of exam	Marks available	% of A Level
1: Listening, reading and writing	• Aspects of French-speaking society: current trends • Artistic culture in the French-speaking world • Aspects of French-speaking society: current issues • Aspects of political life in the French-speaking world • Grammar	2 hours 30 minutes	100 marks	50%
2: Writing	• One text and one film or two texts from the lists in the specification • Grammar	2 hours	80 marks	20%
3: Speaking	• Individual research project • A sub-theme from one of the four themes	21–23 minutes (including 5 minutes of preparation time)	60 marks	30%

How to use this book

Themes 1 and 2 (see page 6) can be found in the A Level Year 1 / AS Student Book.

The A Level Year 2 Student Book covers Themes 3 and 4. The chapters match the themes and sub-themes in the AQA specification, so there is always a clear link between the book and the specification. At the beginning of each section, you will find a list of learning objectives, which include language, grammar and skills objectives.

At the end of each of the six sub-themes, there is a vocabulary list to help you learn key vocabulary related to the topic. There is also a revision section to put what you have learned into practice.

An A Level skills section at the end of the book examines the study of films and literary texts and provides guidance on how to tackle literary text comprehension and the individual research project.

The features in this book include:

 Le saviez-vous?

An anecdotal insight into facts / figures relating to each sub-theme

 Grammaire

Summary grammar explanations and examples, linked to online interactive activities.

(A grammar section can be found at the back of the book.)

 Compétences

The 'skills' boxes help build key language learning strategies. These are linked to online worksheets. Further tips are presented in *Conseil* boxes in the review pages at the end of each unit.

 Vocabulaire

The most challenging new vocabulary from the exercises on each spread is translated in these boxes.

 Expressions clés

Key words and phrases designed to give you prompts for productive tasks.

 Audio stimulus

This indicates audio material for listening activities.

Les aspects positifs d'une société diverse

By the end of this section you will be able to:

		Language	Grammar	Skills
1.1	**L'enrichissement dû à la mixité ethnique**	Consider the benefits of living in an ethnically diverse society	Form and use the present tense	Use dictionary skills
1.2	**Diversité, tolérance et respect**	Consider the need for tolerance and respect of diversity	Form and use the future tense	Use strategies for gist comprehension
1.3	**Diversité – un apprentissage pour la vie**	Consider how we can promote diversity to create a richer world	Form and use the conditional	Pronounce loanwords

Pour permettre à une société d'exister sans conflit il faut accepter la diversité humaine. Ce qui nous rassemble nous permet de coexister ensemble mais ce qui nous différencie permet aux individus d'exprimer leur singularité ou leur particularité. La diversité se manifeste par la reconnaissance des différentes langues, histoires, religions, traditions et des modes de vie, ainsi que par toutes les caractéristiques attribuées à une culture spécifique. Il faut tout reconnaître. Il faut tout célébrer.

Pour commencer

1 À l'écrit. Considérez les questions suivantes:

On ne peut pas ignorer le fait que notre société actuelle est une société plus diverse que jamais. Ceci est évident partout dans le monde, mais surtout dans les pays francophones au 21e siècle.

1 Pour vous, que signifie le mot « diversité »?
2 Quels aspects faut-il considérer en parlant de la diversité dans une société?
3 Pourquoi est-il important de reconnaître la diversité?
4 Quels aspects de la diversité sont la cause des plus grandes disputes?
5 Comment peut-on célébrer la diversité et promouvoir sa valeur?

2 Reliez les mots (1–8) aux définitions (a–h).

1	tolérance	**a**	action de séparer plusieurs êtres ou choses à partir de certains caractères distinctifs
2	conflit	**b**	sentiment de considération envers quelqu'un
3	ségrégation	**c**	action de connaître les caractéristiques et les traits spécifiques de quelque chose
4	connaissance	**d**	action d'accepter quelque chose
5	idéologie	**e**	action de mettre à part quelqu'un ou un groupe
6	discrimination	**f**	attitude d'admettre chez les autres des manières de penser et de vivre différentes
7	acceptation	**g**	système d'idées générales constituant la base d'un comportement individuel ou collectif
8	respect	**h**	violente opposition de sentiments, d'opinions et d'intérêts

3 Lisez le texte et notez si les phrases sont vraies (V) ou fausses (F).

Depuis longtemps, la France est un pays possédant une grande diversité culturelle. L'un des grands débats de la politique française concerne, donc, la reconnaissance des minorités culturelles, nationales ou étrangères, présentes sur son territoire. La Constitution française du 4 octobre 1958 déclare à l'article 2 que « la France est une République indivisible, laïque, démocratique et sociale. Elle assure l'égalité devant la loi de tous les citoyens, sans distinction d'origine, de race ou de religion. Elle respecte toutes les croyances ». Par conséquent, en France, les minorités ne disposent pas d'un statut culturel particulier et tous les citoyens ont des droits égaux. En 2007, le Conseil constitutionnel a rejeté un projet de loi du gouvernement sur le contrôle de l'immigration, l'intégration et le droit d'asile qui prévoyait des mesures permettant la catégorisation de certains groupes selon leurs origines ethniques et raciales.

1 La France reste depuis des années un pays multiculturel.
2 La reconnaissance des groupes minoritaires qui résident en France n'a pas d'importance au niveau politique.
3 La Constitution française assure l'égalité de chaque citoyen.
4 Tous les citoyens français ne disposent pas des mêmes droits légaux.
5 On n'a pas le droit légalement de poser des questions sur l'origine ethnique ou raciale d'une personne.

4 À l'oral. Regardez l'affiche et les photos et considérez les questions suivantes:

- Quelles images de la diversité sont montrées ici? (Lisez « Le saviez-vous? » pour vous renseigner.)
- Comment est-ce que la France, ou un autre pays francophone, profite de sa diversité?
- Selon vous, pourquoi faut-il respecter les différences dans la société actuelle?

■ Le saviez-vous?

■ C'est en 2001, quelques semaines après les événements tragiques du 11 septembre aux États-Unis, que la Conférence générale de l'Unesco considérait comme aspect primordial de la conférence la diversité culturelle et a réaffirmé la nécessité du dialogue interculturel comme facteur de paix.

■ L'année 2010 a été déclarée l'Année internationale du rapprochement des cultures.

■ Le festival Présence Autochtone (Montreal First Peoples' Festival) est un événement organisé à Montréal depuis 1990 qui vise à promouvoir et à célébrer la culture des peuples indigènes du Canada.

■ Chaque année, au mois de juillet, la Gay Pride de Paris est le rendez-vous de milliers de Français voulant passer un long weekend à Paris pour fêter librement la diversité sexuelle. Cet événement a pour but de lutter contre l'homophobie et de promouvoir la cause des droits des homosexuels.

■ Le festival de musique de Lanvellec (en Bretagne) est un festival annuel qui vise à maintenir les traditions bretonnes et à promouvoir la diversité régionale française.

1a Lisez le texte et trouvez des synonymes pour les expressions 1–8.

QUÉBEC MULTICULTUREL

Une société vivante doit envisager les apports qui lui viennent de sa propre diversité comme un indispensable enrichissement. Que l'on songe à tout ce que la culture des premiers habitants du pays, les Amérindiens, nous a apporté et que les Québécois ont intégré dans leur propre vie sans malheureusement toujours le réaliser. Cela va de même, dans des proportions variées, pour la culture anglaise et les cultures italienne, juive, grecque et autres, qui exercent une influence sur la vie actuelle de tous les Québécois. Si le Québec veut être une société française intégrée, il ne doit pas user seulement de tolérance; il doit attendre et faire appel aux autres cultures qui le composent et lui donnent sa vitalité. Le modèle du « melting pot » illustré par la société américaine est, de nos jours, de plus en plus contesté mais l'assimilation à toute vapeur de tous les nouveaux immigrants, au point qu'en une ou deux générations ils ont perdu toute attache avec leur pays d'origine, n'est pas un objectif souhaitable. Une société qui permet à ses groupes minoritaires de conserver leur langue et leur culture est une société plus riche et probablement plus équilibrée. Cela pourrait être le cas du Québec.

Vocabulaire

l'apport (m) *contribution*
l'attache (f) *tie, link*
user *to employ, use*
à toute vapeur *at high speed, rushed*

1 dynamique
2 vital
3 incorporé
4 se rendre compte (s'en rendre compte)
5 exemple
6 actuellement
7 but
8 sauvegarder

1b Complétez les phrases selon le sens du texte.

1 Pour rester dynamique une société doit…
2 Les Québécois ont déjà intégré…
3 La vie actuelle des Québécois est influencée par…
4 Pour être une société française intégrée le Québec a besoin…
5 Il se peut qu'en une ou deux générations les immigrants…
6 Une société plus riche et plus équilibrée est une société qui…

1c Travail de recherche. Le texte ci-dessus a été publié dans les années 1970. Le flux migratoire au Canada est-il différent aujourd'hui? Faites des recherches en ligne.

Un réfugié arrive au Canada, en 2015

2a 〰 **Écoutez quatre personnes qui parlent de la mixité ethnique. Trouvez les expressions qui veulent dire:**

1 not always simple
2 without wanting to play an active part
3 one can understand a person better
4 with respect to ourselves
5 a spirit of tolerance and integration
6 a source of conflict and inequality
7 whatever their ethnic origin
8 a true world power

2b 〰 **Réécoutez. Reliez le début et la fin des phrases.**

1 Les groupes ethniques veulent…
2 Ils voudraient faire connaître aux autres…
3 On peut mieux comprendre les gens si…
4 Il faut favoriser…
5 Les différences entre nous ne devraient pas…
6 Il faut toujours respecter…
7 On peut construire une société plus riche…
8 Il existe des barrières de discrimination par rapport…

a …on apprécie leurs différences et leurs similarités.
b …conserver leur identité culturelle.
c …être une source d'inégalité.
d …les autres.
e …leurs coutumes et leurs valeurs.
f …si on collabore avec les autres.
g …au milieu social auquel on appartient.
h …le développement culturel des groupes ethniques.

3 **À l'écrit. Traduisez en français.**

1 If we wish to create an integrated society we must exercise tolerance and respect for other cultures.
2 It is not always easy to recognise the advantages of multicultural diversity.
3 There are too many barriers of discrimination against ethnic groups.
4 One should always respect the contribution of others.
5 It is important to encourage and protect cultural identity.

4 **Remplissez les blancs avec la bonne forme du verbe entre parenthèses.**

1 Il ne _____ jamais oublier les avantages d'une société multiculturelle. (*falloir*)
2 On _____ organiser des festivals pour promouvoir la culture des groupes ethniques. (*pouvoir*)
3 Si nous _____ nous intégrer, nous devons faire un effort pour mieux comprendre les autres. (*vouloir*)
4 Les groupes ethniques minoritaires _____ souvent de sentiments d'isolation. (*souffrir*)
5 Les membres de certains groupes ethniques _____ quelquefois à des milieux sociaux défavorisés. (*appartenir*)
6 Créer une société multiculturelle bien intégrée n'_____ pas facile. (*être*)
7 Les groupes ethniques _____ tendance à se séparer des autres personnes. (*avoir*)
8 J'ai un ami d'origine grecque qui _____ tout ce qu'il peut pour sauvegarder la culture de son pays d'origine. (*faire*)

5 **Traduisez en anglais les phrases de l'activité 4.**

6 **Notez les avantages de la mixité ethnique. À l'oral et à tour de rôle, partagez votre liste avec un(e) partenaire.**

⊞ Grammaire

The present tense

To review the endings for regular verbs in the present tense (and some key irregular verbs) see the verb tables on page 149.

Remember that the present tense has more irregularities than any other tense in French.

When using negatives (e.g. **ne**… **pas**), remember that these words go around the verb, including the reflexive pronoun if there is one.

*Beaucoup de gens **ne** comprennent **pas** l'importance de l'identité culturelle.*

*On **ne** se dispute **pas** sur l'importance des coutumes et de la langue des groupes ethniques.*

See page 149.

■ Expressions clés

Je trouve que…
Il faut dire…
Il faut surtout…
Cela permet…
Cela pourrait être le cas.

1a Lisez le texte et répondez aux questions 1–5 en français.

La colocation multiculturelle

La colocation multiculturelle constitue un véritable apport en termes de découverte d'une autre culture. C'est également une façon de faire découvrir la ville ou le pays à une personne étrangère.

Les avantages d'une colocation multiculturelle
Partager un appartement avec un colocataire d'une nationalité ou origine autre que la sienne présente de nombreux avantages. La colocation multiculturelle permet de découvrir de nouveaux horizons, sans pour autant avoir à changer de ville ni de pays. En effet, chaque colocataire pourra partager les particularités de son pays ou sa ville d'origine. Ces particularités sont relatives à l'art culinaire, à la musique et aux autres aspects culturels de son pays. Ces découvertes permettent de mettre fin aux a priori, aux préjugés et autres idées reçues qu'il est possible d'avoir sur le pays concerné.

Le fait de vivre en permanence avec une personne qui parle l'anglais permet de s'imprégner plus rapidement de la langue de Shakespeare, par exemple. Bien au-delà des règles de grammaire et de vocabulaire, la pratique même de la langue sera omniprésente. Et ce processus vaut pour l'anglais comme pour toutes les autres langues que les colocataires sont désireux d'apprendre. En plus les mœurs et les coutumes diverses feront l'objet d'un partage.

Vivre en colocation avec un étranger est aussi une occasion de faire découvrir la ville, et même le pays, à cet étranger, sans pour autant se transformer en guide touristique. C'est l'occasion, même pour le natif, de voir la ville autrement, à travers les questions et la curiosité de son colocataire.

Vocabulaire

l'a priori (m) *preconceived idea*
la colocation *house or flat sharing*
mettre fin à *to put an end to*
en permanence *permanently*
sans pour autant *without actually, without necessarily*

1 Quel est le premier avantage de la colocation multiculturelle?
2 Quelles particularités peut-on partager?
3 Quel est le résultat des découvertes qu'on fait?
4 Quel est l'avantage de vivre avec un colocataire qui parle une autre langue?
5 Pourquoi est-ce que la colocation multiculturelle permet de mieux connaître sa propre ville?

1b Traduisez en anglais le dernier paragraphe du texte (« Vivre en colocation avec un étranger… »).

Vocabulaire

acculturé *adjusted to a new cultural environment*
l'Atlas (m) *the Atlas mountains*
échapper à la règle *to escape the rule*
indiscutable *indisputable*
inéluctable *inevitable*
insoluble *without a solution*
le littoral *coastal region*
le Maghreb *region of North / Northwest Africa*
meurtrier *deadly*

2a 〰 Écoutez ce blog: « Le multiculturalisme est loin d'être une source d'enrichissement et de progrès. » Notez les cinq phrases vraies.

1 Une société française multiculturelle est vue par les politiques et les médias comme quelque chose d'inéluctable.
2 Les faits contredisent trop souvent l'idée d'une utopie.
3 La majorité des sociétés multiculturelles fonctionnent sans problèmes.
4 Le conflit entre des cultures différentes est souvent violent et semble même insoluble.
5 Le Maghreb se compose principalement de deux groupes ethniques.
6 Les Kabyles occupent le littoral du Maghreb.
7 Les Arabes représentent la grande majorité de la population du Maghreb.
8 Le concept de multiculturalisme est à l'origine de troubles violents au Maghreb.

2b 〜〰〜 Réécoutez le blog. Corrigez les phrases fausses de l'activité 2a.

3a Lisez cet extrait d'un conte québécois. Cherchez les mots 1–7 dans un dictionnaire.

NB 'je puis' / 'j'porterai' are used in this text to mean 'je peux' / 'je porterai'.

Ce jour-là, j'eus l'une des plus grandes déceptions de ma vie! Je puis dire que j'ai, ce jour-là, connu une très grande tristesse. Au lieu du chandail bleu, blanc, rouge des Canadiens de Montréal, M. Eaton nous avait envoyé un chandail bleu et blanc, avec la feuille d'érable au devant, le chandail des Maple Leafs de Toronto. J'avais toujours porté le chandail bleu, blanc, rouge des Canadiens de Montréal. Tous mes amis portaient le chandail bleu, blanc, rouge. Jamais dans mon village, quelqu'un avait porté le chandail de Toronto, jamais on n'y avait vu un chandail des Maple Leafs de Toronto. De plus, l'équipe de Toronto se faisait terrasser régulièrement par les triomphants Canadiens. Les larmes aux yeux, je trouvai assez de force pour dire:

– J'porterai jamais cet uniforme-là.

– Mon garçon, tu vas d'abord l'essayer! Si tu te fais une idée sur les choses avant de les essayer, mon garçon, tu n'iras pas loin dans la vie…

Ma mère m'avait enfoncé sur les épaules le chandail bleu et blanc des Maple Leafs de Toronto et, déjà, j'avais les bras enfilés dans les manches. Elle tira le chandail sur moi et s'appliqua à aplatir tous les plis de cette abominable feuille d'érable sur laquelle, en pleine poitrine, étaient écrits les mots Toronto Maple Leafs.

Le Chandail de Hockey, Roch Carrier (1979)

1 la déception
2 le chandail
3 la feuille d'érable
4 terrasser
5 enfoncer
6 le pli
7 la poitrine

3b Écrivez en français et en phrases complètes un paragraphe de 90 mots au maximum où vous résumez ce que vous avez compris suivant ces points:

- ce qui est arrivé au petit garçon ce jour-là
- les raisons de sa déception
- ce que sa mère a fait.

4 À l'écrit. Vous faites un reportage sur l'enrichissement dû à la mixité ethnique en France ou dans un autre pays francophone. Vous devez écrire 250–300 mots. Mentionnez les points suivants:

- les avantages de la mixité ethnique pour une société
- les avantages de la mixité ethnique pour l'individu
- quelques difficultés qui peuvent se produire dans une société multi-ethnique
- l'importance de sauvegarder les mœurs, les coutumes, la langue et les valeurs de chaque groupe ethnique
- votre point de vue personnel en ce qui concerne la mixité ethnique.

◪ Compétences

Using dictionary skills

You can use a bilingual dictionary:

- to check the spelling of key items of vocabulary

- to check the pronunciation of a French word (by way of the phonetic transcript)

- to find the meaning of a French word or phrase

- to find grammatical information, e.g. gender, type of verb.

Be careful when using a dictionary to help you translate from English into French. Once you think you have found the correct French word, check to see if the dictionary gives examples of the word in context. Remember also to check by looking up the word in the French–English section.

You can use online dictionaries in the same way. Many online dictionaries give you the option to hear the word pronounced by a native speaker.

■ Expressions clés

C'est une façon de…
Le fait de…
Bien au-delà de…
Il apparaît souvent que…
On peut penser que…
Avant toute autre chose…

1 Lisez l'extrait du guide pédagogique de la campagne belge de lutte contre l'homophobie, puis remplissez les blancs avec le bon mot de la case. Attention! Il y a quatre mots de trop.

La Grand-Place de Bruxelles, illuminée aux couleurs de l'arc-en-ciel pour fêter la Pride

Lutter contre l'homophobie et la transphobie, ça nous concerne tous!

La violence et le harcèlement sont une réalité pour beaucoup de jeunes. Les moqueries et insultes contribuent à la construction d'un environnement hostile pour les jeunes qui ne se conforment pas aux stéréotypes de « la masculinité » ou de « la féminité » ou s'ils affichent une orientation sexuelle qui n'est pas celle de la norme. Ces agressions peuvent compromettre leur bien-être et inciter certains jeunes à s'auto-exclure des dynamiques de groupe. L'homophobie et la transphobie peuvent se manifester sous forme de violences verbales, physiques ou sociales (exclusion, rumeurs, jugements…) ou par un comportement discriminatoire (discrimination à l'embauche, au logement…).

Qu'est-ce que le sexe?
Le sexe fait référence aux différences biologiques entre les femmes et les hommes.

Qu'est-ce que l'orientation sexuelle?
L'orientation sexuelle fait référence à la capacité de chacun(e) de ressentir une profonde attirance émotionnelle, affective, physique et / ou sexuelle envers des individus du même sexe et / ou d'un autre sexe (hétérosexuel(le), lesbienne, gay, bisexuel(le)).

Qu'est-ce que le genre?
Le genre se réfère aux différences sociales entre les femmes et les hommes qui sont acquises et susceptibles de changer avec le temps. Il désigne les rôles, les comportements, les activités et les attributions socialement construits qu'une société donnée considère comme appropriés pour les femmes et les hommes (féminin / masculin).

Qu'est-ce que l'identité de genre?
L'identité de genre d'une personne se rapporte au genre auquel elle s'identifie. Les personnes s'identifient soit au genre assigné à leur naissance, soit à un autre genre, soit à aucun genre en particulier.

Qu'est-ce que l'expression de genre?
L'expression de genre renvoie à la manière dont les personnes expriment leur identité de genre (vêtements, coiffure, langage, attitudes…) et à la manière dont celle-ci est perçue par les autres.
Exemple: L'Eurovision 2015 a récompensé Conchita Wurst, célèbre pour son apparence féminine tout en portant la barbe.

Les Droits humains et la Convention internationale aux droits de l'enfant s'appliquent à tous les enfants et jeunes, sans aucune distinction. Chaque jeune doit être protégé contre toute forme de discrimination, quelle que soit son orientation sexuelle ou son identité de genre.

1 Il faut _____ l'homophobie et la transphobie sous toutes leurs formes.

2 La pilosité, la taille et la masse musculaire dépendent généralement du _____ de la personne.

3 Je m'appelle Patrick. Parfois je me sens garçon, parfois fille. C'est ça mon _____.

4 La Française Maud Marin (née Jean Planchard) est la première avocate _____ au monde.

5 66% des enfants homosexuel(le)s ou transgenres ont caché leur orientation sexuelle ou leur identité de genre pendant leur _____.

6 Les enfants et les jeunes doivent être protégés contre_____ , à l'école mais aussi dans leurs activités sportives.

7 Les enfants et les jeunes ont le droit de recevoir des informations sur _____ , dans toute sa diversité.

8 La Convention internationale des droits de l'enfant _____ tous les enfants, quelle que soit leur nationalité.

Vocabulaire

le bien-être *well-being*
la coiffure *hairstyle*
l'embauche (f) *employment*
le harcèlement *bullying*
la moquerie *mocking, teasing*
renvoyer à *to refer to*

dénonce   la discrimination
condamner   la sexualité
scolarité   lesbienne   pays
concerne   identité de genre
transgenre   sexe   parents

2 À l'écrit. Traduisez en anglais.

1 La violence et le harcèlement sont une réalité pour beaucoup de jeunes, lorsqu'on les suppose homosexuels.

2 L'homophobie et la transphobie peuvent se manifester sous forme de violences ou par un comportement discriminatoire ou intolérant.

3 Pour être respectés, les jeunes doivent pouvoir compter sur les adultes: enseignant(e)s et animateurs(-trices) sportifs(-ives).

4 Les Droits humains et la Convention internationale des droits de l'enfant s'appliquent à tous les enfants, sans aucune distinction.

3a À l'oral. Lisez les opinions. Avec lesquelles êtes-vous d'accord? Discutez vos réponses avec un(e) partenaire.

> Tout le monde dit qu'il faut lutter contre l'homophobie et la transphobie mais c'est plus facile à dire qu'à faire.

> Un ami raconte souvent des blagues homophobes et j'en ris. On me dit que je suis complice.

> Louis est homosexuel. Il est normal qu'il ne partage pas les vestiaires du club sportif avec les autres garçons.

> J'en ai assez du débat interminable sur la lutte contre l'homophobie. Ils ont déjà assez de droits.

3b À l'écrit. Justifiez vos réponses à l'activité 3a. Écrivez environ 150 mots.

4 ⎍⎍ Écoutez ce reportage. Choisissez la bonne réponse pour compléter les phrases.

1 Dans notre société actuelle, les différences entre les gens…
   a sont souvent respectées.
   b sont rarement respectées.
   c sont seulement quelquefois respectées.

2 La lutte contre l'inégalité consiste à…
   a nous assurer que toutes les personnes sont égales.
   b nous assurer que toutes les personnes ont les mêmes opportunités.
   c nous assurer qu'on traite toutes les personnes de la même manière.

3 L'inégalité est souvent liée à…
   a l'identité sociale.
   b l'identité professionnelle.
   c l'identité familiale.

4 Les inégalités trouvent leur source dans…
   a la discrimination et le statut socio-économique.
   b la discrimination et les préjugés.
   c la discrimination et le caractère de l'individu.

5 Les préjugés reflètent…
   a les attitudes négatives envers les différences d'identité.
   b les attitudes positives envers les différences d'identité.
   c les attitudes inévitables envers les différences d'identité.

6 Les préjugés influencent la perception…
   a des individus en dépit des groupes sociaux auxquels ils appartiennent.
   b des individus ainsi que des groupes sociaux auxquels ils appartiennent.
   c des individus par rapport aux groupes sociaux auxquels ils appartiennent.

■ Expressions clés

Il est primordial de…
Souvent, on entend dire que…
Quelles que soient nos opinions, personne n'a le droit de…
La Convention internationale des droits de l'enfant stipule que…
Tout dépend de…
Ce qu'il faut garder à l'esprit, c'est…
Ce que l'on ignore souvent, c'est que…

📖 Compétences

Understanding the gist

- Read or listen to the whole text or message to get a feel for the main points.

- Use your knowledge of topic-specific and generic vocabulary to get a broad understanding of the text before focusing on the details.

- Try to deduce the meaning of unfamiliar words from their context or by identifying cognates.

- Make a note of unfamiliar words.

- Keep a personal vocabulary book of topic-specific and generic words and phrases.

1a Lisez cette interview avec Dominique Baudis, ancien défenseur des droits, sur les discriminations liées à l'âge. Trouvez dans le texte l'équivalent en français des expressions 1–8.

« LES DISCRIMINATIONS LIÉES À L'ÂGE »

La Croix: Recevez-vous beaucoup de dossiers portant sur des discriminations liées à l'âge?

Dominique Baudis: Oui, c'est même devenu le 3e motif de nos saisines pour discriminations. En 2012, nous avons reçu environ 12 000 requêtes, sur ce thème, de la part de particuliers. Les plus fréquentes concernent la santé ou le handicap (25% des dossiers) ou l'origine des personnes (22%). Les réclamations liées à l'âge représentent 6% des requêtes mais sont en régulière augmentation. Nous sommes interpellés par des personnes qui subissent des discriminations dans le domaine de l'emploi ou se voient refuser l'accès à des assurances, des crédits ou même à la location d'un appartement.

La Croix: Comment peut-on refuser l'accès à un logement du fait de l'âge?

D.B.: Je peux vous citer le cas de Jean et de Luce, 75 et 72 ans, qui voulaient louer un appartement à Vannes. L'agence leur a opposé un refus, en évoquant la loi Mermaz, qui protège les locataires de plus de 70 ans. Si le propriétaire rompt le bail, il doit faire tout son possible pour reloger ses locataires. Dans ce cas précis, l'agence a estimé que, du fait de cette contrainte, il valait mieux louer à quelqu'un d'autre. Une autre histoire concerne Muguette, une retraitée qui s'est vue refuser la location d'un appartement en région parisienne. L'agence lui a expliqué qu'elle touchait une retraite qui, en cas de non-paiement du loyer, ne pourrait pas être saisie.

La Croix: En janvier, une vieille dame avait été expulsée de sa maison de retraite, près de Paris, à la suite du non-paiement des frais de séjour par ses enfants. Avez-vous été saisi pour d'autres « expulsions » du même type?

D.B.: Non, pas pour l'instant. Mais à la suite de cette affaire, plusieurs de nos clients nous ont alertés sur une recrudescence de problèmes de non-paiement du forfait hébergement. Certaines familles sont de bonne volonté mais ont de plus en plus de mal à s'acquitter de ce forfait qui, en région parisienne, peut atteindre jusqu'à 80 à 120 € par jour. Nous avons insisté auprès des établissements pour qu'ils trouvent toutes les solutions possibles en amont, afin d'éviter de telles situations qui sont très difficiles à vivre pour les personnes.

■ Vocabulaire

s'acquitter de to pay off
en amont in advance (lit. upstream)
le bail lease
interpeller to call on, call upon
le loyer rent
la réclamation complaint
la recrudescence aggravation, worsening, increase (of problems)
la saisine court referral

1 private individuals
2 files
3 the world of work
4 to quote
5 tenants
6 to rehouse
7 accommodation fees
8 in order to avoid

1b **Relisez le texte et pour chaque phrase écrivez vrai (V), faux (F) ou information non-donnée (ND).**

1 Les réclamations les plus fréquentes en ce qui concerne la discrimination portent sur l'origine des personnes.
2 Les statistiques suggèrent que la discrimination liée à la santé ou au handicap est en baisse.
3 Les réclamations en ce qui concerne la discrimination liée à l'âge sont en hausse régulière.
4 La discrimination liée à l'âge s'effectue dans le domaine de l'emploi ainsi que dans le domaine du logement.
5 D'après la loi, un propriétaire n'a aucune obligation de reloger ses locataires s'il rompt le bail.
6 La situation concernant les conséquences de non-paiement de frais de séjour dans les maisons de retraite s'aggrave.
7 Un forfait de logement dans une maison de retraite dans la région parisienne peut atteindre plus de 100 € par jour.
8 Une solution à ces problèmes va bientôt être trouvée.

1c **Écrivez en français et en phrases complètes un paragraphe de 90 mots au maximum où vous résumez ce que vous avez compris suivant ces points:**

● la nature des saisines reçues pour discriminations
● les raisons pour lesquelles les personnes âgées se voient refuser un logement
● ce qui s'est passé à la suite de l'expulsion de la vieille dame de sa maison de retraite.

2 ⌁ **Écoutez ce reportage sur l'âgisme. Complétez les phrases selon ce que vous avez compris.**

1 L'âgisme, c'est…
2 Cette discrimination cible principalement…
3 L'âgisme a un impact négatif sur la diversité car…
4 Une enquête a révélé que 31% des personnes sondées ont trouvé…
5 Les stéréotypes peuvent être assimilés par les enfants à partir de…
6 Les stéréotypes sont renforcés par…
7 Dans les médias, les personnes âgées sont dépeintes comme…
8 Dans le domaine du travail, la recherche démontre que les employés de plus de 40 ans…

3 **Traduisez en français.**

The proportion of older people in France's population will increase in the next few decades. Some people say that this phenomenon will have a negative effect on younger people, who will have to care for a large elderly population. However, age diversity will continue to be good for society as a whole.

4 **À l'oral. Discutez avec un(e) partenaire.**

● Les personnes âgées doivent faire face à quelle sorte de problèmes?
● Quels sont les bénéfices apportés par les seniors dans le domaine du travail?
● Quel est l'effet de l'âgisme dans la société?
● Comment peut-on combattre les stéréotypes des personnes âgées lorsqu'ils sont renforcés par les médias?

⊞ Grammaire

The future tense

Remember that you use the simple future tense to say that something will happen.

To form the simple future tense of regular verbs you need:

The infinitive (minus the final -e in -re verbs) plus the following endings:

je	-ai	nous	-ons
tu	-as	vous	-ez
il/elle/on	-a	ils/elles	-ont

*La loi antidiscrimination **apportera** des sanctions dans tous les secteurs d'activité sociale. (apporter)*

*Les seniors au travail se **sentiront** moins ignorés. (se sentir)*

*Nous ne nous **attendrons** plus à des saisines pour discriminations liées à l'âge. (s'attendre)*

Some verbs have an irregular stem but still use regular endings, including:

être: **ser-**	avoir: **aur-**
faire: **fer-**	devoir: **devr-**
pouvoir: **pourr-**	savoir: **saur-**
venir: **viendr-**	aller: **ir-**

See page 151.

◼ Expressions clés

Je peux vous citer le cas de…
Le défi consiste à…
La recherche démontre que…
Une enquête a révélé que…

1 **Lisez ces deux témoignages. Indiquez les phrases qui sont vraies.**

Une société diverse: Oui ou Non?

J'habite un quartier multiculturel où les Maghrébins représentent 59% des habitants, les Antillais 19%, les Blancs 20%, et le reste étant d'origine turque. Le racisme (d'après mon expérience) est plus ou moins rare depuis que nous nous habituons à voir d'autres personnes d'origines différentes. Je me considère pro-multiculturelle, je suis généralement ouverte d'esprit sur d'autres cultures et j'ai beaucoup d'amis qui appartiennent aux groupes ethniques minoritaires. J'apprécie mon pays et ma liberté personnelle, mais en même temps j'apprécie mes concitoyens, de n'importe quel âge, de n'importe quelle orientation sexuelle, quelle que soit leur race. Nous devons travailler ensemble afin de trouver une meilleure vie pour les autres, pour maintenir une société diverse tout en préservant notre propre culture à nous.

Meryem (18 ans)

La plupart des gens qui promeuvent et soutiennent le multiculturalisme le font en fonction d'une philosophie de libéralisme et de tolérance. Le problème, c'est qu'ils doivent décider s'ils veulent inclure dans leur « société diverse » des sous-cultures qui ne tolèrent pas les autres. Voulez-vous des concitoyens homophobes et misogynes? Voulez-vous inclure dans votre société diverse les cultures qui veulent changer vos lois pour les rendre moins libérales? Accueilleriez-vous l'extrémisme? En réalité, vous aurez tendance à en accepter certains et à en rejeter d'autres. Si cela est le cas, ce n'est pas une société multiculturelle que vous préconisez, mais une synthèse d'influences culturelles qui conviennent mieux à un conte de fées. C'est de la fantaisie qui ne se réalisera jamais.

Jérôme (19 ans)

Meryem…
a habite un quartier où la majorité de la population est blanche.
b s'est habituée à voir des gens d'origines différentes.
c se considère fermée d'esprit.
d a des amis de plusieurs races.
e apprécie tout le monde.
f ne voit pas l'importance de garder sa propre culture.

Jérôme…
a anticipe des problèmes graves quand on adopte une philosophie de libéralisme et de tolérance.
b veut inclure dans la société les homophobes et les misogynes.
c promeut l'extrémisme.
d pense qu'une vraie société multiculturelle ne se réalisera pas.

2 **Traduisez le texte en français.**

We should accept other people with respect and tolerance. We need to remember that we are all unique. In an ideal world, disabled people would be able to work at the same jobs as others without being isolated. No prejudice would be attached to sexual orientation or a person's age. Ethnic groups would live together without conflict and we would finally be able to celebrate a truly diverse society.

Vocabulaire

l'Antillais(e) (m / f) *West Indian*
le / la concitoyen(ne) *fellow citizen*
le / la Maghrébin(e) *North African (lit. from the Maghreb)*
misogyne *misogynistic, woman-hating*
préconiser *to advocate, recommend*

Grammaire

The conditional

The conditional conveys the sense of **would**, **could**, **should** and **ought to**.

Je dirais que… I would say that…

To form the conditional, start with the stem as for the future tense. Add these endings (which are the same as for the imperfect tense):

je	-ais	nous	-ions
tu	-ais	vous	-iez
il/elle	-ait	ils/elles	-aient

je travailler**ais**
tu travailler**ais**
il/elle travailler**ait**
nous travailler**ions**
vous travailler**iez**
ils/elles travailler**aient**

See page 152.

3a 〰 **Écoutez la première partie de ce reportage. Choisissez la bonne réponse.**

1 La discussion de la diversité ne référence pas souvent…
  a le sexe.
  b la race.
  c le handicap.
2 À un certain moment au cours de la vie professionnelle…
  a on a 20% de chances de devenir invalide.
  b on a 10% de chances de devenir invalide.
  c on a 5% de chances de devenir invalide.
3 Dans l'Hexagone on compte…
  a plus de 5 millions de personnes en situation de handicap.
  b moins de 5 millions de personnes en situation de handicap.
  c 5 millions de personnes en situation de handicap.
4 42% de la population française déclarent…
  a être affectés de plusieurs déficiences.
  b être affectés d'au moins une déficience.
  c être affectés d'une déficience.
5 Presque 10% de la population ont besoin d'aide humaine régulière pour…
  a accomplir des actes de la vie quotidienne.
  b accomplir le travail professionnel.
  c accomplir des tâches complexes.

3b 〰 **Écoutez la deuxième partie du reportage. Répondez aux questions en français.**

1 Quand a-t-on introduit la loi favorisant l'intégration des personnes handicapées?
2 Qu'est-ce qu'il ne faut pas oublier?
3 Quelles sont les étapes fondamentales du vrai « vivre-ensemble »?
4 Qu'est-ce qu'il faut se rappeler?
5 Que veut dire vivre vraiment ensemble?

4 **À l'écrit. Faites des recherches pour trouver la législation en France (ou dans un autre pays francophone) qui protège les membres de groupes divers, soit les personnes appartenant à une minorité ethnique, les personnes âgées, les personnes homosexuelles ou les personnes handicapées. Écrivez 250–300 mots.**

- Examinez les problèmes auxquels ces personnes doivent faire face.
- Démontrez les bénéfices que ces personnes apportent à la société.

Vocabulaire

mettre l'accent sur *to highlight*
favoriser *to encourage*
le vivre-ensemble *togetherness, living in harmony*

Jamel Debbouze, humoriste, acteur et producteur

Marie-Amélie Le Fur, athlète handisport

▪ Expressions clés

La discussion met l'accent sur…
Il y a (très) peu d'attention accordée à…
Ajoutons que…
N'oublions pas que…

Le problème, c'est que…
La loi vise à…
La loi insiste sur…
Les mesures de protection

1 Lisez le texte et pour chaque phrase écrivez vrai (V), faux (F) ou information non-donnée (ND).

Les femmes à l'administration

Il est bien temps de considérer la diversité sexuelle vu le débat sur la présence des femmes au sein de l'administration au Canada, un débat qui a amorcé un virage intéressant. Grâce à la mise en vigueur de nouveaux amendements aux règlements en application des lois, on verra désormais une plus grande représentation des femmes dans l'administration des entreprises.

Depuis beaucoup trop longtemps, de nombreuses sociétés canadiennes ont adhéré à une approche « symbolique », considérant que lorsqu'un conseil d'administration comptait une ou deux femmes parmi ses membres, il s'agissait d'un succès. Le Canada compte un nombre record de femmes hautement éduquées, expérimentées et prêtes à siéger au sein d'un conseil d'administration. Le moment est venu de leur permettre d'accéder à des postes d'administratrices et à des postes de haute direction.

En effet, qu'elles soient grandes ou petites, privées ou publiques, les entreprises ont beaucoup à gagner de l'augmentation du nombre de femmes embauchées. Accroître le nombre de femmes occupant des postes de pouvoir peut potentiellement transformer les milieux de travail et la société elle-même.

Toutefois, la recherche démontre que les femmes sont, au cours de leur carrière, confrontées à des défis auxquels les hommes n'ont pas à faire face, et elles ont ainsi plus de difficultés à accéder aux postes clés. Ces défis – notamment les stéréotypes sexuels, un salaire inférieur et un avancement plus lent même lorsqu'elles utilisent les mêmes stratégies de carrière que les hommes – signifient que les femmes ont souvent à travailler plus fort pour se faire remarquer et accéder à ces postes.

Vocabulaire

accroître *to increase*
amorcer un virage *to take a turn*
la mise en vigueur *enforcement*
siéger *to sit on / be on (a committee)*

1 De nouvelles lois au Canada stipulent l'embauche d'un plus grand nombre de femmes dans l'administration des entreprises.
2 Jusqu'ici l'approche de plusieurs entreprises en ce qui concerne les femmes dans l'administration n'a été que symbolique.
3 Le problème c'est qu'il y a très peu de femmes hautement éduquées.
4 Il n'y a pas assez de femmes expérimentées.
5 On compte déjà plusieurs femmes dans des postes de haute direction.
6 Les entreprises ont beaucoup à gagner en augmentant le nombre d'employées.
7 D'après la recherche, les femmes trouvent souvent des difficultés à accéder à des postes importants dans les entreprises.
8 Les femmes sont confrontées à des défis au travail tels que des stéréotypes sexuels et des salaires inférieurs.

2a Lisez les opinions. Pour une opinion positive, notez P. Pour une opinion négative, notez N. Pour une opinion positive et négative, notez P + N.

1 Dans une entreprise qui promeut la diversité, tous les individus ont les mêmes opportunités de développer leurs talents.
2 La diversité dans le domaine du travail veut dire qu'aucune culture n'est vue comme supérieure aux autres et que tout(e) employé(e) est respecté(e) – mais il se peut que les traits et les traditions uniques des employé(e)s se perdent dans le temps.
3 Quelquefois les conditions de travail doivent être aménagées afin de donner accès à certain(e)s employé(e)s (dans une chaise roulante, par exemple). Cela peut coûter cher.
4 Si on respecte la diversité au travail, on respecte la contribution de chaque individu et cela apporte des avantages importants à une entreprise qui peut profiter de ces contributions.
5 Si on ne préjuge pas les employé(e)s, on les juge tout simplement sur leur mérite et cela veut dire qu'on emploie à chaque poste les individus les mieux qualifiés.

2b Travaillez avec un(e) partenaire. Notez au moins cinq avantages de plus de la diversité dans le domaine du travail.

3 〰 Écoutez ce reportage sur « L'école multiculturelle ». Répondez aux questions en français.

   1 Quel était le but principal de la scolarisation vers la fin du 19e siècle?

   2 Quel a été l'effet du mouvement des droits civiques au 20e siècle?

   3 Quel espoir est illustré par le discours « I Have a Dream » de Martin Luther King?

   4 Qu'est-ce que l'Unesco a proposé pendant les années 50?

   5 En même temps, qu'est-ce que le Conseil de l'Europe a voulu valoriser en plus?

4a Lisez la suite du reportage. Trouvez dans le texte l'équivalent en français des expressions 1–4.

Les deux formes de légitimation de la diversité culturelle à l'école (droits civiques et organisations internationales) demeurent à l'heure actuelle présentes, avec des intensités variables selon les contextes nationaux. Cependant, on observe des résistances multiples face à une véritable ouverture d'opportunités de l'école à toutes les cultures.

Une image extraite du film *Entre les murs* (2008)

En effet, valoriser des cultures socialement et politiquement marginalisées donne une légitimité à la présence de ces cultures dans l'espace politique.

Par ailleurs, la mondialisation et les inégalités socio-économiques qui l'accompagnent semblent alimenter la montée en puissance des mouvements nationalistes et xénophobes dans de nombreuses régions du monde. En plus, vu le terrorisme international et les attitudes actuellement répandues, surtout envers les musulmans, la valorisation de la diversité culturelle demeure limitée, malgré les bonnes intentions législatives et institutionnelles.

   1 recognition

   2 at present

   3 an opening up of opportunities

   4 in the political arena

4b Traduisez en anglais le dernier paragraphe du texte (« Par ailleurs… »).

5 À l'oral. Avec un(e) partenaire, préparez une présentation sur l'importance de la diversité à l'école (un apprentissage pour la vie). Utilisez les thèmes suivants:

- le besoin de reconnaître et d'accepter les cultures différentes dans la vie actuelle
- les bénéfices de la diversité
- les avantages de valoriser la diversité pendant l'enfance.

▮ Vocabulaire

par le biais *via*
la contestation *challenge*
l'enfant (m / f) du voyage *traveller child*
l'impératif (m) *necessity, requirement*
unitaire *common, unified*

▨ Compétences

Pronouncing loanwords

Loanwords are words adopted from English by native French speakers (e.g. email, interview, sandwich, football). For a native English speaker, these words are often a stumbling block to pronunciation.

If you want to maintain good intonation and accent when speaking French, these loanwords need to be pronounced in a 'French' way. This requires listening to native French speakers. The easiest way to do this is to listen to French news reports via YouTube, radio or television, or by accessing French news apps. Listen out for loanwords and copy their pronunciation.

▮ Expressions clés

Grâce à…
Depuis longtemps…
En effet…
Toutefois…
On ne peut plus éviter le fait que…
En ce qui concerne…
De plus…
Par ailleurs…

1 Résumé

Démontrez ce que vous avez appris!

1 Reliez les expressions 1–10 aux explications a–j.

1	sauvegarder	**6**	en revanche
2	l'égalité	**7**	les apports
3	une déficience	**8**	valoriser
4	la reconnaissance	**9**	le rapprochement
5	avantageux	**10**	les préjugés

a absence de toute discrimination entre les êtres humains, sur le plan de leurs droits

b qui offre des bénéfices

c donner une importance à quelque chose

d les contributions

e préserver et protéger

f action de joindre des choses

g par contre

h jugements formés à l'avance

i insuffisance physique ou intellectuelle

j action de considérer et d'accepter

2 Reliez le début et la fin des phrases.

1 La discussion sur la diversité met souvent…

2 Les femmes doivent souvent travailler plus dur…

3 Nous devons travailler ensemble…

4 Malgré les bonnes intentions législatives et institutionnelles…

5 Partager un appartement avec un colocataire de nationalité différente…

6 Les statistiques suggèrent que la discrimination liée à la santé ou au handicap…

7 Accepter, connaître et reconnaître les autres…

8 Les difficultés d'emploi des personnes âgées…

a …afin de maintenir une société diverse.

b …sont les étapes qui fondent le vrai vivre-ensemble.

c …présente de nombreux avantages.

d …l'accent sur la race et l'origine ethnique.

e …résultent de pratiques discriminatoires de la part des entreprises.

f …est en baisse.

g …la valorisation de la diversité culturelle demeure limitée.

h …pour se faire remarquer et accéder à des avancements.

3 « Pour permettre à une société d'exister sans conflit, il faut accepter la diversité humaine. » Décrivez l'image en considérant cette opinion.

Pour vous aider:

- Que voyez-vous? Soyez aussi précis que possible.
- Quelles idées cette photo suggère-t-elle?
- Considérez les liens entre cette photo et les thèmes que vous êtes en train d'étudier.

4 Remplissez les blancs avec la bonne forme du verbe donné entre parenthèses, au présent, au futur ou au conditionnel.

1 Pour créer et maintenir une société vraiment diverse, il _____ accepter et valoriser chaque individu sans préjugés. (*falloir*)

2 Si les préjugés n'existaient pas, il n'y _____ plus de discrimination. (*avoir*)

3 Je me _____ comme un citoyen d'un monde multiculturel et riche en diversité. (*considérer*)

4 Nous _____ reconnaître les avantages de vivre dans une société diverse. (*devoir*)

5 Il est à espérer qu'à l'avenir nous _____ dans un monde sans conflits. (*vivre*)

6 Depuis bien des années, les groupes minoritaires _____ contre les préjugés. (*lutter*)

7 Un plus grand nombre de femmes _____ dans la haute direction des entreprises si on valorisait l'égalité. (*travailler*)

8 Je ne _____ pas imaginer un monde sans discrimination. (*pouvoir*)

9 D'ici vingt ans la législation contre l'homophobie ne _____ plus nécessaire. (*être*)

10 Malheureusement le conflit _____ presque partout dans notre société. (*exister*)

Testez-vous!

1a 📖 **Lisez le texte. Choisissez les quatre phrases qui sont vraies.**

La diversité régionale

À l'intérieur d'un même pays, la culture régionale constitue une sphère d'influence particulière dont la force des liens qui unit ses membres peut parfois créer des situations problématiques. On peut en effet assister à des oppositions culturelles entre une culture régionale qui souhaite affirmer sa spécificité et une culture nationale dont la légitimité réside (en partie) dans la minimisation des différences. C'est le cas par exemple de la France qui doit depuis plusieurs années faire face à des revendications d'autonomie ou d'indépendance dans plusieurs régions, comme par exemple en Corse, en Bretagne et au Pays basque, où les influences culturelles et historiques sont particulièrement fortes. De même, la Belgique doit gérer, au sein de son territoire, deux cultures régionales (entre les Flamands et les Wallons) situées au nord et au sud du pays, dont les références historiques, linguistiques et géographiques se révèlent relativement différentes et arrivent périodiquement à fragiliser l'unité nationale. De même, la situation au Canada (avec sa province monolingue française de Québec et sa province francophone mais bilingue de Nouveau Brunswick) donne encore des preuves de l'étendue du problème et de l'importance des cultures régionales sur la vie des citoyens.

Au-delà des frontières nationales, la réalité régionale, en faisant valoir l'importance de la culture géographique (héritage historique) par rapport au cadre institutionnel et juridique (héritage administratif), peut favoriser l'émergence de cultures transfrontalières structurées autour de populations présentant des caractéristiques communes sur l'origine géographique, ethnique, religieuse ou linguistique. La présence de populations ayant une histoire et des origines communes peut conduire au développement de cultures régionales transfrontalières. C'est le cas, par exemple, en Suisse, où les cantons alémaniques ont des coutumes distinctes de leurs voisins romands ainsi que communes. On peut également citer les liens très particuliers qui existent entre la France et la Belgique, à travers sa région francophone, la Wallonie.

1 La culture régionale peut créer des situations problématiques.
2 Des influences historiques et culturelles fortes existent en Corse, en Bretagne et au Pays basque.
3 Heureusement, en Belgique, les deux cultures régionales ne causent jamais de conflits.
4 Le problème des différences culturelles est tout simplement un problème européen.
5 Dans un même pays on ne voit pas de différences linguistiques.
6 On trouve des cultures régionales transfrontalières dans les pays voisins où les populations ont des origines communes.
7 En Suisse des cantons différents partagent quelques coutumes communes.
8 La Wallonie est la région belge où l'on parle plus souvent le flamand.

[4 marks]

1b ✏️ **Écrivez en français et en phrases complètes un paragraphe de 90 mots au maximum où vous résumez ce que vous avez compris suivant ces points:**

● la source des problèmes entre les habitants d'un même pays [2]
● la situation en Belgique [3]
● les raisons pour lesquelles une culture régionale transfrontalière existe. [2]

Attention! Il y a 5 points supplémentaires pour la qualité de votre langue. Essayez donc d'utiliser vos propres mots autant que possible.

[12 marks]

2a 〰️ **Écoutez ce témoignage qui parle de l'égalité et de la diversité. Essayez de répondre le plus directement possible aux questions et d'écrire des réponses concises. Il n'est pas toujours nécessaire de faire des phrases complètes.**

1 Ce témoignage se concentre sur quel fait? [1]
2 Pourquoi ne faut-il pas traiter tout le monde de la même façon? [2]
3 Quels aspects d'une personne est-ce que la diversité valorise? [2]
4 Quel problème est-ce que ce témoignage identifie? [1]
5 Quelle solution est proposée? [2]

[8 marks]

2b ✏️ Réécoutez le témoignage. Écrivez en français et en phrases complètes un paragraphe de 90 mots au maximum où vous résumez ce que vous avez compris suivant ces points:

- ce que veut dire l'égalité et ce que l'égalité ne veut pas dire [2]
- ce que signifie la diversité [3]
- comment on créera une société plus inclusive et solidaire. [2]

Attention! Il y a 5 points supplémentaires pour la qualité de votre langue. Essayez donc d'utiliser vos propres mots autant que possible.

[12 marks]

3 💬 Traduisez en français.

A diverse society accepts the unique difference between human beings. Diversity includes physical appearance, religious belief and race as well as opinions and thoughts. We can learn a lot from people who have different experiences and perspectives. Research shows that prejudices and mistrust are the main causes of discrimination. The encouragement of diversity brings benefits to society so we should not fear it.

[10 marks]

4 💬 Discutez avec un(e) partenaire.

« La diversité se manifeste par la reconnaissance des différentes langues, histoires, religions, traditions et des modes de vie, ainsi que par toutes les caractéristiques attribuées à une culture spécifique. Il faut tout reconnaître. Il faut tout célébrer. »

- Que dit-on ici sur la diversité?
- Que veut dire, pour vous, une société diverse?
- Une société diverse est la source de quels problèmes? Comment peut-on essayer de les résoudre?

5a 📖 Lisez le texte « 48H pour un tour du monde des cultures ». Identifiez dans le texte des synonymes pour les expressions 1–10.

48H POUR UN TOUR DU MONDE DES CULTURES

Les 800 artistes réunis à Aubagne pour « Le Monde est chez nous » vous invitent à un voyage exceptionnel à travers plus de 35 cultures du monde.

Nés ici, en Algérie, à Mayotte, en Roumanie, au Brésil, ou encore ailleurs, amateurs de haut niveau de musiques et danses traditionnelles ou artistes professionnels, ils représentent la diversité de la Provence en même temps que celle du monde.

Les 40 spectacles auxquels vous êtes conviés ont été préparés depuis des mois au sein de nombreuses associations culturelles de Marseille, de Provence et de la région. Certains d'entre eux sont le fruit d'ateliers pluriculturels créés spécialement pour « Le Monde est chez nous » avec des partenaires du territoire. Les cultures vivantes se nourrissant à la fois de patrimoine et de création, on pourra y découvrir des musiques transmises depuis des siècles, comme la musique arabo-andalouse ou chinoise, ou données en création ici pour la première fois.

Vous êtes invités à vous joindre aux artistes pour chanter et danser ensemble. « Le Monde est chez nous » n'est pas un festival de plus, mais une rencontre culturelle inédite: l'opportunité de nous rassembler pour reconnaître et célébrer nos singularités comme nos parentés. C'est une invitation à chanter tous ensemble à haute voix que la diversité n'est pas un problème mais un bonheur!

1 hors de l'ordinaire
2 en passant par
3 enthousiastes non professionnels
4 invités
5 au cœur
6 quelques-uns
7 produit
8 exceptionnellement
9 associés
10 dynamiques

[10 marks]

5b Relisez le texte. Essayez de répondre le plus directement possible aux questions et d'écrire des réponses concises. Il n'est pas toujours nécessaire de faire des phrases complètes.

1 Ce festival se passe où? [1]
2 Quel est le but du festival? [2]
3 Que représentent les amateurs et artistes professionnels? [2]
4 Il a fallu combien de temps pour préparer les spectacles du festival? [1]
5 Les spectacles du festival ont été préparés par qui et où? [2]

[8 marks]

5c Traduisez en anglais le dernier paragraphe du texte (« Vous êtes invités… »).

[10 marks]

6 « Le respect et la tolérance envers les autres sont les clefs d'un monde où règne la paix. » Comment réagissez-vous à cette affirmation? Écrivez environ 300 mots. Vous pouvez mentionner les points suivants:

• l'état du monde où nous vivons
• le besoin d'accepter la diversité des gens
• les moyens de combattre les préjugés et la discrimination.

7 Remplissez les blancs avec le bon mot de la liste.

> ### Conseil
>
> ### Checking your work
>
> It is important that you leave yourself time after each task to check your work. Pay particular attention to:
>
> • verbs and verb endings (including tenses, auxiliary verbs and verb sequences)
>
> • adjectives and agreements where necessary (masculine, feminine, plural)
>
> • the spelling of key vocabulary items (particularly of near cognates)
>
> • accents which change the meaning of words, e.g. *à / a, côte / côté*
>
> • gender.
>
> Make sure that you have answered all parts of any questions and included all relevant details.
>
> Try to avoid extended answers which go beyond what you have been asked to provide, as it increases the likelihood of introducing errors.

Le panorama religieux français

Depuis la [1]_____ du 9 décembre 1905 de séparation des Églises et de l'État, s'est affirmée en France une [2]_____ religieuse sans précédent. Les quatre cultes [3]_____ en 1905 (catholicisme, protestantismes réformé et luthérien, judaïsme) côtoient [4]_____ des religions géographiquement ou historiquement [5]_____ . Ainsi l'islam, mais aussi les bouddhismes et les autres [6]_____ , anciennes ou modernes, de christianisme que sont l'orthodoxie ou les [7]_____ évangéliques, font partie [8]_____ du paysage religieux actuel français. La France est le [9]_____ européen qui compte le plus grand nombre de [10]_____ , de juifs et de bouddhistes. Cette diversité est encore [11]_____ significative outre-mer, comme l'illustre l'île de la Réunion où [12]_____ chrétiens, hindouistes et musulmans.

nouvelles	aujourd'hui	églises	musulmans
intégrante	plus	loi	diversité
coexistent	formes	reconnus	pays

[12 marks]

8 « Vivre sans conflit dans une société diverse n'est qu'un rêve qui ne se réalisera jamais. » Comment réagissez-vous à cette opinion? Écrivez votre réponse en environ 300 mots.

1.1 L'enrichissement dû à la mixité ethnique

	accueillant(e)	*welcoming*
l'	ambiance (f)	*atmosphere*
	améliorer	*to improve*
l'	apport (m)	*contribution*
l'	assimilation (f)	*integration*
	assurer	*to maintain*
l'	attache (f)	*link*
l'	avis (m)	*opinion*
	coexister	*to live together*
la	colocation	*house or flat sharing*
la	compétence	*skill*
	conduire à	*to lead to*
	construire	*to build*
	contester	*to argue*
le	contrôle	*control, checking*
	décourager	*to discourage*
le	défi	*challenge*
le	droit d'asile	*right of asylum*
s'	empirer	*to worsen*
	enrichir	*to enrich*
l'	enrichissement (m)	*enrichment*
l'	énumération (f)	*catalogue, list*
	équilibré(e)	*balanced*
l'	étendard (m)	*standard, flag*
	exercer une influence	*to exert an influence*
	favoriser	*to favour, promote*
au	fil du temps	*as time goes by*
à la	fois	*at the same time*
	franchir	*to break through, cross*
	indiscutable	*unquestionable*
l'	individualité (f)	*individuality*
	inéluctable	*inevitable*
	insoluble	*without a solution*
	intégrer	*to integrate*
	interagir	*to interact*
se	manifester	*to show*
	mettre fin à	*to put an end to*
	meurtrier(-ère)	*deadly*
l'	objectif (m)	*objective, aim*
	paisible	*peaceful*
	partager	*to share*
la	particularité	*unique quality*
	permettre	*to allow*
la	perte	*loss*
	prévoir	*to foresee*
le	processus	*process*
la	racine	*root*

la	reconnaissance	*recognition*
le	respect	*respect*
la	richesse	*richness*
	sain(e)	*healthy*
	sensibiliser	*to make aware*
la	singularité	*uniqueness*
	songer	*to think about*
	souhaitable	*desirable*
	soutenir	*to support*
	tenir à	*to believe in*
la	tolérance	*tolerance*
	valoriser	*to value*

1.2 Diversité, tolérance et respect

	anormal(e)	*abnormal*
	appartenir à	*to belong to*
	approuver	*to approve (of)*
	arbitrer	*to arbitrate*
l'	ascendance (f)	*ancestry*
les	assurances (fpl)	*insurance*
l'	atout (m)	*asset*
	atteindre	*to reach*
en	augmentation	*increasing*
le	chemin	*way*
la	charte	*charter*
le	colloque	*conference*
	combattre	*to fight against*
	condamnable	*forbidden, reprehensible*
	condamner	*to forbid, condemn*
la	contrainte	*constraint*
la	conviction religieuse	*religious belief*
	coupable	*guilty*
la	crainte	*fear*
le	critère	*criterion*
	défavorisé(e)	*underprivileged*
	démuni(e)	*destitute*
	discriminatoire	*discriminatory*
la	distinction	*distinction*
le	dossier	*case, file*
le	droit	*right*
l'	état civil (m)	*civil status*
	évoluer	*to evolve*
s'	exprimer	*to express oneself*
la	façon	*way*
la	fidélité	*loyalty*
	fondé(e) sur	*based upon*
	fortement	*to a great extent*

	impliquer	to imply
l'	inégalité (f)	inequality
	interpeller	to call on, call upon
	lutter	to struggle, fight
la	maladie mentale	mental illness
le	manque de respect	lack of respect
en	matière de	on the subject of
	miser sur quelqu'un	to count upon someone
	pareil(le)	similar, the same
la	pauvreté	poverty
	perpétuer	to perpetuate
en	pratique	in practice
	promouvoir	to promote
	refléter	to reflect
	réparer	to rectify
la	requête	request
	rompre le bail	to break the lease
au	sein de	at the heart of
le	statut	status
	stigmatiser	to stigmatise
	supprimer	to put an end to
la	tâche	task, duty
	toucher	to receive
	valoir mieux	to be worth more
	véritable	true, genuine, real
la	volonté (de bonne volonté)	will (willing)

1.3 Diversité – un apprentissage pour la vie

	accéder à	to attain, access
l'	acceptation (f)	acceptance
	accomplir	to accomplish
	accorder	to grant
	accroître	to increase
	adhérer à	to stick to
l'	administration (f)	management
	afin de	in order to
	ajouter	to add
	amorcer un virage	to take a turn
l'	appartenance culturelle (f)	cultural belonging
	apprécier	to appreciate
l'	apprentissage (m)	apprenticeship
	biaisé(e)	biased
	bienvenu(e)	welcome
	briser	to smash, break
le / la	concitoyen(ne)	fellow citizen

le	conte de fées	fairy tale
la	contestation	dispute, challenge
se	croiser	to intersect
	déclarer	to announce, state
la	déficience	deficiency
	demeurer	to remain
	démontrer	to show, demonstrate
	désormais	from this point on
s'	effacer	to disappear
	embaucher	to employ
	englober	to encompass
l'	étape (f)	stage
	expérimenté(e)	experienced
l'	extrémisme (m)	extremism
se	faire remarquer	to get oneself noticed
la	haute direction	upper management
	hautement éduqué(e)	very well educated
	homophobe	homophobic
	illustrer	to illustrate
la	légitimation	legitimisation
	maintenir	to maintain
	malgré	despite
	marginalisé(e)	marginalised
	mettre l'accent sur	to stress
	misogyne	woman-hating, misogynistic
la	mondialisation	globalisation
le	mouvement des droits civiques	civil rights movement
	notamment	notably
	ouvert(e) d'esprit	open-minded
	parcourir	to cover
	préconiser	to advocate, recommend
	préserver	to preserve, maintain
se	réaliser	to happen, become real
	rejeter	to reject
le	rôle clé	key role
	scolariser	to educate
	signifier	to mean
la	sous-culture	subculture
la	synthèse	mix, synthesis
la	tendance (avoir tendance à)	tendency (to tend to)
	toutefois	nevertheless
la	vie quotidienne	daily life
	viser à	to aim to

2 Quelle vie pour les marginalisés?

By the end of this section you will be able to:

		Language	Grammar	Skills
2.1	**Qui sont les marginalisés?**	Examine different groups who are socially marginalised	Form and use the imperfect tense	Respond to a stimulus
2.2	**Quelle aide pour les marginalisés?**	Discuss measures to help those who are marginalised	Form and use the perfect tense	Express approval and disapproval
2.3	**Quelles attitudes envers les marginalisés?**	Consider contrasting attitudes to people who are marginalised	Form and use the pluperfect tense	Vary vocabulary by using synonyms

Que veut dire « marginaliser »?

Selon le dictionnaire Larousse, « marginaliser », c'est « mettre quelqu'un à l'écart de la société, le situer en dehors du centre d'une activité ».

Le saviez-vous?

- En France, le chômage marginalise une partie de la population. Le taux de chômage des actifs de nationalité étrangère est de 18%, contre 9% pour les actifs français.

- Le chômage est lié au niveau de formation: il touche 14% des ouvriers, 10% des employés et 5% des cadres.

- La situation des jeunes est alarmante: le taux de chômage des 15–24 ans a atteint 22,4%, contre 17% en 2007.

- Le chômage diminue sensiblement à partir de 25 ans: il est de 8,6% entre 25 et 49 ans et de 6,5% pour les actifs de 50 ans et plus.

- Le taux de chômage des personnes handicapées est de 19,3%, soit un peu plus du double de celui de la population active.

- Parmi les personnes nées entre 1960 et 1970, une sur deux (46%) a déjà été au chômage. Une proportion beaucoup plus élevée que pour celles nées avant 1940: une sur sept (14%).

Pour commencer

1 L'exclusion sociale peut toucher n'importe qui mais certains groupes sont surreprésentés.
Reliez les expressions (1–9) aux définitions (a–i).

1	banlieusard		**a**	atteint d'une infirmité
2	démuni		**b**	attiré par les personnes de même sexe
3	handicapé		**c**	groupe de langue et d'héritage socioculturel différent
4	homosexuel		**d**	n'ayant pas de logement
5	immigré		**e**	qui a cessé son activité professionnelle
6	minorité ethnique		**f**	qui a quitté son pays d'origine pour s'installer dans un autre pays
7	retraité		**g**	qui réside à la périphérie d'une grande ville
8	sans-abri		**h**	qui cherche du travail
9	demandeur d'emploi		**i**	sans ressources suffisantes

2 Lisez le texte et pour chaque phrase écrivez vrai (V) ou faux (F).

La marginalisation et la pauvreté

Aujourd'hui en France, un ménage sur sept vit en dessous du seuil de pauvreté et un enfant sur cinq est confronté à la grande précarité. Parmi les personnes en situation de grande précarité, la proportion des travailleurs pauvres est importante. Cette situation concerne surtout des femmes élevant seules leurs enfants: une sur trois vit en dessous du seuil de pauvreté (moins de 960 euros par mois).

Derrière ces statistiques, « il y a des gens qui ont tout simplement du mal à boucler leurs fins de mois, tous les mois, ou qui n'y arrivent pas du tout. Des personnes isolées qui peinent à trouver un logement décent et qui souvent se sentent jugées et aussi humiliées, des personnes qui ont peur que leurs enfants se trouvent à leur tour en situation de pauvreté », a expliqué le Premier ministre lors de la présentation de la feuille de route 2015–2017, mardi 3 mars. Et malgré tout, « un nombre croissant de nos concitoyens, même si ce n'est pas la majorité aujourd'hui en tout cas, remet en cause la légitimité même de nos institutions de redistribution », a-t-il souligné.

■ Vocabulaire

boucler (un budget)   *to make ends meet*
peiner   *to struggle, have difficulty*
la précarité   *(financial) insecurity*
remettre en cause   *to question*

1 En France, au moins 20% des enfants sont considérés comme pauvres.
2 La précarité ne touche que les chômeurs.
3 La moitié des mères seules vivent en dessous du seuil de pauvreté.
4 Les gens dont on parle dans cet article ont tous des dettes à la fin du mois.

5 Selon le Premier ministre, certaines personnes se sentent humiliées parce qu'elles ont du mal à se loger.
6 Selon le Premier ministre, de plus en plus de Français pensent que les institutions de redistribution sont efficaces.

3 À l'oral. Discutez avec un(e) partenaire.

1 Comment définissez-vous la pauvreté?
2 Pourquoi y a-t-il des personnes aux ressources insuffisantes dans un pays riche?
3 Est-il possible d'éliminer la pauvreté en France? Et dans les autres pays? Pourquoi (pas)?

1 Regardez la liste d'adjectifs. Lesquels associez-vous à la vie d'un sans-abri?

accueilli(e)	ignoré(e)	seul(e)
démuni(e)	intégré(e)	utile
égoïste	protégé(e)	vulnérable

2a Lisez le texte « Les nouveaux marginaux » et répondez aux questions en français.

Les nouveaux marginaux

Place Sainte-Anne, c'est sur les marches de l'église Saint-Aubin qu'ils préfèrent s'installer. C'est le meilleur poste d'observation pour voir les passants sortir du métro et les dealers attendre le client. En plein centre-ville, des bandes de jeunes marginaux ont choisi pour territoire le décor cossu des immeubles bourgeois. Selon le Samu social, ils ne seraient pas plus de 250. Une frange limitée de la population, certes, mais fort voyante.

Pendant longtemps la double tradition d'une Bretagne terre d'accueil et de Rennes ville ouverte s'est imposée. Elle remontait au Moyen Âge, à l'époque des villes franches, nombreuses en Bretagne. Cette indulgence est désormais remise en question. Rennes, comme d'autres villes bretonnes, a conservé de cette tolérance de bonnes structures d'accueil pour les plus démunis. Cependant, les aides et les structures d'accueil pour les nécessiteux ne sont plus réellement en adéquation avec les besoins d'une population en errance qui a sensiblement évolué depuis cette dernière décennie.

En effet, le parcours type de ces marginaux a changé. « Il y a une dizaine d'années, les SDF étaient plutôt du type clochards », confie Michel Bouvier, au centre communal d'action sociale de Rennes. « Ils avaient connu une vie structurée autour d'une famille et d'un travail. Puis, sous l'effet de l'alcool, d'un divorce ou d'un licenciement, les trois étant combinés dans des ordres divers, ils ont tout perdu et se sont retrouvés seuls et démunis. Ces SDF considéraient à l'époque leur situation comme une déchéance. »

Désormais, ceux qui vivent dans la rue sont de plus en plus jeunes, et les filles également plus nombreuses. « Des jeunots et des jeunettes », les appelle affectueusement Michel Bouvier, « qui n'ont jamais eu un sort enviable. » Déracinés de toujours, ils ont la plupart du temps erré de foyer en foyer, de famille d'accueil en famille d'accueil, ne se sentant chez eux nulle part. Ils n'ont ni attaches ni racines, et n'ont jamais connu de vie structurée dite « normale ». À leurs yeux, la rue est presque une issue naturelle. Ils n'ont pas honte de leur mode de vie et le revendiquent comme un choix. « Il suffit de deux mois dans la rue », explique Edmond Antonin, responsable du Samu social pour la Croix-Rouge de Rennes, « pour désocialiser définitivement un homme. »

Vocabulaire

le clochard *tramp*
cossu *affluent*
la déchéance *decline, degradation*
déraciné *uprooted, without roots*
l'issue (f) *outcome*
le licenciement *redundancy*
le parcours *path, journey*
revendiquer *to demand, claim*
le SAMU social *a municipal humanitarian emergency service*
le sort *fate, destiny*
voyant *conspicuous*

1 Où les jeunes marginaux s'installent-ils?
2 Pourquoi ont-ils choisi cet endroit?
3 En Bretagne, quelle tradition existe depuis le Moyen Âge?
4 Pourquoi les structures d'accueil de Rennes ne sont-elles plus suffisantes?
5 Dans le passé, quelles étaient les caractéristiques des SDF? (3 détails)
6 Comment les SDF d'aujourd'hui sont-ils différents des SDF d'autrefois? (4 détails)

2b Traduisez en anglais le troisième paragraphe (« En effet … une déchéance »).

3a ⚡ **Écoutez les témoignages de deux sans-abri. Choisissez la bonne réponse.**

1 Les deux SDF…
   a veulent qu'on les écoute.
   b ont du mal à écouter les autres.
   c sont souvent écoutés.
2 Romain…
   a a quitté sa famille.
   b a perdu sa famille.
   c est parti avec sa famille.
3 Il est rare que les gens…
   a parlent à Romain.
   b passent devant Romain.
   c ignorent Romain.
4 On dirait que la plupart des passants n'osent pas…
   a avoir peur de Romain.
   b répondre aux questions de Romain.
   c donner quelque chose à Romain.
5 Si un passant posait une question à Romain,…
   a il lui demanderait de l'argent.
   b il lui tournerait le dos.
   c il n'aurait pas de mal à lui répondre.
6 Pour Romain, un sourire…
   a peut être meilleur que de l'argent.
   b risque de causer de l'embarras.
   c n'est jamais facile.

3b ⚡ **Réécoutez le témoignage de Slimane. Écrivez en français et en phrases complètes un paragraphe de 90 mots au maximum où vous résumez ce que vous avez compris suivant ces points:**

- l'endroit que Slimane a choisi
- le comportement de la plupart des passants
- ce que Slimane fait quand un passant a été « méchant ».

3c **À l'oral. Discutez avec un(e) partenaire la situation de Romain et celle de Slimane. Quelles similarités et différences voyez-vous entre les deux personnes?**

Pour vous aider:
- Pourquoi sont-ils sans abri?
- Comment passent-ils leur temps?
- Comment sont-ils traités par les passants?

4 **À l'écrit. Pourquoi, à votre avis, y a-t-il des sans-abri en France aujourd'hui? Écrivez environ 150 mots. Vous pourriez prendre en compte:**

- un coût du logement inaccessible aux personnes démunies
- le manque d'emplois
- une éducation insuffisante
- la maladie mentale
- les maladies physiques
- l'abus de drogues.

Vocabulaire

chasser *to chase away*
se confier *to confide*
côtoyer *to rub shoulders with*
effrayer *to frighten*
mendier *to beg*
oser *to dare*

Compétences

Responding to a stimulus

A stimulus may be written, spoken or visual.

Comprehension: It is always best to start with the gist. What is the theme of the stimulus? Is it conveying facts, or personal opinion? Are there contrasting opinions? Once you have grasped the gist, you can focus on the detail. Don't get stuck with difficult vocabulary: try to focus on familiar words and phrases.

Personal reaction: Begin with whether you agree or disagree with any opinions expressed in the stimulus. Always try to justify your reactions. You could draw on your own personal experience to exemplify a point.

Expressions clés

Ils ne seraient pas plus de…
Certes, mais…
À l'époque de…
en effet
désormais
à leurs yeux
Il suffit de…

Lisez le texte sur les attitudes envers l'autisme en France. Choisissez les quatre phrases qui sont vraies.

Marginalisées en raison de leur différence – les victimes de l'autisme

En France, 1 enfant sur 150 naît autiste. Ce trouble du comportement se caractérise par des problèmes de communication, des difficultés à interagir socialement et des centres d'intérêt limités. Des signes qui apparaissent au cours des trois premières années de la vie et sont généralement détectés par les parents. Aujourd'hui encore, l'autisme marginalise: 80% des enfants qui en sont atteints ne seront pas scolarisés.

Début mars, une enquête a été réalisée par l'Ifop* pour comprendre le regard que les Français portent sur ce trouble. 79% des participants estiment que les autistes sont victimes de discrimination dans notre société et 73% déplorent un manque d'information. Cependant, 19% ne voudraient pas travailler avec l'un d'eux et 3% les considèrent comme « un problème pour la société ». En ce qui concerne la prise en charge d'une personne autiste au sein du foyer, elle incombe 80% du temps à la mère: 64% pensent qu'il faudrait que cette charge soit mieux répartie entre les deux parents et 30% affirment qu'elle ne devrait pas être assumée par la famille.

Chaque année, la journée du 2 avril qui y est consacrée a pour principal objectif de mieux faire connaître au grand public les réalités de l'autisme: 37% des Français pensent encore qu'il s'agit d'un trouble psychologique. Et 61% des Français estiment qu'il y a environ 50 000 personnes touchées par l'autisme en France… au lieu de 650 000! Il est certain que l'autisme représente un véritable défi de santé publique, auquel il est urgent de répondre.

*Institut français
d'opinion
publique

Vocabulaire

assumer *to take (something) on*
le défi *challenge*
déplorer *to find (something) regrettable*
incomber à *to fall to, be the responsibility of*
la prise en charge *(nursing) care*

1 Les enfants autistes ont souvent du mal à communiquer.
2 Les enfants autistes refusent de faire des choses tout seuls.
3 Normalement, on reconnaît les signes de l'autisme quand l'enfant est petit.
4 Souvent, les parents ne croient pas qu'ils ont un enfant autiste.
5 La plupart des enfants autistes vont à l'école.
6 Selon une enquête, la plupart des gens pensent que les autistes sont discriminés.
7 Normalement, ce sont les deux parents qui s'occupent de leur enfant autiste à la maison.
8 30% des participants à l'enquête pensent que l'éducation d'un enfant autiste relève de la responsabilité de la famille entière.
9 Chaque année, le 2 avril, on essaie de sensibiliser les Français à l'autisme.
10 La plupart des Français surestiment le nombre d'autistes.

Relisez le texte. Écrivez en français et en phrases complètes un paragraphe de 90 mots au maximum où vous résumez ce que vous avez compris suivant ces points:

- les caractéristiques d'un enfant autiste
- la discrimination et les attitudes négatives envers les enfants autistes
- deux malentendus fréquents.

2 〜 Écoutez l'interview du sociologue François Dubet, qui parle des discriminations en France. Répondez aux questions en français.

NB Robert Charlebois est un auteur-compositeur, interprète et musicien québécois. Il est devenu en 50 ans de carrière une figure emblématique de la chanson francophone.

1 Quel est le paradoxe auquel l'intervieweuse fait référence?
2 Selon l'intervieweuse, quels groupes se sentent discriminés aujourd'hui?
3 Il y a quarante ans, pourquoi ne se plaignait-on pas de certaines discriminations?
4 À cette époque-là, quelle était l'attitude des Français envers les travailleurs immigrés?
5 À cette époque-là, comment les femmes étaient-elles discriminées?
6 Face à la discrimination, comment François Dubet explique-t-il la différence entre l'attitude d'un immigré et l'attitude de son fils?
7 En général, qu'est-ce qui est nécessaire avant qu'on se sente discriminé?
8 Pourquoi François Dubet cite-t-il le Québec comme exemple à suivre?
9 Quel équilibre a été établi au Québec?
10 En France, quel exemple d'un « accommodement raisonnable » François Dubet donne-t-il?

3 Traduisez en français.

1 We used to discriminate against immigrant workers.
2 In the old days certain jobs were barred to women.
3 French people accepted inequalities without asking too many questions.
4 Fifty years ago it was hard for homosexual people to succeed socially.
5 Many people didn't realise that autistic children needed help.

4 À l'oral. Pensez-vous qu'on discrimine moins aujourd'hui qu'autrefois? Discutez avec un(e) partenaire.

Pour vous aider:
● La discrimination il y a 50 ans – contre les femmes, les minorités ethniques, les handicapés…
● Quels groupes sont moins discriminés aujourd'hui?
● Qu'est-ce qui explique le changement d'attitude?

Un quartier multiculturel de Paris

Vocabulaire

assouplir *to relax, soften*
digne *worthy*
métisser *to mix, crossbreed*
oser *to dare*
le plafond *ceiling*

Grammaire

The imperfect tense

The imperfect tense is used to:

● describe a habitual or repeated action in the past

Nous discriminions beaucoup plus autrefois. We used to discriminate a lot more in the past.

● describe what things were generally like

Elles étaient jugées normales. They were (generally) regarded as normal.

● describe something that was (in the middle of) taking place

Je parlais avec Romain quand un passant lui a donné de l'argent. I was (in the middle of) speaking with Romain when a passer-by gave him some money.

See page 151.

Expressions clés

En ce qui concerne…
au sein de
il faudrait que
il / elle ne devrait pas
il s'agit de

2.2 | A: Quelle aide pour les marginalisés?

1 À l'oral. Quelle aide pour les SDF? De quelle aide les sans-abri ont-ils le plus besoin? Discutez avec un(e) partenaire.

refuge	repas	vêtements	emploi
argent	confort	soins médicaux	amitié

2a Lisez le texte. Complétez les phrases 1–10 selon le sens du texte.

Des refuges pour les SDF à Angoulême

Le 115* de Charente a convaincu les élus de mettre à disposition un réseau de refuges pour les sans-abri. Dans un vieux relais de poste, un chalet ou l'ancienne loge d'un gardien de cimetière, des appartements spécialement aménagés proposent une première étape vers le logement.

Adossé contre le mur d'une maisonnette en bois, Jean-Luc attend de pouvoir entrer. À 57 ans, cet ancien peintre s'est retrouvé à la rue en mars dernier, après un divorce et un licenciement. Ces deux prochains jours, il pourra passer la nuit ici.

Il n'y a pas de gardien et le numéro de digicode change toutes les 48 heures de manière à éviter le squat. Le 115 doit appeler Jean-Luc pour lui donner la nouvelle combinaison. Quand enfin le téléphone sonne, il s'anime: « 1664? D'accord, comme la bière! Celui-là, je vais m'en souvenir! »

En Charente, il existe déjà 23 lieux de ce type, accessibles 24 heures sur 24, 365 jours par an. Des « bus verts » assurent le transport pour un euro. Au besoin, les personnes y sont déposées en voiture.

Jean-Luc connaît le réseau par cœur. Il est déjà venu trois fois ici. Un coup d'œil sommaire suffit à l'inspection. La femme de ménage a effacé les traces des résidents précédents; les kits d'accueil avec duvet et drap propre ont été déposés sur les lits superposés. La plaque de cuisson est hors service mais Jean-Luc ne s'inquiète pas: « C'est l'été, on se fera des salades. »

Il installe sa radio et écoute France Bleu, la seule chaîne qu'il arrive à capter. Il ne lui reste plus qu'à attendre son compagnon de route, Olivier. « Je ne sais pas dans quel état il va rentrer, ni à quelle heure », prévient-il.

Les refuges sont ouverts sans condition, à la différence des accueils collectifs aux horaires et aux règles plus stricts. Cela permet aux sans-abri les plus abîmés de s'y poser quel que soit leur degré de dépendance à l'alcool. Ceux qui y tiennent peuvent même venir avec leur chien.

Le 115 est un numéro d'appel gratuit qui permet aux personnes d'avoir accès à des places d'hébergement d'urgence.

Vocabulaire

abîmé *in a bad way / state*
adossé contre *with one's back against*
capter *to pick up, receive*
effacer *to erase*
la plaque de cuisson *hob*
le relais de poste *coaching inn*
sommaire *brief*
tenir à *to have a strong desire for*

1 Un vieux relais de poste peut devenir…
2 Jean-Luc est divorcé et a perdu son…
3 Avant de pouvoir ouvrir la porte, Jean-Luc a besoin…
4 Pour un euro, les sans-abri peuvent…
5 Aujourd'hui, c'est la troisième fois que…
6 Ce soir, Jean-Luc mangera des salades parce que…
7 Sur sa radio, Jean-Luc ne peut capter que…
8 Jean-Luc ne sait pas…
9 Les sans-abri les plus « abîmés » peuvent…
10 Même les chiens…

2b Traduisez les phrases en français. Vous trouverez certains mots clés dans le texte (page 34).

1 In Charente a network of shelters has been made available for homeless people.
2 Having lost his job and family, Jean-Luc has been living on the streets for more than a year.
3 Without knowing the entry code, no-one can enter the building where Jean-Luc is going to spend the night.
4 Each shelter has a cleaning lady who provides clean sheets for those who need them.
5 If the rules were stricter, some homeless people wouldn't be able to use the shelter and would have to sleep outside.

3a ⁓⁓ Écoutez le reportage sur un événement au Sénat pour donner la parole aux marginalisés. Remplissez les blancs avec le bon mot de la case.

1 L'abbé Pierre a _____ un appel en 1954.
2 Soixante ans plus tard, un groupe de marginalisés s'est _____ au Sénat.
3 Là, ils ont _____ leurs difficultés.
4 Fatima a _____ son emploi et son mari.
5 Le fils aîné de Charlotte étant majeur, il a _____ obligé de quitter le centre où logeait sa mère.
6 Alain est _____ SDF il y a trois ans.

devenu	lancé	raconté
été	perdu	rendu

3b ⁓⁓ Réécoutez le reportage. Écrivez en français et en phrases complètes un paragraphe de 90 mots au maximum où vous résumez ce que vous avez compris suivant ces points:

- l'appel de 1954 de l'abbé Pierre
- le problème de Fatima
- les difficultés liées à l'accès aux traitements médicaux.

4 Traduisez en anglais.

Lundi, un collectif d'une trentaine d'associations de défense des sans-abri et des mal logés a installé plusieurs heures 33 tentes au bord du canal Saint-Martin à Paris, une action « symbolique et solidaire ».
« Nous avons le sentiment que les responsables politiques ne voient pas la même France que nous », a déclaré Christophe Robert, directeur général adjoint de la Fondation Abbé Pierre. « On fait des économies sur le dos des plus démunis, alors que les sortir de la précarité, c'est un investissement économique et social pour le pays. »

5 À l'écrit. Faites des recherches sur l'histoire et les actions actuelles de la Fondation Abbé Pierre. Écrivez 250–300 mots.

Pour vous aider:
- Qui était l'abbé Pierre?
- Comment la Fondation Abbé Pierre s'est-elle développée?
- Quelles sont ses principales actions aujourd'hui?

⊞ Grammaire

The perfect tense

The perfect tense is used to express a completed action in the past or when a time period is given:
Cet ancien peintre s'est retrouvé à la rue en mars dernier.

The perfect tense is formed with an auxiliary verb (*avoir* or *être*) and a past participle. Most verbs go with *avoir*, but all reflexive verbs and some other verbs such as *sortir* and *rester* go with *être*.

The past participle takes the following endings:
-er verbs	-é	mang**é** (manger)
regular -ir verbs	-i	fin**i** (finir)
regular -re verbs	-u	attend**u** (attendre)

But many past participles are irregular.

With *être* verbs, the past participle needs to agree with the subject.

See pages 149–150.

■ Expressions clés

de manière à…
Je vais m'en souvenir
au besoin
connaît… par cœur
ne lui reste plus qu'à…
à la différence de…
quel que soit…
ceux qui y tiennent

1a Lisez l'article et pour chaque phrase écrivez vrai (V), faux (F) ou information non-donnée (ND).

L'abandon du CV anonyme

Un rapport remis au gouvernement a recommandé l'abandon du CV anonyme, censé être obligatoire dans toutes les grandes entreprises depuis une loi de 2006.

Le CV anonyme devait consister à enlever la mention du patronyme, de manière à s'assurer que les candidats à l'embauche ne seraient pas écartés en fonction de leur identité ou de leur origine. Les opposants au dispositif ont critiqué « sa lourdeur et les éventuels effets pervers qu'il peut introduire dans les processus de recrutement ».

Selon le groupe qui a rédigé le rapport – un groupe réunissant à la fois des associations, des syndicats et des représentants du patronat – « le CV anonyme ne permet pas de valoriser les différences », il « va à l'encontre de la liberté de choix des entreprises et des candidats », « risque de conduire à des démarches de contournement avec l'utilisation accrue d'Internet comme mode de recrutement ».

D'après une autre évaluation du CV anonyme, certaines observations étaient positives: « les recruteurs hommes sélectionnent davantage de femmes, les recruteurs jeunes davantage de seniors ». D'autres l'étaient moins: « le CV anonyme pénalise les candidats issus de l'immigration ou résidant en Zone Urbaine Sensible ».

Le rapport reçu par le gouvernement a défendu d'autres solutions contre les discriminations dans le recrutement.

Il a proposé la création d'un « référent égalité des chances » dans les entreprises de plus de 300 salariés. Il serait chargé d'« accompagner les candidats ou les salariés se sentant discriminés ». Autres préconisations: une « campagne nationale d'information et de sensibilisation » contre les stéréotypes et des formations « obligatoires » en entreprise sur « la problématique des discriminations ».

Toutefois, certains participants du groupe de travail ne se sont pas reconnus dans le rapport. La « Maison des potes », association des quartiers populaires, a fait partie des grands déçus. Les trois principales organisations patronales – Medef, CGPME et UPA – n'ont pas souhaité être associées aux orientations du rapport, jugeant « contraignantes, voire très contraignantes », huit de ses dix-sept propositions.

Vocabulaire

censé *supposed*
contraignant *restrictive*
écarter *to rule out*
l'effet (m) pervers *negative effect*
éventuel *possible*
la formation *training*
le patronyme *surname*
la préconisation *recommendation*
le référent *advisor*

1 Une loi de 2006 prévoyait l'introduction du CV anonyme.
2 Le but du CV anonyme était de protéger les candidats à l'embauche contre la discrimination.
3 Selon le rapport remis au gouvernement, le CV anonyme souligne trop les différences entre les candidats.
4 Avec Internet, les recruteurs peuvent contourner le CV anonyme.
5 Selon une autre évaluation, le CV anonyme est apprécié par les recruteurs.
6 On a trouvé que le CV anonyme aidait plus souvent les seniors que les candidats issus de l'immigration.
7 Selon le rapport remis au gouvernement, les grandes entreprises devraient mettre en place les mêmes mesures que les petites entreprises.
8 Selon ce rapport, les entreprises devraient former leurs employés sur la problématique des discriminations.
9 La « Maison des potes » a accueilli le rapport avec satisfaction.
10 Pour les organisations patronales, certaines propositions contenues dans le rapport causeraient des difficultés.

1b Traduisez en anglais le troisième paragraphe (« Selon le groupe… »).

2 Traduisez en français.

1 The government decided to encourage the use of anonymous CVs in 2006.
2 In the past, job candidates with a foreign name used to be discriminated against.
3 Some companies were opposed to the measure because it restricted their freedom of choice.
4 Several organisations are disappointed by the decision to abandon anonymous CVs.
5 If every employer had been forced to accept this type of CV, perhaps the measure would have succeeded.

Expressions clés

de manière à…
aller à l'encontre de…
voire
Il faut distinguer…
On estime que…
Rappelons que…

3 Écoutez l'entretien de Jean-Marie Barbier, ancien président de l'association des paralysés de France (APF), qui parle des aides pour les personnes handicapées. Répondez aux questions en français.

1 Selon Jean-Marie Barbier, comment les politiques français devraient-ils voir la question du handicap?
2 Pourquoi, selon Jean-Marie Barbier, le problème de Louis van Proosdij a-t-il été « réglé en dix-huit minutes »?
3 Que dit Jean-Marie Barbier à propos des emplois dans les services d'aide à domicile?
4 Quelles sont les deux sortes d'aide dont un adulte handicapé peut bénéficier?
5 Pourquoi certaines personnes handicapées reçoivent-elles moins d'aide que d'autres?
6 Pourquoi Jean-Marie Barbier est-il pessimiste concernant l'accessibilité des personnes handicapées aux lieux publics?
7 Dans quel domaine Jean-Marie Barbier reconnaît-il des avancées?

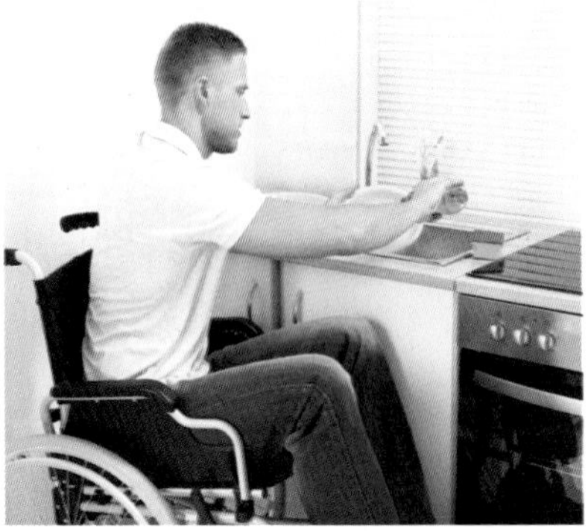

4 À l'oral. Discutez avec un(e) partenaire.

1 À votre avis, les personnes handicapées (en France, ou ailleurs dans le monde francophone) reçoivent-elles assez d'aide? Justifiez votre opinion.
2 Quels sont les droits les plus importants pour les personnes handicapées?

Pour vous aider:

- l'aménagement gratuit du logement
- le stationnement gratuit dans toutes les villes
- l'accessibilité des lieux publics
- la retraite à partir de 55 ans
- la sensibilisation de la population au handicap
- et d'autres…

5 À l'écrit. Renseignez-vous sur la loi du handicap du 11 février 2005 (France). Comment cette loi facilite-t-elle la vie des personnes handicapées et qu'est-ce que le gouvernement a fait depuis 2005? Aujourd'hui, la loi accorde-t-elle suffisamment de droits? Écrivez 250–300 mots.

Compétences

Expressing approval and disapproval

When discussing a particular issue, look for different ways of expressing approval and disapproval:

- *C'est la solution idéale.*
- *Voilà ce que je pensais.*
- *Ce n'est pas possible!*
- *Je (ne) suis (pas) d'accord pour que…*
- *Je (n')accepte (pas) que…*
- *Je trouve normal / inadmissible que…*
- *J'ai du mal à croire que…*

A subjunctive verb is required after the last four expressions.

A: Quelles attitudes envers les marginalisés?

1 À l'oral. Des attitudes différentes: Que pensez-vous de ces attitudes envers les personnes marginalisées? Discutez avec un(e) partenaire.

> Rendre mon restaurant accessible aux personnes à mobilité réduite? Ça va coûter trop cher.

> Je plains les SDF. Dans la plupart des cas, ce n'est pas leur faute.

> Pourquoi ne travaillez-vous pas au lieu de mendier?

> Je ne veux pas qu'on me traite différemment à cause de la couleur de ma peau.

> Nous avons tous le devoir de donner ce que nous avons en trop à ceux qui en ont besoin.

> Les enfants handicapés devraient avoir droit à un enseignement prioritaire.

> C'est le rôle du gouvernement de protéger les personnes vulnérables.

Vocabulaire

aborder *to approach, tackle*
ardent *intense*
la chorégraphie *choreography*
l'épanouissement (m) *blossoming, flourishing*
le fauteuil roulant *wheelchair*
la licence *degree*
le master *master's degree*
le / la navigateur(-trice) *sailor*

2  Écoutez l'interview de Magali Le Naour-Saby – comédienne, danseuse et modèle. Complétez les phrases selon le sens de l'interview.

1 Magali vient de finir…
2 Magali a beaucoup apprécié l'opportunité de…
3 Magali se pose plusieurs questions sur la différence, la normalité et…
4 Les différences peuvent nous…
5 C'est à travers la danse et le théâtre qu'on peut aborder…
6 *Regardez-moi!* est le titre d'une pièce dont Magali vient de…
7 Cette pièce montre comment…
8 Magali admire la navigatrice Maud Fontenoy parce que cette dernière pense que…

3a Lisez le texte « Quelle vie pour les personnes handicapées au Sénégal? » (page 39). Reliez le début et la fin des phrases.

1 Le père adoptif de Ndèye Dagué Dieye…
2 Les droits et les devoirs…
3 Dans la fonction publique, une certaine proportion des emplois…
4 Les Sénégalais…
5 Une personne handicapée…

a …doit faire face à de nombreux problèmes.
b …est réservée aux personnes handicapées.
c …l'a beaucoup soutenue.
d …sont importants pour les personnes handicapées, comme pour tout le monde.
e …vont bénéficier d'une couverture médicale universelle.

Vocabulaire

acharné *bitter, fierce*
l'adhésion (f) *membership*
attribuer *to allocate*
conforter *to strengthen*
l'École normale *teacher training college*
éprouver *to experience*
exercer *to practise (a profession)*
la fonction publique *civil service*
inapte *unfit*
la subvention *subsidy*

Expressions clés

soi disant
du fait de…
à part entière
en matière de…
pour ce qui est de…
en d'autres termes

3b Relisez le texte. Écrivez en français et en phrases complètes un paragraphe de 90 mots au maximum où vous résumez ce que vous avez compris suivant ces points:

- le problème que Ndèye Dagué Dieye a rencontré quand elle faisait ses études
- les aides aux personnes handicapées accordées par l'État
- pourquoi la mise en place d'une couverture médicale universelle ne résoudra pas tous les problèmes des personnes handicapées.

QUELLE VIE POUR LES PERSONNES HANDICAPÉES AU SÉNÉGAL?

Interview avec **Ndèye Dagué Dieye**

Pouvez-vous vous présenter à nos lecteurs?

Mme DIEYE: Je suis membre de l'Association Nationale des Handicapés Moteurs du Sénégal depuis 1984 et présidente de la section féminine de cette association.

Quelles sont les raisons qui ont motivé votre engagement?

Mme DIEYE: Lorsque j'ai été admise à l'École normale des jeunes Filles à Thiès, on a voulu m'exclure de l'école, soi-disant parce que j'étais inapte à enseigner du fait de mon handicap. Et c'est après une lutte acharnée – avec notamment l'aide de mon père adoptif – que j'ai pu exercer. Cette expérience a véritablement constitué un moment fort de ma vie. Mon adhésion à l'Association Nationale des Handicapés Moteurs du Sénégal m'a confortée dans cette position: les personnes handicapées sont des citoyens à part entière, avec des droits et des devoirs.

Existe-t-il au Sénégal des politiques publiques en faveur des personnes en situation de handicap?

Mme DIEYE: En matière de santé, l'État délivre une lettre de garantie aux personnes handicapées pour leur prise en charge médicale (soins, hospitalisations, interventions). Pour ce qui est de l'emploi, il existe un quota spécial de 15% pour le recrutement des personnes handicapées dans la fonction publique. L'État finance des études et recherches sur le handicap et attribue des subventions aux organisations de personnes handicapées.

Avez-vous un espoir de voir les problématiques liées au handicap être mieux prises en charge par les pouvoirs publics?

Mme DIEYE: La future mise en place d'une couverture médicale universelle est une décision bien accueillie par les personnes handicapées car la santé demeure un besoin essentiel et certaines personnes handicapées éprouvent d'énormes difficultés dans ce domaine. Mais si les personnes handicapées ont des problèmes de santé, elles ont aussi des difficultés d'emploi, de formation, de transport et d'habitat. En d'autres termes, elles ont tous les problèmes que rencontrent les êtres humains, mais accentués par leur situation de handicap.

---

4 Traduisez en français.

1 We had left the previous day.
2 She needed help because she had lost her job.
3 I thanked the person who had helped me.
4 He couldn't work because he had fallen ill.
5 I didn't know that you had already met each other.

5 Travail de recherche. Choisissez un pays francophone autre que la France et le Sénégal. Dans ce pays, comment traite-t-on les marginalisés? Écrivez un résumé en environ 150 mots. Considérez:

- les sans-abri
- les chômeurs
- les handicapés
- les minorités ethniques.

G Grammaire

The pluperfect tense

The pluperfect tense is used to express a completed action or event which had taken place before another past action or event:

À l'École normale, on avait dit à Ndèye Dagué Dieye qu'elle était inapte à enseigner.
At teacher training college, Ndèye Dagué Dieye had been told that she was unfit to teach.

Elle pouvait exercer son métier parce que son père adoptif l'avait aidée.
She was able to practise her profession because her adoptive father had helped her.

The pluperfect tense is formed in the same way as the perfect tense except that the auxiliary verb *avoir* or *être* goes into the imperfect tense:

Perfect tense	Pluperfect tense
j'ai appris I learned	*j'avais appris* I had learned
elle est partie she left	*elle était partie* she had left
ils se sont rencontrés they met	*ils s'étaient rencontrés* they had met

See page 152.

1a Lisez l'article sur les « mal connectés ». Trouvez des synonymes pour les expressions 1–8.

Les « mal connectés » – une nouvelle forme d'exclusion

Il s'agit de lutter contre une nouvelle forme d'exclusion, celle dont souffrent aujourd'hui tous ceux qui ne maîtrisent pas l'ordinateur. « La plupart des services de l'État sont en train de se numériser à grande vitesse, comme Pôle emploi ou la CAF*, et toute une partie de la population se retrouve marginalisée », explique Jean-Luc Estienne, directeur de ST Microelectronics Montrouge, engagé aux côtés de la ville pour un grand projet de formation.

Destiné aux populations en difficulté, celui-ci va proposer des cours gratuits pour apprendre à se servir d'un ordinateur, d'Internet, d'une messagerie, des réseaux sociaux… De quoi favoriser un retour à l'emploi, à la citoyenneté, ou tout simplement rompre son isolement. « Cela va permettre aux bénéficiaires d'être mieux engagés dans notre communauté », annonce fièrement le maire Jean-Loup Metton.

Le projet est soutenu par la Fondation ST Microelectronics, qui mène déjà des actions partout dans le monde, où 300 000 personnes ont déjà été formées. « Mais c'est la première fois que nous

menons un projet de ce type en France », salue l'un de ses administrateurs, Alain Dutheil. Les premiers cours vont commencer ce mois-ci, avec une quinzaine d'éducateurs bénévoles qui sont formés à l'Espace Colucci. C'est la Fondation ST qui finance tout le matériel informatique. Et les cours auront d'abord lieu dans deux salles mises à disposition par la société de soutien scolaire Academia, et puis à partir de la rentrée dans une salle que va équiper le bailleur Montrouge Habitat. Celui-ci souhaite proposer ce type de formation à ses locataires seniors.

Les participants seront aussi recrutés par les associations Écoute Chômage, Initiative Emploi et le Secours populaire. « On va le proposer à tous nos bénéficiaires », assure Helyette Devoyan, responsable locale du Secours populaire. « Quand on en a parlé, on a des mères de famille qui ont accepté tout de suite! Elles nous ont dit qu'elles se sentent exclues par rapport à leurs ados, et qu'elles ont besoin de savoir se servir d'un ordinateur, ne serait-ce que pour voir les bulletins scolaires sur Internet… »

Caisse d'allocations familiales

Vocabulaire

le bailleur *social housing landlord*
engagé *involved*
maîtriser *to understand, know about*
mener *to carry out*
rompre *to break, escape from*
saluer *to recognise, pay tribute*
le soutien *support*

Expressions clés

Il s'agit de…
tous ceux qui…
en train de…
de quoi…
à partir de…
ne serait-ce que…

1 se battre
2 en collaboration avec
3 éducation
4 hardware
5 fournies
6 le début de l'année scolaire
7 désire
8 par comparaison avec

1b Complétez les phrases selon le sens du texte.

1 On considère que ceux qui ne maîtrisent pas l'ordinateur souffrent…
2 L'État est en train de…
3 Les gens qui ne savent pas se servir d'un ordinateur auront du mal à…
4 Alain Dutheil explique que c'est la première fois que…
5 Le rôle de l'Espace Colucci, c'est…
6 La société de soutien scolaire Academia va…
7 Le bailleur Montrouge Habitat va…
8 Les locataires seniors de Montrouge Habitat pourront…
9 Plusieurs associations ont…
10 En participant aux cours, les mères de familles…

1c Traduisez en anglais le deuxième paragraphe (« Destiné aux populations… »).

2a 〰 Écoutez le reportage sur les discriminations dans la fonction publique.
Lisez le résumé et remplissez les blancs avec le bon mot de la case.

Le Premier ministre Manuel Valls a ¹_____ un rapport qui révèle d'importantes discriminations.
Selon le rapport, la fonction publique ne ²_____ pas la société. Des chercheurs ont ³_____ à
plus de 1 000 offres d'emploi, ⁴_____ des profils personnels différents. Ils ont ⁵_____ que les
personnes d'origine maghrébine et celles résidant dans les quartiers défavorisés ⁶_____ moins de
chances d'être embauchées dans la fonction publique. Les recruteurs semblaient aussi ⁷_____ les
enfants d'agents publics. Il faut prendre le rapport au sérieux car 500 000 personnes sont ⁸_____ par
la fonction publique chaque année. Souvent, les recruteurs ne ⁹_____ pas qu'ils sont influencés par
des stéréotypes. En réponse au rapport, le gouvernement va ¹⁰_____ en place plusieurs mesures.
Des candidats d'origine modeste seront ¹¹_____ à assister à des classes préparatoires intégrées. Le
gouvernement va aussi ¹²_____ des contrats d'apprentissage aux jeunes chômeurs.

avaient	embauchées	invités	offrir	reflète	savent
découvert	favoriser	mettre	reçu	répondu	utilisant

2b 〰 Réécoutez et répondez aux questions en français.

1 Pour quels genres d'emploi les chercheurs ont-ils envoyé des candidatures? Donnez trois exemples.
2 Qu'est-ce qui montre que les descendants d'immigrés sont discriminés?
3 Quelle proportion des emplois en France appartient à la catégorie « fonction publique »?

4 Quels critères de discriminations sont cités par le code pénal? Donnez trois exemples.
5 Quelle mesure le gouvernement propose-t-il pour les recruteurs?
6 Quelle opportunité sera ouverte à tous les collégiens et lycéens?

3 À l'oral. « Tous ceux qui ne maîtrisent pas l'ordinateur souffrent d'une nouvelle forme d'exclusion. » Comment réagissez-vous à cette affirmation? Discutez avec un(e) partenaire.

Pour vous aider:
• l'importance du numérique dans la société actuelle
• le coût d'un ordinateur, d'une imprimante, etc.
• les mesures pour aider les « mal connectés »

4 Traduisez en français.

1 Saïd responded to many job offers but nobody has employed him.
2 It's perhaps because of his North African first name, even though he has French nationality.
3 If he had a different personal profile, would Saïd have more success?
4 Often recruiters are not aware that they are influenced by stereotypes.
5 Several measures will be adopted to combat inequality and discrimination.

📖 **Compétences**

Varying vocabulary by using synonyms

When writing and speaking French, use synonyms and near-synonyms to avoid repetition of common words.

• *donner – fournir, offrir*
• *aider – soutenir, assister*
• *avoir – disposer de, obtenir, posséder*
• *regarder – examiner, considérer*
• *finir – achever, cesser, compléter*
• *grand – élevé, important*
• *petit – infime, modeste, minime*
• *(une) personne – (un) individu, (un) particulier*
• *lutte – combat, conflit*

Démontrez ce que vous avez appris!

1 Reliez les expressions 1–10 aux définitions a–j.

1	chômeur	**6**	marginal
2	démuni	**7**	précarité
3	discriminer	**8**	refuge
4	embaucher	**9**	sans-abri
5	licencier	**10**	soigner

a donner un emploi à quelqu'un

b un centre d'hébergement d'urgence

c personne qui n'a pas de logement

d personne qui n'a pas de ressources suffisantes

e personne qui se trouve privée d'emploi

f personne qui vit à l'écart de la société

g renvoyer quelqu'un de son emploi

h situation fragile

i s'occuper de la santé de quelqu'un

j traiter quelqu'un différemment

2 Remplissez les blancs avec le bon mot de la case. Attention! Il y a quatre mots de trop.

Ndèye Dagué Dieye parle des ¹_____ qu'elle a subies à cause de son handicap. Elle a dû se battre pour continuer ses ²_____ et certaines personnes considéraient qu'elle ne serait jamais capable d'exercer son ³_____ . L'Association Nationale des Handicapés Moteurs du Sénégal l'a beaucoup encouragée dans sa ⁴_____ .

Au Sénégal, les personnes handicapées ⁵_____ de certains droits. Les employeurs dans le secteur public doivent leur réserver 15% des postes. Beaucoup de personnes handicapées ⁶_____ de problèmes de santé, donc elles ⁷_____ la mise en place d'une couverture médicale universelle. Mais elles ont d'autres problèmes aussi. Les transports publics ne leur sont pas accessibles et le logement n'est pas toujours adapté à leurs ⁸_____ .

accueillent	devoirs	lutte
bénéficient	discriminations	métier
besoins	études	regrettent
décision	expérience	souffrent

3 Remplissez les blancs avec la bonne forme du verbe entre parenthèses. Vous devez choisir entre le passé composé, l'imparfait ou le plus-que-parfait.

1 Le 1er février 1954, Henri Grouès, futur abbé Pierre, _____ un appel sur Radio Luxembourg. (*lancer*)

2 Dans son appel, il _____ la population à venir en aide aux « clochards ». (*inviter*)

3 C'étaient des gens qui _____ sous les ponts de la Seine. (*dormir*)

4 À cette époque-là, on ne _____ pas de SDF. (*parler*)

5 Beaucoup de citoyens _____ à l'appel en fournissant des couvertures et de la nourriture. (*répondre*)

6 Auparavant, ils _____ l'existence des sans-abri. (*ignorer*)

7 Pendant les années suivantes, des centres d'accueil _____ leurs portes, mais ils étaient trop peu nombreux. (*ouvrir*)

8 Le mouvement Emmaüs, où je _____ du bénévolat, a décidé de créer un centre d'hébergement d'urgence dans le 13e arrondissement de Paris. (*faire*)

9 Je _____ dans le mouvement Emmaüs déjà six mois plus tôt. (*s'engager*)

10 En une semaine, des centaines de sans-abri _____ se réfugier au centre. (*venir*)

Testez-vous!

1a 📖 Lisez le texte. Choisissez les cinq phrases qui sont vraies.

Sans-abri: Les limites de l'accueil d'urgence

« La gestion de l'hébergement d'urgence, on n'en peut plus. Il devient insupportable de voir renouvelés, chaque année, les mêmes plans hivernaux. » Charlotte Niewiadomski travaille au département Personnes à la rue du Secours Catholique.

Elle résume la situation vécue par les associations caritatives chargées de l'hébergement d'urgence des sans-abri, une fois les plans Grand froid lancés par le gouvernement, en général au mois de novembre. « Entre 10 000 et 15 000 places sont ouvertes, c'est énorme, explique Charlotte Niewiadomski. La gestion est très compliquée, avec des lieux qui doivent être installés dans la journée, des bénévoles et des salariés à mobiliser. Les places sont hyper précaires et de mauvaise qualité, les sans domicile baladés d'un endroit à l'autre, leur prise en charge se fait de manière beaucoup trop temporaire pour qu'ils puissent rebondir. »

Créés en 1984 pour éviter aux personnes sans domicile de mourir dans la rue en période hivernale, les centres d'hébergement d'urgence (CHU) assurent un accueil inconditionnel et une prise en charge de « survie »: un hébergement à la nuitée avec une durée d'intervention limitée à une quinzaine de jours au maximum.

Ils ouvrent en général en fin d'après-midi, offrant la possibilité de prendre une douche, un repas chaud et un lit, dans des boxes de six à huit ou dans des chambres doubles ou individuelles pour les centres les plus confortables et les plus récents. Réveillés entre 6 h 30 et 7 h, les sans-abri y prennent un petit déjeuner avant de retourner dehors, les centres fermant leurs portes la journée.

Par leur caractère urgentiste, ces centres n'offrent pas ou que très peu d'accompagnement social, et les personnes sont renvoyées vers des centres d'accueil de jour où elles peuvent rencontrer des travailleurs sociaux. Les équipes en charge de l'accueil sont souvent bénévoles ou manquent de formation pour faire face à un public hétérogène.

1 Dans son travail, Charlotte Niewiadomski se plaint du manque de progrès.

2 Charlotte Niewiadomski vient d'assumer la responsabilité des CHU.

3 Charlotte Niewiadomski travaille au département Personnes à la rue depuis novembre.

4 Il y a des milliers de CHU en France.

5 Les CHU sont difficiles à gérer.

6 Les sans-abri ne restent pas longtemps dans un centre.

7 Tous les sans-abri peuvent utiliser les CHU, même s'ils sont en mauvais état.

8 Les sans-abri peuvent prendre le repas de midi au centre.

9 Il faut que les sans-abri repartent avant 7 heures du matin.

10 Des travailleurs sociaux viennent aux CHU le soir.

11 Les personnes qui travaillent dans les CHU ne sont pas toujours bien formées.

[5 marks]

1b ✏️ Relisez le texte. Écrivez en français et en phrases complètes un paragraphe de 90 mots au maximum où vous résumez ce que vous avez compris suivant ces points:

- pourquoi la gestion des centres d'hébergement d'urgence (CHU) est compliquée [3]
- ce qui se serait passé si les CHU n'avaient pas été créés [1]
- les aspects négatifs des CHU. [3]

Attention! Il y a 5 points supplémentaires pour la qualité de votre langue. Essayez donc d'utiliser vos propres mots autant que possible.

[12 marks]

2a 🔊 Écoutez la discussion sur la loi handicap du 11 février 2005. Lisez ces phrases et remplissez les blancs avec le bon mot de la case. Attention! Il y a trois mots de trop.

1 La loi handicap a été _____ en février 2005.
2 La loi handicap visait à _____ l'accessibilité des bâtiments publics, l'accès à l'emploi et la scolarisation des enfants handicapés.
3 Selon Christelle Prado, la loi n'a pas été _____.
4 Selon la loi, tous les lieux publics devaient se _____ accessibles avant fin 2015.
5 Les associations représentatives de personnes handicapées ont _____ leur colère face au manque de progrès.
6 Selon la loi, un employeur de plus de 20 salariés qui emploie moins de 6% d'handicapés est _____ à une peine financière.
7 Selon la loi, les écoles doivent _____ tous les enfants handicapés du quartier.
8 Christelle Prado pense qu'il faut se _____ de « l'augmentation de 33% du nombre de jeunes handicapés scolarisés en milieu ordinaire ».

accepter	méfier	représenter
améliorer	obligé	respectée
condamné	proposée	votée
exprimé	rendre	

[8 marks]

2b ✏️ Réécoutez la discussion. Écrivez en français et en phrases complètes un paragraphe de 90 mots au maximum où vous résumez ce que vous avez compris suivant ces points:

- le manque de progrès concernant l'accessibilité des bâtiments publics [2]
- le manque de progrès concernant l'accès à l'emploi [2]
- les aspects positifs et négatifs de la scolarisation des jeunes handicapés. [3]

Attention! Il y a 5 points supplémentaires pour la qualité de votre langue. Essayez donc d'utiliser vos propres mots autant que possible.

[12 marks]

🔲 Conseil

Tackling gap-fill tasks

- First, read or listen to the passage and understand as much as you can. Don't worry if some words are unfamiliar.

- What kind of word fits best in each gap? If it's a verb, is it likely to be an infinitive or a specific tense? If it's an adjective, what ending does it need?

- Then look at the words in the box. Start by putting in any that seem obvious.

- Complete the task using two types of clue: the meaning and the grammatical form as determined by the context.

3 📺 Lisez le texte. Traduisez en français le paragraphe ci-dessous.

L'initiative d'un SDF pour trouver un travail fait du bruit

« Je tiens à partager le CV d'une personne sans domicile », a posté hier une jeune fille sur Wanted #BonsPlans, un groupe Facebook d'entraide. « Sa démarche sincère dans le métro m'a tellement touchée que je souhaite lui apporter mon secours. »

Lionel Hagege, SDF et demandeur d'emploi, a commencé par distribuer son CV dans le métro parisien. Touchées par l'initiative, de nombreuses personnes ont posté ce document sur Facebook et Twitter. Très vite, 2 000 internautes ont retweeté le CV pour venir en aide à cet ancien membre de l'armée de l'air (1998–2007).

« J'accepte n'importe quelle proposition d'emploi », a expliqué Lionel, quand une journaliste l'a interrogé. Il a ajouté brièvement: « Je n'ai pas de logement, donc j'ai dormi dans une cave cette nuit et j'ai de la fièvre. »

A lot of people were moved when they saw Lionel's appeal. Lionel was in the air force for nine years but since then he has been looking for work. Those who have read his CV online want to come to his aid even if they don't know him. Although he has qualifications, Lionel would accept any job he was offered. After sleeping in a damp cellar he wasn't able to answer all the questions the journalist wanted to ask him.

[10 marks]

4a Lisez le texte. Identifiez dans le texte des synonymes pour les expressions 1–6.

DES MIGRANTS IRAKIENS RETOURNENT CHEZ EUX

Déception, mal du pays, sentiment de marginalisation: chaque mois, des centaines de migrants irakiens retournent chez eux après avoir tout risqué pour tenter l'aventure en Europe. Beaucoup ont dépensé toutes leurs économies, notamment pour payer des passeurs, mais certains ne regrettent pas l'aventure.

« Là, c'est comme dans le film *Un jour sans fin*: c'est toujours la même chose », déclare Mourtada Hamid pour décrire Aziziyah, sa ville natale qu'il a quittée l'an dernier parmi le flot de migrants, bravant une périlleuse traversée pour frapper aux portes de l'Europe. « Lorsque vous vous levez le matin, les rues ont toujours l'air en pagaille, les égouts n'ont pas été réparés et il n'y a de travail pour personne », précise-t-il. Malgré les revenus élevés du pétrole pendant des années, la ville d'Aziziyah est devenue le symbole du népotisme et de la corruption, de nombreux Irakiens ne voyant pas leur situation s'améliorer.

Son frère Moustafa parle de son séjour en Europe d'une façon plus amère. « J'ai dépensé tout mon argent et la nourriture était immangeable », souffle-t-il. « Ici, tout coûte les yeux de la tête. Les cigarettes les moins chères valent 6 € le paquet », dit ce diplômé en chimie âgé de 29 ans. Mais surtout, Moustafa qui rêvait de cours de langue et d'accompagnement professionnel, a eu le sentiment de ne jamais avoir été accueilli en Europe. « La nuit, vous vivez avec la peur d'être arrêté ou de vous faire agresser par ces espèces de nazis qui n'aiment pas les réfugiés », raconte-t-il.

Alors que de nombreux Irakiens fuyaient les combats, la persécution et les conditions épouvantables des camps de réfugiés, d'autres comme Moustafa et Mourtada voulaient échapper au chômage et au manque de perspectives. Ce sont surtout ces derniers qui renoncent à l'idée de commencer une nouvelle vie. Pourtant, Mourtada ne regrette pas d'être venu en Europe. « J'en ai tiré une leçon importante, j'ai appris à m'organiser, à être discipliné. Et cela m'a aidé à aimer mon pays et mes concitoyens. »

1 essayer
2 de naissance
3 dangereuse
4 chaotique
5 un prix excessif
6 homme qualifié

[6 marks]

4b Relisez le texte et répondez aux questions en français. Essayez de répondre le plus directement possible aux questions et d'écrire des réponses concises. Il n'est pas toujours nécessaire de faire des phrases complètes.

1 Pourquoi certains migrants retournent-ils dans leur pays? [3]
2 Pourquoi certains migrants n'ont-ils plus d'argent? [1]
3 Pourquoi Mourtada parle-t-il du film *Un jour sans fin*? [1]
4 Quels problèmes y avait-il en Irak? [4]
5 Qu'est-ce qui aurait pu améliorer la vie des Irakiens? [1]
6 Qu'est-ce que Moustafa n'a pas aimé en Europe? [6]

[16 marks]

4c Traduisez le dernier paragraphe (« Alors que… ») en anglais.

[10 marks]

5 Discutez avec un(e) partenaire.

- Quel problème cette photo illustre-t-elle?
- En France ou dans un autre pays francophone, quelles dispositions ont été mises en place pour combattre la discrimination à l'embauche?
- À votre avis, est-il possible d'éliminer la discrimination à l'embauche?

6 « En France (ou dans un autre pays francophone), le gouvernement ne fait pas assez d'efforts pour combattre l'exclusion sociale. » Comment réagissez-vous à cette opinion? Écrivez environ 300 mots.

2 Vocabulaire

2.1 Qui sont les marginalisés?

l'	abus (m)	abuse (of substances)
	actif(-ive)	working (person, population)
	ancien(ne)	former
l'	asile (m)	asylum, refuge
	atteint(e) (de)	suffering (from)
	aveugle	blind
le	banlieusard	person living in suburbs
le	chômage	unemployment
le / la	chômeur(-euse)	unemployed person
le	clochard	tramp
	défavorisé(e)	underprivileged, disadvantaged
le / la	demandeur(-euse) d'emploi	job seeker
	démuni(e)	destitute
	déraciné(e)	uprooted, without roots
	disposer de	to have (at one's disposal)
	éprouver	to experience
en	errance	wandering, roaming
l'	état (m)	state
	ethnique	ethnic
l'	exclusion (f)	exclusion
la	frange	fringe, marginal group
	handicapé(e)	disabled
	homosexuel(le)	homosexual
l'	immigré(e) (m / f)	immigrant
l'	inclusion (f)	inclusion
	injuste	unfair
	insuffisant(e)	insufficient
le	licenciement	redundancy
le	lieu (avoir lieu)	place (to take place)
le	logement	housing
	mal logé(e)	badly housed
le	manque	lack, shortage
	marginal(e)	marginal
la	marginalisation	marginalisation
la	minorité	minority
	monoparental(e)	single-parent
la	pauvreté	poverty
la	précarité	(financial) insecurity
la	racine	root
le / la	réfugié(e)	refugee
	rencontrer	to meet, encounter
les	ressources (fpl)	resources
	retraité(e)	retired
le / la	sans-abri	homeless person
le / la	SDF	homeless person
se	séparer	to split up, separate

le	seuil	threshold (poverty)
	seul(e)	alone
la	société	society
	souffrir	to suffer
	sourd(e)	deaf
	suffisant(e)	sufficient
le	taux	rate
	toucher	to affect
la	victime	victim
	vulnérable	vulnerable

2.2 Quelle aide pour les marginalisés?

	aborder	to tackle
l'	accessibilité (f)	accessibility
l'	accommodement (m)	adjustment
	accorder	to grant
l'	accueil (m)	reception, welcome
l'	action (f)	deed, action
l'	aide (f)	help, aid
l'	allocation (f)	benefit, allowance
	améliorer	to improve
l'	aménagement (m)	modification, fitting-out
	anonyme	anonymous
l'	appel (m)	appeal
	apporter	to bring
s'	assurer	to ensure
	bénéficier	to benefit
le	besoin	need
	censé(e)	supposed to
	conseiller	to advise
	contraignant(e)	limiting, restrictive
la	couverture médicale	medical cover
	déçu(e)	disappointed
le	défi	challenge
la	dégradation	deterioration
la	démarche	step, move
le	dispositif	measure, plan
	écarter	to rule out, remove
	échapper à	to escape from
	éliminer	to get rid of
	embaucher	to employ
l'	endroit (m)	place
le	fauteuil roulant	wheelchair
la	fonction publique	civil service
la	formation	training
le	foyer	hostel
	gratuit(e)	free of charge

l'	**hébergement (m)**	*accommodation*
l'	**identité (f)**	*identity*
s'	**inscrire**	*to register*
s'	**installer**	*to settle*
	intégrer	*to integrate*
la	**manifestation**	*demonstration, protest*
	mener	*to carry out, conduct*
	mettre à disposition	*to provide*
le	**minimum vieillesse**	*minimum old-age pension*
les	**moyens (mpl)**	*means*
	négocier	*to negotiate*
le	**Pôle emploi**	*Job Centre*
	préconiser	*to recommend*
	prendre en compte	*to take into account*
la	**priorité**	*priority*
	promettre	*to promise*
	protéger	*to protect*
	recevoir	*to receive*
le	**recrutement**	*recruitment*
le	**refuge**	*shelter*
le	**réseau**	*network*
	revendiquer	*to demand, claim*
	scolarisé(e)	*attending a school*
le	**séjour**	*stay*
	sélectionner	*to select*
la	**sensibilisation**	*raising of awareness*
les	**soins (mpl)**	*treatment (medical)*
le	**soutien**	*support*
la	**subvention**	*subsidy*
le	**syndicat**	*trade union*
	voter	*to vote, approve*

	déranger	*to disturb, upset*
le	**devoir**	*duty*
	digne	*worthy*
la	**discrimination**	*discrimination*
le	**droit (avoir droit à)**	*right (to have the right to, be entitled to)*
	égal(e)	*equal*
l'	**égalité (f)**	*equality*
	égoïste	*selfish*
	empêcher	*to prevent*
	éradiquer	*to eradicate*
	exclure	*to exclude*
	exprimer	*to express*
	faire face à	*to face*
	favoriser	*to promote, encourage*
	fragiliser	*to weaken*
	gêné(e)	*embarrassed*
la	**haine**	*hatred*
la	**honte**	*shame*
	honteux(-euse)	*shameful*
	ignoré(e)	*ignored*
	insu (à leur insu)	*unknown (without knowing it, without their knowledge)*
	interroger	*to question, ask*
l'	**intimidation**	*bullying*
	juger	*to judge*
la	**lutte**	*struggle, fight*
	lutter	*to struggle, fight*
	maîtriser	*to understand, know about, master*
	mal à l'aise	*uncomfortable*
le	**malentendu**	*misunderstanding*
	nier	*to deny*
	oser	*to dare*
le / la	**passant(e)**	*passer-by*
	porter plainte	*to press charges*
le	**rapport**	*report, relationship*
	remarquer	*to notice*
	reprocher	*to reproach*
	respecter	*to respect*
le	**sentiment**	*feeling*
le	**sourire**	*smile*
	soutenir	*to support*
le	**stéréotype**	*stereotype*
	subir	*to endure, put up with*
la	**tolérance**	*tolerance*
	traiter	*to treat*

2.3 Quelles attitudes envers les marginalisés?

	accueillir	*to welcome*
	agresser	*to attack*
l'	**amitié (f)**	*friendship*
le	**bénévolat**	*voluntary work*
	cacher	*to hide*
la	**candidature**	*job application*
le / la	**citoyen(ne)**	*citizen*
la	**citoyenneté**	*citizenship*
le	**comportement**	*behaviour*
la	**confiance en soi**	*self-confidence*
se	**confier**	*to confide*
	côtoyer	*to rub shoulders with*
	dénoncer	*to condemn*
	déplorer	*to find regrettable*

Comment on traite les criminels

By the end of this section you will be able to:

	Language		Grammar	Skills
3.1	**Quelles attitudes envers la criminalité?**	Examine different attitudes to crime	Recognise and understand the past historic tense	Express obligation
3.2	**La prison – échec ou succès?**	Discuss prison and its merits and problems	Use different tenses with *si*	Ask questions and create a dialogue
3.3	**D'autres sanctions**	Consider alternative forms of punishment	Use infinitive constructions	Summarise a reading text

Pour commencer

1 **Reliez les expressions 1–8 aux définitions a–h.**

1 avocat
2 délinquance
3 délit
4 détenu
5 échec
6 incarcérer
7 peine
8 récidiver

a commettre de nouveau une infraction
b criminalité
c défenseur
d infraction
e manque de succès
f mettre en prison
g prisonnier
h punition

2 **À l'oral. Discutez la criminalité avec un(e) partenaire.**

- Avez-vous été victime d'un vol ou autre infraction?
- Pensez à un cas récent où une personne bien connue a été condamnée à une peine de prison. Trouvez-vous la peine justifiée? Expliquez pourquoi.
- À votre avis, peut-on réduire la délinquance dans notre société?

Le saviez-vous?

- En 2015, on a constaté en France 3,68 millions de crimes et délits, soit une légère hausse par rapport à 2014 (3,65 millions).

- Entre 2008 et 2013, le nombre de cambriolages en France a bondi de 50%. Aujourd'hui, les cambriolages représentent 14% des atteintes aux biens.

- Le taux de détention en France est passé de 50 personnes écrouées pour 100 000 habitants en 1975 à 100 personnes en 2015. Toutefois, avec ce chiffre, l'Hexagone se situe en dessous de la moyenne européenne.

- Le nombre de détenus dans les prisons françaises a atteint un nouveau record historique en juillet 2016, avec 69 375 personnes incarcérées.

- La capacité des prisons pour accueillir ces détenus n'était que de 58 311 places. Parmi les détenus, 1 648 étaient installés directement sur des matelas posés au sol.

- Le 6 octobre 2016, le Premier ministre Manuel Valls a annoncé son intention de construire 32 nouvelles maisons d'arrêt et un centre de détention en France pour remédier à la surpopulation carcérale.

- La peine de mort en France a été abolie en 1981, faisant de la France le dernier pays de la Communauté européenne à l'abolir.

3 **Devinez la bonne réponse.**

1 En 1950, _____ crimes et délits ont été commis en France.
  a 5 740
  b 57 400
  c 574 000

2 Aujourd'hui, il y a environ _____ prisons en France.
  a 100
  b 200
  c 1 000

3 Le bracelet électronique est autorisé en France depuis _____.
  a 1977
  b 1997
  c 2007

4 Que veut dire « sursis »?
  a une peine alternative
  b le prolongement d'une peine
  c la suspension d'une peine

5 En France, quel genre de criminalité a diminué depuis 1980?
  a homicides
  b infractions financières
  c vols

4 **Lisez le texte « La cybercriminalité en France » et remplissez les blancs avec le bon mot de la case.**

1 La délinquance _____ le monde virtuel.
2 Le monde virtuel _____ de plus en plus important.
3 Les entreprises _____ des pertes considérables.
4 Les « hackers » _____ tous les secteurs.
5 Les entreprises ne _____ pas combien elles ont perdu.
6 Chaque année, la France _____ plusieurs milliards d'euros.

devient	perd	subissent
menacent	révèlent	touche

5 **À l'oral. Une bonne excuse? Comment jugez-vous les délinquants qui disent…? Discutez avec un(e) partenaire.**

« Je n'ai fait de mal à personne. »

« D'autres "délinquants" s'en tirent sans être punis. »

« Je ne connaissais pas les conséquences de mon crime. »

« Je ne peux pas aller en prison parce qu'il faut que je m'occupe de ma famille. »

« Je ne savais pas que c'était illégal. »

La cybercriminalité en France

La délinquance n'est pas seulement présente dans le monde « réel ». Elle a investi le monde virtuel dès que celui-ci a pris une place croissante dans la vie quotidienne des individus et des institutions. La contrefaçon des logiciels, la copie privée des fichiers électroniques, le piratage des appareils (téléphones, décodeurs numériques de télévision, etc…), le téléchargement illégal représentent pour les entreprises concernées des pertes considérables. Mais tous les secteurs sont menacés par le piratage de données et le chantage opéré par des « hackers » qui s'introduisent dans les systèmes informatiques. Il est difficile d'estimer ces pertes, car les entreprises n'ont pas intérêt à révéler leur vulnérabilité; néanmoins, on peut estimer que les préjudices se chiffrent chaque année en milliards d'euros pour la France.

Vocabulaire

le chantage *blackmail*
se chiffrer *to add up to*
la contrefaçon *counterfeiting*

A: Quelles attitudes envers la criminalité?

1 À l'oral. À votre avis, qui porte la responsabilité de la délinquance juvénile et de sa prévention? Discutez avec un(e) partenaire.

- les parents?
- le gouvernement?
- les établissements scolaires?
- les médias?
- les jeunes?

2a Lisez les deux premiers paragraphes du texte. Remplissez les blancs avec le bon mot de la case. Attention! Vous n'aurez pas besoin de tous les mots.

ENFANTS DÉLINQUANTS, PARENTS RESPONSABLES?

Responsabilité pénale dès 10 ans, détention provisoire dès 13 ans... le gouvernement renforce les sanctions juridiques à l'égard des mineurs. Cela nous amène à poser la question: comment se fabrique la délinquance? D'abord, c'est une mère en détresse qui prend la parole...

« Il n'obéissait jamais. À l'école, au collège, on l'accusait de racket, de violence. Je promettais de le surveiller. Dans l'appartement, c'était possible, mais pas dehors. Avec ses copains, il a volé des portables, puis un scooter. Chez le juge, son père a dit "Aidez-nous, débarrassez-nous de lui." Notre fils, qui était un bébé si mignon, était assis là, comme un étranger. »

À 45 ans, cette habitante de Châtenay-Malabry (Hauts-de-Seine) en paraît 60. Dans son appartement trois pièces de la cité de la Butte-Rouge, elle vit, avec ses deux autres fils, de 10 et 12 ans, autour d'une imposante télévision allumée toute la journée, volume à fond. Depuis que son aîné a été placé en centre d'éducation renforcée, elle est inconsolable et ne comprend pas comment il en est arrivé là. « Il a eu tout ce qu'il voulait: Game Boy, PlayStation, habits et baskets de marque. Aujourd'hui, j'ai peur: il parle fort, me regarde avec de la haine. »

L'attitude du garçon n'a pas été du goût du juge des enfants: impliqué dans une dizaine d'infractions, il a été placé en centre d'éducation renforcé. Lors des nombreuses auditions, personne ne s'est intéressé à ses échecs scolaires répétés dès le cours préparatoire, à l'absence chronique du père, à ses difficultés à parler avec sa mère, tous ces éléments essentiels pourtant portés au dossier par la psychologue scolaire. Le magistrat, débordé, s'est contenté de les survoler. Le juge, qui gère dans l'urgence une centaine de dossiers par mois, a en quelque sorte appliqué une mesure « dans l'esprit » de la nouvelle politique gouvernementale sur les « sanctions éducatives » pour mineurs de 13 à 16 ans.

■ Vocabulaire

l'aîné(e) (m / f) *elder, eldest*
l'audition (f) *hearing, audition*
le cours préparatoire *first year of primary school*
se débarrasser (de) *to get rid (of)*
débordé *overwhelmed*
l'échec (m) *failure*
prendre la parole *to speak*
provisoire *temporary*
le racket *extortion*
survoler *to take a quick look at*

1 Selon cet article, on a l'intention de _____ la responsabilité pénale à 10 ans.
2 L'auteur de cet article veut _____ les causes de la délinquance.
3 Nous lisons le témoignage d'une mère qui n'a pas pu _____ son enfant.
4 Elle n'a pas pu empêcher son enfant de _____ dans la délinquance.
5 Le père ne voulait plus _____ de son enfant.

s'occuper	contrôler	provoquer	tomber	comprendre
fixer	impliquer	punir	se contenter	

2b Traduisez en anglais le troisième paragraphe du texte (« À 45 ans… avec de la haine. »).

2c Lisez le quatrième paragraphe du texte. Répondez aux questions en français.

1 Pourquoi le juge n'a-t-il pas hésité à placer l'adolescent en centre d'éducation renforcé?
2 Quels facteurs la psychologue scolaire avait-elle mentionnés?
3 Pourquoi le magistrat n'a-t-il pas vraiment pris en compte ces facteurs?
4 Qu'est-ce qui a influencé la décision du juge?

3a 〜 Écoutez cinq personnes qui parlent des causes de la délinquance juvénile – Martine, Paul, Agnès, Judith et Brigitte. Qui dit…?

1 Certains parents sont trop influencés par le souvenir de leur enfance.
2 D'autres membres de la famille peuvent prendre la place des parents.
3 Il faut agir pour soutenir les familles.
4 Les enfants sortent trop vite de l'enfance.
5 La plupart des parents assument une certaine responsabilité pour leurs enfants.
6 Les enfants ne choisissent pas de tomber dans la délinquance.
7 Les pères sont alcooliques et ne sont plus là.
8 Les rôles des parents et des enfants sont inversés.

> **■ Vocabulaire**
>
> **complice** *complicit, in collusion*
> **le fantôme** *ghost*
> **le / la gosse** *kid (child)*
> **nuancé** *toned down*
> **pallier** *to mitigate, alleviate*
> **paumé** *lost, 'out of it'*

3b 〜 Choisissez deux des personnes que vous venez d'écouter. Écrivez en français un résumé de leurs opinions. Avec laquelle des deux personnes êtes-vous plutôt d'accord? Pourquoi?

4 À l'oral. Après votre lecture du texte « Enfants délinquants, parents responsables? » et après avoir écouté l'opinion des cinq personnes dans l'activité 3, avez-vous changé d'avis en ce qui concerne la responsabilité de la délinquance juvénile?

5 À l'écrit. Qui peut aider les enfants délinquants et comment? Écrivez 250–300 mots.

Pour vous aider:
• la responsabilité des parents
• le rôle de l'école
• d'autres influences
• les activités organisées pour les jeunes
• les punitions.

> **■ Expressions clés**
>
> à l'égard de…
> cela nous amène à…
> comment il en est arrivé là
> du goût de…
> personne ne s'est intéressé à…
> il s'est contenté de…
> en quelque sorte
> dans l'esprit de…

> **▣ Compétences**
>
> ### Expressing obligation
>
> It is good practice to vary your vocabulary and sentence structure as much as possible. Here are some different ways of expressing obligation:
>
> *On **doit** sanctionner ce genre de comportement.*
> *Les parents **devraient** prendre la responsabilité de leurs enfants.*
> ***Il faut** agir pour soutenir les familles.*
> ***Il ne faut pas que** les enfants sortent trop vite de l'enfance.*
> ***Il faudrait** écouter le témoignage des parents.*
> *Le juge **a été obligé de** prononcer une peine de prison.*
> *Une nouvelle politique gouvernementale **est nécessaire**.*

Claude, un opéra inspiré du roman
Claude Gueux

Vocabulaire

l'atelier (m) *workshop*
dédaigneux *scornful*
digne *dignified, worthy*
le front *forehead*
habile *clever*
la narine *nostril*
l'ouvrage (m) *work*

1a Lisez cet extrait du roman *Claude Gueux*. Trouvez des synonymes pour les expressions 1–8.

Il y a sept ou huit ans, un homme nommé Claude Gueux, pauvre ouvrier, vivait à Paris. Il avait avec lui une fille qui était sa maîtresse, et un enfant de cette fille. L'ouvrier était capable, habile, intelligent, fort mal traité par l'éducation, fort bien traité par la nature, ne sachant pas lire et sachant penser. Un hiver, l'ouvrage manqua. Pas de feu ni de pain dans le galetas[1]. L'homme, la fille et l'enfant eurent froid et faim. L'homme vola. Je ne sais ce qu'il vola, je ne sais où il vola. Ce que je sais, c'est que de ce vol il résulta trois jours de pain et de feu pour la femme et pour l'enfant, et cinq ans de prison pour l'homme.

L'homme fut envoyé faire son temps à la maison centrale[2] de Clairvaux. Arrivé là, on le mit dans un cachot pour la nuit et dans un atelier pour le jour. Claude Gueux, honnête ouvrier naguère, voleur désormais, était une figure digne et grave. Il avait le front haut, déjà ridé, quoique jeune encore, quelques cheveux gris perdus dans les touffes noires, les narines ouvertes, le menton avancé, la lèvre dédaigneuse. C'était une belle tête. On va voir ce que la société en a fait.

Il avait la parole rare, le geste plus fréquent, quelque chose d'impérieux dans toute sa personne et qui se faisait obéir, l'air pensif, sérieux plutôt que souffrant. Il avait pourtant bien souffert.

[1] logement à petit prix sous les toits, dans lequel il fait très froid en hiver
[2] prison

Claude Gueux, Victor Hugo (1834)

1	travailleur manuel	**5**	cellule au sous-sol d'une prison
2	femme dont l'amant est marié	**6**	autrefois
3	n'a pas été là	**7**	ne disait pas grand-chose
4	purger sa peine	**8**	qui commande et qui impose le respect

1b Relisez l'extrait et répondez aux questions en français.

1 Avec qui Claude Gueux vivait-il?
2 Qu'est-ce qui montre qu'il n'était pas privilégié?
3 Pourquoi Claude Gueux a-t-il commis un vol?
4 Quelle a été la conséquence du vol pour Claude Gueux?
5 À partir de ce moment, où exactement a-t-il passé son temps?
6 Quels traits physiques faisaient penser que Claude Gueux avait mené une vie dure?
7 Qu'est-ce qui montre que Claude Gueux avait un fort caractère?

2 Notez l'infinitif de chaque verbe dans les phrases 1–8. Réécrivez chaque phrase au passé composé.

1 Il vola du pain.
2 L'ouvrage manqua.
3 L'homme fut envoyé à la maison centrale de Clairvaux.
4 On le mit dans un cachot.
5 Je fis un rêve.
6 Nous sortîmes du village.
7 Elle eut une idée.
8 Ils vécurent heureux.

3 〰 Écoutez la discussion sur la baisse de la délinquance à Marseille. Répondez aux questions en français.

1 Selon Pierre-Marie Bourniquel, qu'est-ce qui montre que l'an dernier la délinquance a baissé à Marseille?
2 Selon Dominique Vlasto, qu'est-ce qui montre que la situation s'améliore?
3 Pour assurer la sécurité à l'avenir, quelle mesure Dominique Vlasto recommande-t-elle?
4 Comment Pierre-Marie Bourniquel explique-t-il la baisse de la délinquance?
5 Selon Jacques Pfister, quels facteurs – à part la sécurité – influencent ceux qui veulent investir dans la région de Marseille?
6 Selon Jacques Pfister, pourquoi la délinquance est-elle encore un problème?

> ### ▧ Vocabulaire
>
> **l'adjoint(e) (m / f)** *deputy*
> **l'arrachage (m)** *snatching*
> **atténuer** *to alleviate, reduce*
> **le tourisme d'affaires** *business tourism*
> **le vol à main armée** *armed robbery*

4 Traduisez en français.

1 We must fight organised crime by attacking criminals' wallets.
2 Last week, drugs with a value of more than one million euros were seized.
3 What would have happened if the police hadn't acted quickly enough?
4 Although crime is going down, individuals need to take precautions.
5 Three young people were arrested after taking part in a brawl.

5 À l'oral. Comment faut-il combattre la délinquance organisée? Discutez avec un(e) partenaire.

Pour vous aider:
- le rôle de la police
- la surveillance
- la sensibilisation du public
- la sévérité et les types de peines.

▦ Grammaire

Past historic tense

The past historic tense, also known as the simple past tense, is the literary equivalent of the perfect tense. You will find it in novels, historical writing and sometimes in newspaper articles. You are unlikely to use it yourself but you must be able to recognise and understand it. The past historic of regular verbs is formed as follows:

	voler	punir	attendre
je / j'	vol**ai**	pun**is**	attend**is**
tu	vol**as**	pun**is**	attend**is**
il / elle / on	vol**a**	pun**it**	attend**it**
nous	vol**âmes**	pun**îmes**	attend**îmes**
vous	vol**âtes**	pun**îtes**	attend**îtes**
ils / elles	vol**èrent**	pun**irent**	attend**irent**

The *tu* and *vous* forms are very rarely seen. The stem for irregular verbs varies.

See page 153.

Marseille

> ### ▦ Expressions clés
>
> suite à…
> autant que…
> soit…
> avoir en fond
> quant à…
> lors de…

1a Lisez le texte. Trouvez des synonymes pour les expressions 1–8.

LA PRISON A-T-ELLE FAIT SON TEMPS?

D'abord, un peu d'histoire: vers la fin des Lumières, la prison naît comme l'institution du progrès pénal. Opposée au scandale des supplices, elle s'affirme comme l'institution punitive de l'État démocratique. Par exemple, à Genève, la prison de la Tour-Maîtresse représente la modernité carcérale. On y songe avec nostalgie.

Aujourd'hui, la prison remplit-elle ses buts de punition et de réinsertion sociale? Devenue le lieu d'entassement des « indésirables sociaux », elle détient des « fous dangereux ». Dans toute l'Europe, la culture pénitentiaire méprise les droits de l'homme, même si l'opinion publique est en faveur de taux d'incarcération élevés et de longues peines d'emprisonnement pour les auteurs de crimes violents et sexuels.

Le Conseil de l'Europe vise la déchéance du système carcéral actuel, foyer de la haine contre les condamnés. Il prône une réforme pénale européenne, afin d'améliorer le traitement des détenus avec la cellule individuelle qui protège leur dignité.

Comment une société devrait-elle punir les individus jugés pour un crime? La prison a-t-elle pour but d'éduquer pour réinsérer? Ou doit-elle plutôt infliger une souffrance en fonction du crime commis? Cette problématique hante aujourd'hui les associations de victimes, favorables au durcissement pénal. Peut-on imaginer une alternative à la prison qui en garde les effets positifs en supprimant les conséquences dangereuses?

Vocabulaire

la déchéance *decline*
le durcissement *hardening*
l'entassement (m) *piling up*
infliger *to inflict*
les Lumières (fpl) *Age of Enlightenment (17th–18th century)*
mépriser *to hold in contempt*
prôner *to advocate*
le supplice *torture*

1 se développe
2 pense
3 garde en captivité
4 personnes coupables
5 désire
6 d'aujourd'hui
7 prisonniers
8 tourmente

1b Complétez les phrases selon le sens du texte.

1 Au début, la prison offrait une alternative…
2 Aujourd'hui, on songe avec nostalgie…
3 L'auteur de cet article se demande si la prison…
4 Le grand public pense que les auteurs de crimes violents et sexuels…
5 Selon le Conseil de l'Europe, le système actuel accorde trop d'importance…
6 Le Conseil de l'Europe veut que les détenus…
7 Il faut décider si la prison doit infliger une souffrance ou…
8 Les associations de victimes…

2a Lisez le texte et écrivez vrai (V), faux (F) ou information non-donnée (ND).

Un plan pour les prisons

À l'occasion d'une visite à la maison d'arrêt de Nîmes, le Premier ministre Manuel Valls a promis un plan concret pour les prisons. En juillet, la surpopulation carcérale en France a atteint un niveau historique avec toutes les conséquences que l'on connaît: tensions et violences entre détenus et contre les personnels pénitentiaires; difficultés d'accès à la formation et aux activités sportives ou culturelles; moindre disponibilité des conseillers d'insertion pour préparer la sortie et prévenir la récidive.

La solution paraît simple: construire de nouvelles prisons. Mais la vétusté du parc pénitentiaire est telle que les ouvertures compensent à peine les fermetures d'établissements délabrés. Selon Adeline Hazan, la contrôleure générale des lieux de privation de liberté, « plus on construira de places de prison, plus elles seront occupées ».

1 Manuel Valls s'est rendu à Nîmes pour y visiter la maison d'arrêt.
2 Au cours de sa visite, Manuel Valls a déclaré ses intentions pour les prisons.
3 Le nombre de détenus en France est en baisse.
4 Les personnels pénitentiaires sont armés.
5 Les conseillers d'insertion perdent trop de temps à essayer de prévenir la récidive.
6 Adeline Hazan veut fermer les prisons délabrées.
7 Selon Adeline Hazan, la solution est facile: il faut construire de nouvelles prisons.
8 Adeline Hazan pense qu'on aura du mal à remplir de nouvelles prisons.

2b Traduisez le premier paragraphe en anglais (« À l'occasion… récidive »).

3 ⎍⎍ Écoutez cinq personnes (Sarah, Louis, Hugo, Manon et Clément) qui donnent leur avis sur la prison. Pour une attitude positive, notez P. Pour une attitude négative, notez N. Pour une attitude positive et négative, notez P + N.

4 À l'oral. Jeu de rôle. Le / La partenaire A pense que le but de la prison est la punition. B pense que le but de la prison est la réhabilitation. Qui va produire les arguments les plus forts?

5 Travail de recherche. Recherchez des informations sur le système pénitentiaire dans un pays francophone autre que la France. Est-il plus dur que celui de la France? Justifiez votre réponse.

Vocabulaire

le / la conseiller(-ère) d'insertion integration officer
délabré run down
la maison d'arrêt prison, remand centre
la privation deprivation, denial
la vétusté dilapidation

Vocabulaire

la récidive repeat offence
la sensibilisation raising of awareness

Compétences

Creating a two-way dialogue

Show that you have understood your partner's ideas by asking relevant questions. Your questions may seek explanation, elicit further information, or perhaps challenge your partner with a contrasting point of view:

Pouvez-vous / Peux-tu expliquer…?

Qu'est-ce que vous pensez / tu penses de…?

Y a-t-il des inconvénients aussi?

Comment réagiriez-vous / réagirais-tu si…?

Expressions clés

vers la fin de…
il / elle s'affirme comme…
même si…
afin de…
il / elle a pour but de…

en fonction de…
à l'occasion de…
tel(le) que…
à peine
plus… plus…

1a Lisez l'article et choisissez les cinq phrases qui sont vraies.

Le plus ancien détenu de France ne perd pas espoir

Casanova Agamemnon détient un triste record. À 62 ans, le numéro d'écrou 7697 cumule plus de 45 années de prison, ce qui en fait le plus ancien détenu du pays. Depuis son incarcération en 1969, il n'a connu que neuf mois de liberté.

Originaire de l'île de la Réunion, Casanova Agamemnon est encore mineur (la majorité d'alors est fixée à 21 ans) lorsqu'il abat son patron. « À l'époque, la société locale est encore très coloniale. Lui, c'est l'employé noir qui va tuer le patron blanc: il écope de la perpétuité », raconte Anaïs Charles-Dominique, qui a réalisé un documentaire sur lui, *Prisonnier d'un mythe*. Il sort de prison en 1985, mais son retour chaotique à l'air libre ne sera que de courte durée. Après avoir tué son frère, il est interpellé en mai 1986 à l'issue d'une cavale. Sa nouvelle condamnation à dix ans de prison réanime la perpétuité qui, depuis, se poursuit. Incarcéré au centre de détention de Val-de-Reuil (Eure), le détenu ne reçoit qu'une seule visite par an, celle de Jean-Charles Najède, un ami d'enfance. « Avec moi, il a toujours le moral. Il faut dire qu'il est content de me voir, je crois qu'il attend ma visite », confie ce visiteur providentiel qui entretient également une correspondance régulière.

La manière avec laquelle ce vieux routier de la pénitentiaire gère sa détention stupéfie ceux qui le côtoient. Très sportif, il a encore belle allure. « Il est d'une sérénité apparente désarmante et garde son humour », s'étonne son avocat, Maître Étienne Noël, dont l'une des demandes de remise en liberté est actuellement examinée.

« Le problème, c'est qu'il doit être à la Réunion pour préparer son projet de sortie mais que l'administration pénitentiaire refuse le transfert », peste l'avocat. Malgré le temps qui passe, Casanova Agamemnon n'a jamais perdu espoir de sortir.

- *Dernière mise au point: La ministre de la Justice lui a finalement accordé son transfert à la Réunion. Sa famille a alors fait une pétition pour demander sa libération conditionnelle.*

Vocabulaire

abattre *to kill*
l'allure (f) *look, appearance*
la cavale *escape, going on the run*
écoper de *to get, receive*
l'écrou (m) *prison register*
la mise au point *update*
pester *to curse, complain*
stupéfier *to astound*

1 Casanova Agamemnon est le prisonnier le plus âgé de France.
2 Il est né hors de l'Hexagone.
3 Il avait moins de 21 ans quand il a été condamné.
4 *Prisonnier d'un mythe*, c'est le titre d'un documentaire sur Casanova Agamemnon.
5 Casanova Agamemnon a tué son frère après s'être échappé de prison.
6 Son seul visiteur est Jean-Charles Najède.
7 Jean-Charles Najède écrit régulièrement à Casanova Agamemnon.
8 Casanova Agamemnon est surpris par le comportement de son avocat.
9 L'avocat doit se rendre à la Réunion pour préparer son projet de sortie.
10 Casanova Agamemnon sait qu'il passera le reste de sa vie en prison.

1b Relisez l'article. Écrivez en français et en phrases complètes un paragraphe de 90 mots au maximum où vous résumez ce que vous avez compris suivant ces points:

- les circonstances de la première condamnation de Casanova Agamemnon
- les circonstances de sa deuxième condamnation
- pourquoi l'avocat de Casanova Agamemnon n'a pas pu obtenir sa libération.

2a 〰 **Écoutez le reportage sur Noël dans les prisons romandes. Choisissez la bonne réponse.**

1 Selon Anthony Brovarone, les détenus…
   a aiment fêter Noël.
   b ne reconnaissent pas Noël.
   c souffrent à Noël.
2 Aux Établissements de la plaine de l'Orbe,…
   a les détenus organisent des activités spéciales.
   b la religion est exclue.
   c on reconnaît Noël.
3 On évite de trop fêter Noël parce que…
   a cela ne conviendrait pas à tous les détenus.
   b les espaces communs ne sont pas appropriés.
   c les visiteurs ne l'apprécieraient pas.

4 Aux Établissements de la plaine de l'Orbe, les détenus…
   a doivent préparer leurs propres repas.
   b mangent rarement des croquettes de pommes de terre.
   c peuvent choisir leur repas de Noël.
5 Quant à l'alcool,…
   a ils n'en boivent qu'à Noël.
   b il n'y en a pas du tout.
   c il n'y en a que dans les sauces.
6 Selon Anthony Brovarone, le régime est strict parce qu'il faut penser à…
   a ceux qui ne sont pas en prison.
   b la dignité des détenus.
   c la sévérité des crimes commis.

2b 〰 **Réécoutez et répondez aux questions en français.**

1 Quelle observation fait-on sur le stress et la solitude?
2 Quels exemples de comportements agressifs Anthony Brovarone donne-t-il?
3 Quelles activités spéciales organise-t-on aux Établissements de la plaine de l'Orbe?
4 Pourquoi les décorations de Noël sont-elles modestes?
5 Quels facteurs faut-il prendre en compte en déterminant les conditions de détention?

2c **À l'oral. Que pensez-vous du traitement des détenus dans les prisons romandes? Discutez avec un(e) partenaire.**

- la prison comme punition
- les effets psychologiques de l'incarcération
- les coûts de la prison

3 **Traduisez en français.**

1 If prisoners are treated better, perhaps they won't reoffend.
2 If more cells were constructed, more people would occupy them.
3 She wouldn't have committed the crime if she had known the consequences.
4 If the government invests in alternative sentences, the problem of overcrowding will be solved.
5 How would we punish our criminals if we didn't have prisons?

4 **À l'écrit. Peut-on imaginer une société sans prisons? Écrivez 250–300 mots. Vous pourriez prendre en compte:**

- le rôle des prisons
- le nombre de détenus en France (ou dans un autre pays francophone)
- les délits qui sont punis d'une peine de prison
- les conséquences de l'abolition des peines d'emprisonnement.

■ Expressions clés

d'autant plus (que)…   en plus de…   quant à…
hors de question   ils ont droit à…

■ Vocabulaire

l'automutilation (f) *self-harm*
le / la contribuable *taxpayer*
romand *French-speaking (in Switzerland)*
se serrer la ceinture *to tighten one's belt*
susceptible *sensitive, easily hurt*
la trêve *truce, break (in conflict)*
vaudois *from Vaud (a Swiss canton)*

⚏ Grammaire

Tense sequences with *si*

There are three standard combinations of tenses with *si*:

- *si* with present tense, main clause with future tense

  S'il est déclaré coupable, il passera deux ans en prison.

- *si* with imperfect tense, main clause with conditional

  S'il était déclaré coupable, il passerait deux ans en prison.

- *si* with pluperfect tense, main clause with conditional perfect

  S'il avait été déclaré coupable, il aurait passé deux ans en prison.

See pages 151–153.

1a Lisez le texte et trouvez des synonymes pour les expressions 1–10.

LES « PEINES ALTERNATIVES » DIVISENT LES AVIS

Ces dernières années, les alternatives à la prison se multiplient en France comme en Europe. Certains s'en félicitent, d'autres y voient au contraire un message d'impunité envoyé aux délinquants.

Faire de la prison la peine de dernier recours, tel est l'objectif de la réforme pénale de la ministre de la Justice Christiane Taubira. Comment? En incarcérant moins fréquemment les auteurs de délit et, lorsque c'est malgré tout nécessaire, en raccourcissant leur temps de détention au profit d'un suivi en milieu ouvert.

Dans cette logique, la réforme Taubira prévoit la création d'une nouvelle peine hors-les-murs (la « contrainte pénale »), la suppression des peines plancher et la mise en place d'une libération sous contrainte. Non sans diviser les politiques. La droite fustige le « laxisme » de la gauche et sa « théologie de la libération ». Côté gauche, on se dit au contraire « pragmatique ».

Mais, au fond, la réforme Taubira révolutionne-t-elle vraiment le traitement de la délinquance? Moins qu'on ne le pense. Christiane Taubira ne fait qu'amplifier un mouvement initié avant elle.

La « contrainte pénale » ne fera que s'ajouter au « sursis avec mise à l'épreuve », au « bracelet électronique », au « travail d'intérêt général », etc. Autant de dispositifs déjà susceptibles de se substituer à la prison ferme, notamment depuis la loi pénitentiaire de 2009… votée sous la droite.

Certes, depuis, la population carcérale a continué d'augmenter sous l'effet de l'allongement des peines et de la hausse de la délinquance. Il n'empêche, les alternatives à l'incarcération ont, elles aussi, continué à croître de façon significative. Les chiffres parlent d'eux-mêmes: au 1er janvier 2014, les services d'insertion et de probation géraient 174 108 condamnés en milieu ouvert, contre 67 075 détenus.

Vocabulaire

le dernier recours *last resort*
hors-les-murs *non-residential*
la mise à l'épreuve *probation*
la peine plancher *minimum sentence*
le suivi *follow-up, monitoring*
le sursis *suspended sentence*

1 deviennent plus nombreuses
2 s'en réjouissent
3 le but
4 ceux qui commettent des infractions
5 en faveur de
6 critique
7 commencé
8 mesures
9 augmenter
10 s'occupaient de

1b Complétez les phrases selon le sens du texte.

1 Aujourd'hui, en France comme en Europe, il y a de plus en plus…
2 Christiane Taubira veut que la prison…
3 Quand l'incarcération est inévitable, Christiane Taubira veut…
4 Dans la réforme Taubira, une nouvelle peine hors-les-murs…
5 Avec cette réforme, les peines plancher…
6 Les politiques de droite pensent que…
7 Les politiques de gauche pensent que…
8 Avant la réforme Taubira, on avait déjà…

1c Relisez le texte (page 58). Traduisez le dernier paragraphe en anglais (« Certes, depuis, la population carcérale… »).

2a 〰 Écoutez quatre personnes qui parlent de la réforme Taubira sur les peines alternatives. Pour une attitude positive, notez P. Pour une attitude négative, notez N. Pour une attitude positive et négative, notez P + N.

Arthur

Yann

Clémence

Romane

2b 〰 Réécoutez et identifiez la personne qui parle.

1. Il faut suivre l'exemple des autres pays.
2. Je suis contre les peines minimales obligatoires.
3. Je suis en faveur d'une hausse du nombre de places en prison.
4. Les délinquants n'auront pas assez peur des conséquences de leurs actes.
5. Nous avons besoin d'argent pour autre chose.
6. On pourrait économiser de l'argent public en réduisant le nombre de places en prison.
7. On sous-estime la sévérité de la délinquance.
8. Un jour, nous regretterons cette réforme.

> **Vocabulaire**
>
> **arracher** *to snatch*
> **démissionner** *to give in, resign*
> **le laxisme** *laxity, softness*
> **mettre en œuvre** *to implement*

2c À l'oral. Comment réagissez-vous à l'opinion de ces quatre personnes? Discutez avec un(e) partenaire.

3 Remplissez les blancs avec *à, de* ou rien.

1. Nous aidons les anciens détenus _____ se réinsérer.
2. Il faut _____ envoyer un message fort aux criminels.
3. On essaie _____ réduire la population carcérale.
4. La prochaine fois, il hésitera _____ commettre un vol.
5. Est-ce que cette mesure les empêchera _____ récidiver?
6. On espère _____ raccourcir sa période de détention.
7. Et si on arrêtait _____ emprisonner les gens?
8. Certains auraient préféré _____ supprimer les peines alternatives.

4 Travail de recherche. Renseignez-vous sur la réforme pénale de Christiane Taubira qui a été adoptée en 2014.

Pour vous aider:
- le contexte et les buts de la réforme
- les principales dispositions de la réforme
- les réactions de la population

> **Grammaire**
>
> ### Infinitive constructions
>
> When two verbs are linked together, the second verb is normally in the infinitive form. The first verb may sometimes be followed by *à* or *de*.
>
> *La population carcérale a continué d'augmenter* (*continuer* can take *de* or *à* + infinitive).
>
> *La France s'obstine à emprisonner les gens* (*s'obstiner* takes *à* + infinitive).
>
> *On pourrait économiser de l'argent public* (*pouvoir* takes an infinitive with no preposition).
>
> See pages 156–157.

> **Expressions clés**
>
> | | |
> |---|---|
> | certains… d'autres… | certes |
> | non sans | il n'empêche |
> | au fond | de façon significative |
> | moins qu'on ne le pense | les chiffres parlent d'eux-mêmes |

1a Lisez l'article sur le bracelet électronique. Pour chaque phrase, écrivez vrai (V), faux (F) ou information non-donnée (ND).

LE BRACELET
ÉLECTRONIQUE

Le « bracelet électronique » est une mesure d'aménagement de peine permettant d'exécuter une peine d'emprisonnement sans être incarcéré. Généralement fixé à la cheville, le bracelet est accompagné d'un boîtier installé au domicile de la personne concernée et relié à la ligne téléphonique. Le boîtier reçoit les informations émises par le bracelet et les transmet au centre de surveillance.

Le bracelet ne doit jamais être enlevé: le condamné se douche et dort avec. Le condamné est assigné à résidence pendant les heures fixées par le juge. Si la personne sort de chez elle en dehors des périodes autorisées, le boîtier ne reçoit plus de signal et une alarme se déclenche au centre de surveillance. Le surveillant pénitentiaire, après avoir fait un contrôle téléphonique, avertit le procureur de la République et le juge.

Actuellement, près de 11 000 personnes portent un bracelet électronique. Dès que le procureur de la République requiert une peine d'emprisonnement ferme, l'avocat du condamné peut formuler une demande d'aménagement de peine. Cependant, une demande seule ne suffit pas. Le condamné doit apporter la preuve qu'il a

un projet sérieux de réinsertion dans la société. En plus, la durée de peine restant à effectuer doit être inférieure ou égale à deux ans.

Le bracelet électronique a pour but de faciliter la réinsertion du condamné dans la société. Elle lui permet d'exercer une activité professionnelle, de suivre un enseignement ou une formation mais aussi de participer de manière active à sa vie de famille. L'avantage est également financier. Le bracelet électronique est économique pour l'État: 10 euros par jour contre 94 pour une journée de prison.

Malgré les règles strictes, certains condamnés parviennent parfois à se défaire de leur bracelet électronique. C'est ce qui est arrivé avec un violeur récidiviste le 12 juin dernier. Condamné à 20 ans de prison en 2001, l'homme a réussi à arracher son bracelet électronique avant de prendre la fuite.

■ Vocabulaire

l'aménagement (m) de peine *sentence reduction*
le boîtier *control unit*
prendre la fuite *to escape*
le procureur *prosecutor*
requérir *to call for*
le / la surveillant(e) pénitentiaire *prison warden*

1 Le bracelet électronique est une peine alternative à la prison.
2 Le bracelet peut se fixer soit au poignet soit à la cheville.
3 Une ligne téléphonique est nécessaire pour le bon fonctionnement du bracelet.
4 Le condamné ne peut enlever le bracelet que la nuit.
5 À condition de porter son bracelet, le condamné a le droit de se déplacer où il veut et quand il veut.
6 C'est le procureur de la République qui fait un contrôle téléphonique si l'alarme se déclenche.
7 La plupart des demandes d'aménagement de peine sont accordées.
8 Le bracelet électronique offre des avantages aux condamnés et à l'État.
9 L'année dernière, un violeur récidiviste s'est échappé après avoir réussi à enlever son bracelet électronique.

1b Relisez l'article. Écrivez en français et en phrases complètes un paragraphe de 90 mots au maximum où vous résumez ce que vous avez compris suivant ces points:

- la fonction du boîtier qui accompagne le bracelet
- les circonstances dans lesquelles le port du bracelet électronique peut être autorisé
- les avantages du bracelet électronique pour le condamné.

2a 〜 Écoutez ce reportage sur cinq jeunes qui effectuent un travail d'intérêt général (TIG) dans la forêt de Montlignon. Que signifient ces chiffres?

1	29	**4**	210
2	5	**5**	130
3	20	**6**	20

2b 〜 Réécoutez et reliez le début et la fin des phrases.

1 Les cinq jeunes hommes portent…
2 Les cinq jeunes hommes ramassent…
3 Les cinq jeunes hommes travaillent…
4 Les cinq jeunes hommes préfèrent…
5 Les cinq jeunes hommes avaient commis…
6 Selon Jean-Marc Évrard, le TIG est…
7 Jean-Marc Évrard a pu aider…
8 Pour certains jeunes, le TIG est…

a …des déchets.
b …des vêtements appropriés.
c …des vols.
d …gratuitement.
e …la première réussite de leur vie.
f …le TIG à la prison.
g …un jeune homme à s'orienter.
h …utile pour la société et pour les tigistes eux-mêmes.

3 À l'oral. Jeu de rôle. Le / La partenaire A effectue un travail d'intérêt général. B pose des questions à A au sujet de son expérience.

Pour vous aider:
- Quel genre de travail faites-vous?
- Aimez-vous votre travail?
- Comment êtes-vous reçu par le public?

4 Traduisez en français.

1 Can the electronic tag contribute to a reduction in the reoffending rate?
2 This punishment allows the state to monitor convicted people without locking them up.
3 One criminal managed to remove his tag so that he could leave his home at night.
4 I am happy to do community service but I would prefer to be paid for the work I do.
5 My parents would have been ashamed if I had been given a prison sentence.

5 Travail de recherche. Choisissez un pays francophone autre que la France. Quelles peines alternatives existent dans ce pays?

🔖 Compétences

Summarising a reading text

The purpose of summarising a text is to convey its key message without getting too bogged down in detail. If bullet points are given, then use them to structure your response, making sure that you cover the required number of points. To show that you have understood the French, rephrase the text as far as possible, trying not to copy out whole sentences. However, it is not necessary to find synonyms for individual words.

▪ Vocabulaire

assumer *to accept*
la bagarre *brawl*
le larcin *theft*
avoir prise sur *to have a hold on*
le / la tigiste *person doing community service*

▪ Expressions clés

en dehors de…
cela ne suffit pas
de manière active
ce qui est arrivé
avant de…

Démontrez ce que vous avez appris!

1 **Reliez les expressions 1–8 aux définitions a–h.**

1 centre d'éducation renforcé
2 échec scolaire
3 sanctionner
4 condamnation
5 atteintes aux biens
6 perturbateur
7 sous caution
8 auteur d'un crime

a avec le paiement d'une somme d'argent
b dégâts matériels
c établissement pour mineurs
d jugement
e non-réussite à l'école
f personne coupable
g punir
h qui cause du désordre

2 **Reliez le début et la fin des phrases.**

1 La prison devrait conduire…
2 La prison devrait avoir…
3 Tout en punissant les criminels, il faut protéger…
4 Le public réclame…
5 La surpopulation carcérale en France a atteint…
6 Si on construit plus de prisons, les places seront…
7 Le plus ancien détenu de France est…
8 Il n'a jamais perdu…

a …de longues peines d'emprisonnement pour les auteurs de crimes violents.
b …l'espoir de sortir.
c …incarcéré depuis 1969.
d …les coupables à se réformer.
e …leur dignité.
f …un effet dissuasif.
g …un niveau sans précédent.
h …vite prises.

3 **Remplissez les blancs avec le bon mot de la case. Attention! Il y a deux mots de trop.**

Certains pensent que la réforme pénale proposée par Christiane Taubira a du [1]_____. Selon eux, les [2]_____ françaises emprisonnent trop facilement les auteurs de petits délits. La prison est inefficace contre la [3]_____ et peut même transformer les petits [4]_____ en criminels. En plus, le coût des prisons est trop élevé – et c'est le [5]_____ qui paie! Il vaut mieux [6]_____ des peines alternatives comme le bracelet électronique et le travail d'intérêt général.

D'autres s'opposent vivement à la réforme, disant que c'est du [7]_____. Pour eux, la prison a un [8]_____ dissuasif et ils pensent que le taux de criminalité va [9]_____ si les délinquants savent qu'ils ont moins de chances d'être incarcérés. Quant à la surpopulation carcérale, la solution est facile – il faut [10]_____ de nouvelles prisons.

autorités	exploser	promouvoir
construire	laxisme	récidive
contribuable	effet	sens
délinquants	problème	supprimer

4 **Remplissez les blancs avec à, de ou rien.**

1 Le bracelet électronique permet _____ suivre les mouvements d'un condamné en temps réel.
2 Le condamné n'a pas le droit _____ enlever son bracelet.
3 Dès que l'émetteur cesse _____ envoyer les signaux habituels, une alarme se déclenche.
4 Le condamné doit _____ montrer qu'il veut se réinsérer.
5 Malheureusement, certains condamnés ont réussi _____ se défaire de leur bracelet.
6 Ils espéraient _____ échapper à leur punition.
7 Dans ces cas, le juge n'hésite pas _____ prononcer une peine plus sévère.
8 En Belgique, un détenu a refusé _____ quitter la prison après qu'on lui ait proposé le bracelet électronique.
9 Il préfère _____ rester en prison plutôt qu'être à la maison avec sa femme!
10 La prison ne peut pas l'obliger _____ accepter le bracelet électronique.

Testez-vous!

1a 📖 **Lisez le texte et répondez aux questions en français. Il n'est pas toujours nécessaire de faire des phrases complètes.**

PRISONS: LES FEMMES DÉTENUES VICTIMES DE « DISCRIMINATION »

Le traitement des femmes en prison est à revoir. Minoritaires en nombre, les détenues font l'objet de discriminations importantes dans l'exercice de leurs droits fondamentaux, dénonce la contrôleure des prisons, Adeline Hazan. Dans un avis publié ce jeudi, elle recommande des modifications dans leur prise en charge.

Maintien difficile des liens familiaux, hébergement insatisfaisant, accès réduit ou inadéquat aux activités, la contrôleure générale des lieux de privation de liberté (CGLPL) dresse un portrait critique de l'état de la prise en charge des femmes dans les établissements pénitentiaires, mais aussi dans les commissariats, les centres de rétention et les établissements de santé.

Parmi ses recommandations, elle propose d'introduire une forme de « mixité » contrôlée dans les établissements pénitentiaires pour notamment « accroître et diversifier l'offre des activités pour les femmes ».

Les femmes ne représentent aujourd'hui que 3,2% de la population carcérale. Les jeunes filles constituent 6% des mineurs des centres éducatifs fermés. Plus de 38% des patients admis en établissement de santé mentale sont des femmes.

« On pourrait penser que ce faible nombre de femmes privées de liberté faciliterait la prise en charge et permettrait un strict respect des droits fondamentaux mais il n'en est rien et la réalité est que les femmes ne bénéficient pas des mêmes droits que les hommes privés de liberté », constate la contrôleure.

1 Qu'est-ce qu'Adeline Hazan trouve inacceptable? [2]
2 Selon Adeline Hazan, comment les femmes souffrent-elles dans les lieux de privation de liberté? [3]
3 Quelle mesure Adeline Hazan recommande-t-elle, et pourquoi? [2]

[7 marks]

1b 🖥 **Traduisez en anglais les deux derniers paragraphes (« Les femmes … contrôleure »).**

[10 marks]

2 〰 **Écoutez le reportage sur les conséquences d'une explosion de violence au début de l'Euro 2016. Répondez aux questions en français. Il n'est pas toujours nécessaire de faire des phrases complètes.**

1 Qui a été condamné par le tribunal correctionnel de Marseille? [3]
2 Comment Alexander Booth a-t-il été puni? [2]
3 Qu'est-ce qu'il avait fait pour mériter cette punition? [2]
4 Comment le père d'Alexander Booth a-t-il réagi au jugement? [2]
5 Comment Marion Dutard a-t-elle expliqué le jugement? [2]
6 Qu'est-ce qui indique que le jugement n'est peut-être pas juste? [2]

[13 marks]

3a 📖 **Lisez le texte « Les travaux d'intérêt général… » (page 64). Choisissez les cinq phrases qui sont vraies.**

1 Les travaux d'intérêt général existent depuis plus de trente ans.
2 Il faut qu'un condamné ait passé du temps en prison avant de faire des travaux d'intérêt général.
3 La durée du travail d'intérêt général dépend du juge.
4 Michel ne veut pas trop parler du motif de sa condamnation.
5 Michel prend la peine de TIG à la légère.
6 Michel a décidé d'effectuer sa peine à la Croix-Rouge.
7 Il a fallu deux mois pour que Michel se sente accepté.
8 Michel a effectué plusieurs tâches à la Croix-Rouge.
9 Selon Marie-France Manaud, les travaux d'intérêt général apportent plus d'avantages que d'inconvénients.
10 Ceux qui accueillent les tigistes ont besoin d'une meilleure formation.

[5 marks]

Les travaux d'intérêt général, une peine en forme de deuxième chance

Institués en 1983, les travaux d'intérêt général (TIG) sont une peine alternative à l'incarcération. Elle peut être prononcée directement par le juge ou constituer un aménagement de peines d'emprisonnement. Ces travaux durent de 20 à 120 heures en cas de contravention ou de 40 à 210 heures en cas de délit.

Quand Michel, 56 ans, évoque sa condamnation, en mai dernier, il ne s'attarde pas sur son motif, mais insiste en revanche sur son ressenti. « Certains prennent la justice à la légère, imaginent qu'une peine de TIG, ce n'est pas grand-chose. Mais moi je pense autrement, je vous assure. Une condamnation, c'est forcément angoissant. On ne sait pas ce qui va nous arriver, on voudrait tourner la page au plus vite. »

Michel a été condamné à effectuer 105 heures de travail d'intérêt général, une durée plutôt longue. Convoqué par un conseiller pénitentiaire d'insertion et de probation (CPIP), il s'est vu offrir deux possibilités: effectuer sa peine à la mairie la plus proche ou à la Croix-Rouge, deux structures habilitées à recevoir des tigistes. Il a choisi la deuxième option. « Dès le premier jour, ça s'est très bien passé. J'étais accompagné par mon conseiller et l'équipe sur place m'a très bien accueilli, sans préjugés », souligne-t-il. Durant deux mois, quelques après-midi par semaine, il a tenu le « bric-à-brac » du centre, allant chercher les meubles, les entreposant et assurant la vente.

Pour Marie-France Manaud, qui supervise les tigistes de ce centre de la Croix-Rouge situé dans le Sud-Ouest, cette peine personnalisée, socialisante et pédagogique, se révèle presque toujours positive. « C'est valorisant pour les personnes concernées, qui retrouvent une activité utile, et pour nous dans notre rôle d'accueil et d'accompagnement », estime-t-elle. « Quand certains condamnés nous disent: "Je ne pensais pas être capable de me lever tous les jours" ou "Je ne croyais pas que cela me plairait", tout le monde en sort gagnant. »

3b ✎ **Relisez le texte ci-dessus. Écrivez en français et en phrases complètes un paragraphe de 90 mots au maximum où vous résumez ce que vous avez compris suivant ces points:**

- l'attitude de Michel envers sa condamnation [2]
- les aspects positifs de sa peine [2]
- les effets positifs du TIG, selon Marie-France Manaud. [3]

Attention! Il y a 5 points supplémentaires pour la qualité de votre langue. Essayez donc d'utiliser vos propres mots autant que possible.

[12 marks]

4a 〰 **Écoutez l'interview de l'avocat Alexandre Martin, qui parle de la situation pénitentiaire en France. Lisez les phrases et remplissez les blancs avec le bon mot de la case. Attention! Il y a trois mots de trop.**

1 Alexandre Martin _____ les conditions de détention en France.
2 La maison d'arrêt de Seysses _____ beaucoup plus de détenus que prévu.
3 La surpopulation carcérale _____ beaucoup de problèmes.
4 La réinsertion ne _____ pas parce que les opportunités de formation sont insuffisantes.
5 Selon Alexandre Martin, la France _____ un meilleur système carcéral.

accueille	mérite
concerne	marche
critique	préconise
entraîne	travaille

[5 marks]

4b ✎ **Réécoutez l'interview. Écrivez en français et en phrases complètes un paragraphe de 90 mots au maximum où vous résumez ce que vous avez compris suivant ces points:**

- les effets de la surpopulation à la maison d'arrêt de Seysses [4]
- les conséquences de ces effets [1]
- la frustration d'Alexandre Martin en ce qui concerne les aménagements de peine. [2]

Attention! Il y a 5 points supplémentaires pour la qualité de votre langue. Essayez donc d'utiliser vos propres mots autant que possible.

[12 marks]

5a Lisez le texte « La crise des prisons en Belgique ». Trouvez des synonymes pour les expressions 1–7.

1 grand nombre
2 les uns sur les autres
3 par terre
4 repas
5 n'ont pas lieu
6 actes criminels
7 bilan

[7 marks]

5b Relisez le texte et traduisez ce paragraphe en français.

In Belgium, prison overcrowding has become a serious problem. For many years there have been more inmates than places. The consequences of this situation are harmful and make life difficult for the inmates and those who work in the institution. Cells which were designed for two people are often having to take three or four. Standards of hygiene have declined and, because of the lack of staff, the inmates don't receive the care they need. If we want to reduce the reoffending rate, we will have to send fewer people to prison and give priority to alternative sentences such as community service.

[10 marks]

6 Discutez avec un(e) partenaire.

Un rapport européen a dénoncé la surpopulation carcérale en Belgique. Ce n'est pas le seul pays à connaître ce problème. Faut-il construire de nouvelles prisons ou vaut-il mieux réduire le nombre de détenus?

• Pourquoi la surpopulation carcérale est-elle un problème?
• En France ou dans un autre pays francophone, quelles dispositions ont été mises en place pour combattre la surpopulation carcérale?
• À votre avis, quelle est la meilleure solution au problème? Pourquoi?

7 « En France (ou dans un autre pays francophone), on ne punit pas les criminels assez sévèrement. » Comment réagissez-vous à cette opinion? Écrivez environ 300 mots.

LA CRISE DES PRISONS EN BELGIQUE

En 2015, les prisons belges connaissaient, en moyenne, une surpopulation de l'ordre de 12% (11 377 détenus pour une capacité théorique de 10 185 unités).

La surpopulation dans les prisons entraîne un cortège de conséquences nuisibles:

• Les détenus sont entassés à trois ou quatre dans des cellules qui sont conçues pour en accueillir deux.
• Certains doivent dormir sur des matelas placés à même le sol.
• Le niveau d'hygiène est d'autant plus déplorable.
• Les rations alimentaires sont calculées sur la capacité théorique de la prison et non sur le nombre de prisonniers.
• Les effectifs de personnel n'étant pas adaptés, il n'y a pas assez de gardiens, pas assez de personnel médical, pas assez d'assistants sociaux.
• Les activités de loisirs ne peuvent donc être organisées.
• Les visites sont souvent suspendues.
• Il n'y a pas assez de soins et l'assistance à la réinsertion reste purement théorique.

Conséquences: le taux de récidive des condamnés qui sortent d'une peine de prison est supérieur à 75%, trois fois plus élevé que le taux de récidive de ceux qui ont été condamnés à une peine alternative.

Pourquoi punit-on? Pour éviter la réitération des comportements délictueux, bien sûr. Le constat est donc cruel: dans l'état dans lequel elles se trouvent aujourd'hui, nos prisons encouragent la récidive au lieu de la décourager. Celui qui sort d'une de nos prisons risque bien plus de commettre un délit qu'avant son séjour. Quel paradoxe!

Conseil

Tackling speaking tasks

When responding to a stimulus card, some questions will target your comprehension of the card, while others will require broader knowledge and personal opinions of the chosen sub-theme. Try to rephrase the material on the card where possible, but it is not necessary to change key items of vocabulary. Be as specific as you can when showing your knowledge and make sure that you include examples from a French-speaking country. Always justify your opinions.

3 Vocabulaire

3.1 Quelles attitudes envers la criminalité?

	abattre	to kill
	abolir	to abolish
l'	acquittement (m)	acquittal
l'	amende (f)	fine
l'	arrachage (m)	snatching
l'	atteinte (f)	violation
	atténuer	to alleviate
l'	audition (f)	hearing, audition
l'	auteur (m)	perpetrator
l'	avocat(e) (m / f)	lawyer
la	bagarre	brawl
les	biens (mpl)	property
le	cambriolage	burglary
sous	caution	on bail
le	centre d'éducation renforcé	reform school
le	chantage	blackmail
le	chien pisteur	tracker dog
	commettre	to commit
la	comparution	appearance (at trial)
le	comportement	behaviour
le / la	condamné(e)	convicted person
	condamner	to sentence
la	contrefaçon	counterfeiting
le	contrôle	check
	convaincu(e)	convinced
	coupable	guilty
le	crime	crime (act)
la	criminalité	crime (rate)
la	culpabilité	guilt
	débordé(e)	overwhelmed
	délictueux(-euse)	criminal
la	délinquance	delinquency, crime
le	délit	offence
la	détention	detention
le	dossier	file
	douloureux(-euse)	painful
le	durcissement	hardening
l'	échec (m)	failure
	effectuer	to carry out
	élever	to raise (child)
	empêcher	to prevent
la	garde à vue	custody
le	geste	action
la	haine	hatred
l'	homicide (m)	homicide
	hors-la-loi	outlaw, on the wrong side of the law

	impliqué(e)	involved
l'	indulgence (f)	leniency
l'	infraction (f)	contravention, offence
s'	inquiéter de	to worry about
l'	insécurité (f)	insecurity
	interpeller	to arrest
l'	ivresse (f)	drunkenness
le / la	juge	judge
	juger	to judge
	juridique	legal
le	larcin	theft
la	loi	law
le / la	magistrat(e)	magistrate
	menacer	to threaten
	mépriser	to hold in contempt
le	mineur	minor (person under 18)
le	motif	reason
la	peine	sentence
la	perte	loss
le	piratage	hacking
le / la	policier(-ère)	police officer
la	prévention	prevention
la	prise d'alcool	alcohol consumption
la	privation	withdrawal, removal
le	procureur	prosecutor
la	punition	punishment
	récidiver	to reoffend
le / la	récidiviste	repeat offender
la	récompense	reward
	responsabiliser	to hold responsible
la	responsabilité	responsibility
	saisir	to seize
la	sanction	sanction
	sanctionner	to punish
la	sécurité	safety, security
la	sensibilisation	raising of awareness
se	sentir	to feel
le	sursis	suspended sentence
	surveiller	to supervise
s'en	tirer	to get away with
la	victime	victim
la	vidéosurveillance	video monitoring, video surveillance
le	viol	rape
la	voie publique	public highway
le	vol	theft
le	vol à main armée	armed robbery
la	vulnérabilité	vulnerability

3.2 La prison – échec ou succès?

	accueillir	to welcome, provide accommodation for
l'	automutilation (f)	self-harm
le	barreau	bar (on prison window)
la	capacité	capacity
la	cavale	escape, going on the run
la	cellule	cell
le / la	contribuable	taxpayer
la	déchéance	decline, degeneration
	détenir	to hold, imprison
le / la	détenu(e)	inmate
	écoper de	to get, receive
	écrouer	to lock up
l'	effet (m) dissuasif	deterrent
	entassé(e)	crammed
l'	établissement (m)	establishment
l'	évasion (f)	escape
	exécuter	to carry out
	incarcérer	to imprison
la	maison d'arrêt	prison (short sentences), remand centre
le	milieu	environment
la	peine plancher	minimum sentence
	pénitentiaire	prison (adjective)
la	perpétuité	life (imprisonment)
	prendre la fuite	to escape
	privé(e) de	deprived of
	raccourcir	to shorten
la	remise en liberté	release
	supporter	to bear
	surpeuplé(e)	overcrowded
la	surpopulation	overcrowding
le / la	surveillant(e) pénitentiaire	prison warden

3.3 D'autres sanctions

	aboutir à	to result in
s'	aggraver	to get worse
l'	aménagement (m) de peine	sentence reduction
	angoissant(e)	frightening
l'	apprentissage (m)	learning
	assumer	to accept, take on board
	assurer	to ensure
	bénéficier	to benefit
le	boîtier	control unit
le	bracelet électronique	electronic tag

la	collectivité	community
le	compromis	compromise
le / la	conseiller(-ère)	advisor
	contraignant(e)	restrictive
	décourager	to discourage
	dénoncer	to condemn
le	dernier recours	last resort
la	dignité	dignity
le	dispositif	measure
la	durée	duration
	éduquer	to educate
	exemplaire	setting an example, as a warning
	exploser	to shoot up, skyrocket
la	formation	training
	gratuitement	for free
l'	interdiction (f)	ban
le	laxisme	laxity, leniency
à la	légère	lightly
la	liberté	freedom
le	manque	lack, shortage
	mettre en œuvre	to implement
la	mise à l'épreuve	probation
se	multiplier	to increase in number
s'	orienter	to find one's bearings
	pédagogique	educational
	pénal(e)	penal
le	préjugé	prejudice
	prévoir	to envisage
	prôner	to advocate
	protéger	to protect
la	recommandation	recommendation
la	réforme	reform
la	réinsertion	rehabilitation
	remplir	to fulfil
	réussir	to succeed
le	rythme	rhythm
	soigner	to treat, care for
les	soins (mpl)	care
le	suivi	follow-up, monitoring
	supprimer	to do away with, remove
	tenir le coup	to keep going, carry on
la	tentation	temptation
le / la	tigiste	person doing community service
le	travail d'intérêt général	community service
	valorisant(e)	rewarding

4 Les ados, le droit de vote et l'engagement politique

By the end of this section you will be able to:

		Language	Grammar	Skills
4.1	**Pour ou contre le droit de vote?**	Discuss arguments relating to the vote and examine the French political system and its evolution	Form and use the passive voice	Avoid the passive
4.2	**Les ados et l'engagement politique – motivés ou démotivés?**	Discuss engagement levels of young people and their influence on politics	Form and use the subjunctive mood	Talk about data and trends
4.3	**Quel avenir pour la politique?**	Discuss the future of politics and political engagement	Use the subjunctive mood	Express doubt and uncertainty

Voter ou ne pas voter? Pour les jeunes en France, comme ailleurs en Europe, on n'a pas encore le droit d'exercer ce choix jusqu'à l'âge de dix-huit ans. Devrait-on avoir une voix politique avant cet âge de majorité politique? Est-ce que la France mérite sa réputation de pays où l'action directe dépasse l'urne comme méthode d'expression politique?

■ Le saviez-vous?

■ La France est actuellement sous le régime de la Cinquième République, créé par Charles de Gaulle suite à la crise d'Algérie en 1958.

■ Le système actuel est caractérisé par un président puissant qui a le pouvoir de dissoudre le parlement et de déclencher une élection.

■ Les élections présidentielles ont lieu tous les cinq ans (d'où le nom de quinquennat).

■ Le chef d'État nomme le Premier ministre qui est en fait moins puissant que le suggère son titre.

■ La cohabitation d'un président et d'un gouvernement de partis politiques opposés est possible.

Le palais du Louvre, ancien palais royal, situé à Paris

Pour commencer

1 Lisez les phrases sur le système électoral français. Choisissez un mot de la case pour compléter chaque phrase.

1 Le pouvoir exécutif revient au _____ qui est chef d'État, chef des armées, et responsable pour la diplomatie.

2 Si aucun des candidats à l'élection présidentielle n'obtient la majorité absolue, les deux candidats les plus populaires vont à un deuxième _____ de votes.

3 Le pouvoir législatif est tenu par le parlement (l'assemblée nationale et le sénat) qui vote les lois proposées par le Premier ministre. Les députés sont élus au _____ universel.

4 Puisque le président est élu séparément, la _____ est possible. Cela signifie que pendant ces périodes les partis du président et du Premier ministre et son gouvernement sont différents.

5 Il y a à peu près 500 _____ dans l'assemblée nationale qui sont élus tous les cinq ans par suffrage universel.

6 Le parti comportant le plus de députés fournit le _____ , mais ce dernier est nommé par le président.

7 Aucun _____ ne peut être député.

8 Les sénateurs sont _____ par les députés et des représentants locaux.

9 Un tiers des sénateurs sont remplacés tous les trois ans. L'assemblée a plus de _____ que le sénat.

10 Les nouvelles _____ doivent être signées par le président.

élus	• Premier ministre	président	• lois	suffrage
pouvoir	ministre	députés	• cohabitation	.tour

2 À l'oral. Discutez avec un(e) partenaire.

- Décrivez la photo (à droite).
- Qui est l'homme au premier plan?
- Où se trouvent ces personnes?
- Y a-t-il des événements similaires dans votre pays, ou dans d'autres pays francophones? Quelles sont les similarités et les différences?

3 Pour chaque phrase, devinez vrai (V) ou faux (F). Si vous n'êtes pas sûr(e), cherchez les réponses en ligne.

1 La France est une monarchie.
2 La France est divisée en 101 départements: 96 en métropole et cinq en outre-mer.
3 Le président de la France en 2000 était une femme.
4 La France est actuellement sous la Cinquième République.
5 En France, il existe une constitution écrite.
6 Le Louvre était autrefois la résidence du roi français.
7 Le Premier ministre doit être du même parti que le président.
8 On ne peut pas être député et ministre à la fois.

François Hollande aux Champs-Élysées

1a Lisez l'article et pour chaque phrase écrivez vrai (V), faux (F) ou information non-donnée (ND).

Faut-il accorder le droit de vote dès 16 ans ?

Martin Hirsch, haut-commissaire à la Jeunesse, refuse d'abaisser le droit de vote à 16 ans malgré les appels répétés de l'Union nationale lycéenne (UNL), qui assure que les jeunes le réclament.

Encore une idée reçue sur les jeunes qui s'écroule: non, les jeunes ne veulent pas tout, tout de suite. La preuve? 68% des 16–25 ans sont opposés au droit de vote à 16 ans. Même dans la tranche concernée, les 16–17 ans sont 63% à s'y opposer. « Ils ont une attitude responsable », commente Jean-Daniel Nevy, de l'institut de sondage CSA.

Ils trouvent d'abord que le lycée ne les prépare pas bien au vote. Certes, il existe bien un cours d'éducation civique, juridique et sociale (ECJS). Mais cet enseignement est reproché comme trop institutionnel et éloigné des préoccupations concrètes par sa neutralité. On dit aussi qu'il alourdit une année du bac déjà bien chargée.

Mais ce qui devrait mieux les préparer au vote, ce sont les Conseils de la vie lycéenne (CVL), un système de représentation créé en 1998, qui permettent aux lycéens élus de rencontrer deux fois par an le ministre de l'Éducation nationale pour lui soumettre des propositions, qui sont parfois adoptées. Le hic, c'est que ces instances ne sont pas toujours respectées.

François Dubet, sociologue spécialiste de la citoyenneté lycéenne, a un regret: « Pour la plupart des adultes de la communauté scolaire, l'école devrait se contenter de promouvoir les principes de la République à travers l'affirmation de valeurs. La participation des élèves est perçue comme une cause de désordre et un danger qui menace l'autorité des enseignants ».

Pas étonnant, dans ces conditions, que les lycéens délaissent les urnes pour le pavé, où ils sont plus entendus. Les taux de participation au CVL plafonnent à 10%.

Vocabulaire

alourdir to weigh down, make heavy
s'écrouler to collapse
le pavé street (lit. cobblestone)
plafonner to reach a ceiling
réclamer to demand, claim
l'urne (f) ballot box

1 Selon les statistiques, la grande majorité des Français entre 16–25 ans réclament le droit de vote.
2 Jean-Daniel Nevy est déçu par les résultats du sondage.
3 Selon le sondage, les lycéens croient qu'ils seraient prêts à voter.
4 Les cours d'éducation civique, juridique et sociale (ECJS) préparent suffisamment bien les élèves de seconde.
5 Selon l'auteur de l'article, les cours d'ECJS peuvent rendre les années du bac plus difficiles.
6 Les Conseils de la vie lycéenne ont été créés par un gouvernement socialiste.
7 Les idées proposées par les CVL ne sont pas toujours approuvées.
8 Selon François Dubet, les enseignants pensent que leur autorité serait menacée par la participation des élèves.
9 Selon l'auteur de l'article, les jeunes préfèrent montrer leurs inquiétudes en manifestant plutôt qu'en souhaitant avoir le droit de vote.
10 Les jeunes de seize ans préfèrent agir plus directement.

1b Relisez « Faut-il accorder le droit de vote dès 16 ans? ». Répondez aux questions en français.

1 Pourquoi Jean-Daniel Nevy croit-il que les jeunes ont « une attitude responsable »?
2 Quelles sont les conséquences négatives des cours d'éducation civique, juridique et sociale?
3 Comment fonctionnent les Conseils de la vie lycéenne?
4 Qu'est-ce que l'auteur veut dire par le terme de « hic »?
5 Comment est-ce que les lycéens se font entendre, selon l'article?
6 Comment sait-on que les CVL ne sont pas populaires chez les jeunes?

2a ⋀⋁⋀ Écoutez l'interview d'un lycéen et de son prof sur le droit de vote. Écrivez une liste des raisons données par Édouard pour lesquelles les jeunes de 16 ans devraient avoir le droit de vote.

2b ⋀⋁⋀ Réécoutez l'interview et écrivez une liste des raisons données par Vincent pour expliquer son opposition aux arguments d'Édouard.

2c ⋀⋁⋀ Réécoutez. À votre avis, qui est le plus convaincant, Édouard ou Vincent? Pourquoi? Écrivez environ 150 mots.

3a Traduisez les phrases en français en utilisant la voix passive.

1 A newspaper was given to the girl.
2 We are known in the school.
3 The book will be written soon.
4 The candidates will have to be very organised.

3b Mettez les phrases à la voix passive.

1 Martine accueillera Luc et Farah à la mairie.
2 Jordan a traduit le dépliant.
3 Aimée écrit la lettre de candidature.
4 Les fonctionnaires compteront les bulletins de vote.

4 À l'oral. Faites un exposé de deux minutes pour présenter vos opinions sur le droit de vote à partir de 16 ans, en France ou ailleurs dans le monde francophone. Vous pouvez mentionner:

- la maturité des jeunes de 16–18 ans
- le pouvoir de la publicité et l'impact de l'image sur les jeunes
- le monde de l'information numérique et les jeunes « bien informés ».

5 À l'écrit. « Donner le vote à un ado de 16 ans n'est qu'un gaspillage de voix. » Écrivez votre réaction en environ 150 mots.

■ Vocabulaire

demeurer to remain
s'étendre to spread out
le vécu life experience
la voix vote

⊞ Grammaire

The passive voice

The passive voice describes an event without necessarily mentioning who is responsible for it. It is formed using the auxiliary verb *être* (in the appropriate tense) and a past participle. The past participle agrees in number and gender with the subject.

*On **est influencé** par sa famille jusqu'à l'âge de 18 ans.*
*Cet argument **a** déjà **été avancé** par les députés.*
*La voix politique **sera** bientôt **donnée** aux jeunes!*

The passive can be used in any tense, and also in the infinitive form:

*Les élèves doivent **être préparés** pour l'examen.*
*Pour gagner des voix il faut **être aimé** par le public.*

See page 155.

■ Expressions clés

abaisser le droit de vote	Certes…
être opposé à quelque chose	plaider pour…
Cela mérite une réelle réflexion.	Le hic, c'est que…
permettre à quelqu'un de faire quelque chose	faire passer pour…
	glisser le papier dans l'urne

1a Lisez le texte et expliquez les termes 1–10 en anglais selon le sens du texte.

EST-ON PRÊT À VOTER À 16 ANS?

On pouvait voter à partir de 25 ans jusqu'en 1848, puis à 21 ans jusqu'en 1974, et à 18 ans depuis. Et demain? Le glissement de l'âge du droit de vote vers la jeunesse ébranle les certitudes sur les contours de la vie du citoyen. Le moment du passage du statut de mineur, considéré comme inapte à choisir ses représentants, à celui de majeur, crédité d'un discernement suffisant, a souvent été modifié par la loi. Pourquoi ne serait-il pas à nouveau remis en question?

La défiance actuelle envers la politique, qui se traduit par une augmentation des votes blancs et nuls, ainsi que par une baisse des taux de participation, invite elle aussi à la réflexion. Acquise plus tôt, l'habitude de voter serait-elle plus ancrée?

En 2007, après de multiples expériences locales, les jeunes Autrichiens âgés de 16 ans ont été autorisés à voter à toutes les élections – municipales, législatives, européennes… « Il y a eu un débat, on s'est demandés si les jeunes étaient assez matures et assez intéressés par la politique », rappelle Eva Zeglovits, chercheuse en sciences sociales à l'université de Vienne. « Aux législatives de 2008, on a pu constater que les 16–17 ans n'étaient pas moins intéressés que les autres. Mais leur impact sur le taux de participation général n'est pas déterminant car ils ne représentent pas un groupe assez important. »

Cet argument est souvent avancé par les partisans d'une majorité électorale à 16 ans. Ils invoquent aussi la démographie,

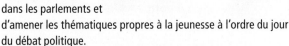

expliquant que le vieillissement de la population conduit la classe politique à concentrer ses préoccupations sur les plus âgés. L'abaissement du droit de vote à 16 ans permettrait de faire entrer le discours intergénérationnel dans les parlements et d'amener les thématiques propres à la jeunesse à l'ordre du jour du débat politique.

Cette demande de responsabilité a quelque chose de « paradoxal dans une société où l'adolescence dure de plus en plus longtemps », selon Patrick Genvresse, pédopsychiatre et directeur de la Maison des adolescents du Calvados. « Les jeunes sont de plus en plus autonomes grâce à l'ère numérique, mais ils ne sont pas plus indépendants. Les parents restent des guides de modèle identitaire. » Selon ce dernier, accorder une prémajorité dès 16 ans permettrait de changer « le regard que porte la société sur l'adolescence interminable » et d'encourager le processus de passage à l'âge adulte.

Vocabulaire

ancré *anchored / established*
le discours *speech*
ébranler *to shake*
le glissement *sliding, shift*
le mineur *minor*
à l'ordre (m) du jour *on the agenda*

1 ébranler les certitudes
2 la vie du citoyen
3 la défiance actuelle envers la politique
4 un vote blanc
5 un vote nul
6 le taux de participation
7 la majorité électorale à 16 ans
8 le discours intergénérationnel
9 autonome
10 la prémajorité

1b Relisez le texte et répondez aux questions en français.

1 En 1945, à quel âge les jeunes pouvaient-ils voter?
2 Selon l'auteur, qu'est-ce qu'on a souvent modifié, aux yeux de la loi?
3 Comment peut-on expliquer les votes blancs et nuls?
4 En 2007, que s'est-il passé en Autriche?
5 Quel a été l'impact des changements autrichiens?
6 Quels arguments sont avancés par ceux qui soutiennent l'idée de l'abaissement de l'âge de vote, selon l'article?
7 Pour Patrick Genvresse, est-ce que la prémajorité serait une chose positive pour les adolescents? Pourquoi?
8 Que pensez-vous de ses opinions sur l'adolescence?

1c Relisez le texte. Écrivez en français et en phrases complètes un paragraphe de 90 mots au maximum où vous résumez ce que vous avez compris suivant ces points:

- la position politique actuelle des moins de 18 ans en France
- l'expérience autrichienne
- les arguments pour et contre une majorité électorale à 16 ans.

2 〜 Écoutez cette interview de deux lycéens (Sylvain et Laurence) sur le vote à partir de 16 ans. Vrai (V), faux (F) ou information non-donnée (ND)?

1 Le projet de prémajorité de Dominique Bertinotti concernait uniquement la question de l'abaissement de l'âge de vote.
2 L'opinion de Sylvain représente celle de la majorité des élèves de son lycée.
3 Sylvain estime qu'à 16 ans on est trop jeune pour avoir le droit de vote.
4 Selon Sylvain, avant l'âge de 16 ans, on n'est plus trop influencé par sa famille.
5 Moins de 50% des lycéens savent à quoi sert le conseil municipal.
6 Laurence pense qu'il faut trouver un compromis au sujet de l'âge de majorité électorale.
7 La plupart des lycéens auraient déjà choisi leur filière universitaire avant l'âge de 17 ans.
8 Laurence considère qu'on n'est pas nécessairement plus influencé par sa famille à 18 ans qu'à un autre âge.

3 À l'oral. Lisez les opinions et discutez avec un(e) partenaire. Mettez-les dans l'ordre: 1 – Je suis tout à fait d'accord, 6 – Je ne suis pas du tout d'accord.

1	J'aimerais bien tout comprendre sur la politique mais ce n'est pas facile.	**4**	Ce que les hommes politiques décident dans les parlements n'a rien à voir avec ma vie quotidienne.
2	La politique, c'est trop loin de mes préoccupations. Voter, c'est un choix et non pas une obligation.	**5**	Les hommes politiques s'en mettent plein les poches. Ça ne donne pas envie de voter.
3	Je vote donc je suis! Il s'agit de participer, de faire entendre sa voix, de réfléchir sur ce qui se passe autour de soi.	**6**	Il est vital que la démocratie se porte bien! Le discours politique est parfois sophistiqué mais il faut faire un effort.

4 À l'écrit. « Abaisser l'âge de vote à 16 ans en France serait une erreur parce que les moins de 18 ans n'ont pas de vécu personnel. » Qu'en pensez-vous? Écrivez 250–300 mots.

▌ Vocabulaire

accru *increased*
couper la poire en deux *to meet halfway*
la filière *course (of study)*
plancher sur *to work on*
le porte-parole *spokesperson*

▐ Compétences

Avoiding the passive

The passive is used less in French than in English. It is often stylistically better to avoid using it. Some ways to do this include:

- Use *on* and an active verb:
  *Le projet de loi **a été proposé**.*
  → ***On a proposé** le projet de loi.*

- Put the focus back onto the agent of the sentence. In this example, the government is the agent: *Des statistiques **ont été présentées** par le gouvernement.*
  → ***Le gouvernement a présenté** des statistiques.*

- Use a reflexive verb:
  *Les candidats **sont décrits** sur Internet.* → *Les candidats **se décrivent** sur Internet.*

▌ Expressions clés

Encore une idée reçue…
s'opposer à…
quel que soit (son âge…)
Cet argument est souvent avancé par…
permettre de faire…
être conditionné à penser comme…

A: Les ados et l'engagement politique – motivés ou démotivés?

1a Lisez le texte sur les idées reçues vis-à-vis de l'engagement politique des jeunes. Trouvez la bonne phrase (1–6) pour chaque idée reçue.

Six idées reçues sur les jeunes et la politique

Les jeunes et la politique? Chaque scrutin est l'occasion d'évoquer leur abstention, particulièrement élevée. Un millier de jeunes entre 18 et 25 ans, et autant de 15–17 ans, ont répondu à un long questionnaire. Les résultats vont à l'encontre d'un bon nombre d'idées reçues, comme l'explique le politologue Michael Bruter, professeur à la London School of Economics, qui a dirigé l'étude.

Idée reçue n°1: les jeunes s'abstiennent, mais ils voteront en vieillissant.

C'est une idée très répandue, et fausse: l'abstention des jeunes est générationnelle. Si son accueil dans la vie démocratique est raté, c'est pratiquement perdu pour toujours. À l'inverse, si un jeune vote lors de ces deux premières élections, il deviendra un participant chronique. Cela n'empêchera pas des abstentions ponctuelles, mais globalement, il s'investira dans la vie démocratique.

Idée reçue n°2: les jeunes ne s'intéressent pas à la politique.
Certains expriment du désintérêt. Mais ce qui domine, c'est un sentiment de

frustration, c'est-à-dire qu'ils ont un vrai désir de participation, assorti d'une forte déception, car l'offre politique est en décalage avec leurs attentes.

Idée reçue n°3: les jeunes pensent que la démocratie ira mieux demain.
D'une façon générale, ils sont très négatifs: 61% des 18–25 ans et 62% des 15–17 ans s'attendent à ce que l'abstention des jeunes empire au cours des prochaines années. Ils ont le sentiment que la démocratie française ne fonctionne pas, particulièrement à l'échelon national, et même qu'elle fonctionne plus mal chez eux qu'ailleurs.

Idée reçue n°4: les jeunes votent volontiers aux extrêmes.
C'est une illusion d'optique. En réalité, tous les grands partis, Front de gauche et Front national compris, sont rejetés. Les jeunes sont plus enclins que la moyenne à voter pour de petites listes, des candidatures non partisanes ou appelant au rassemblement au-delà des partis.

Idée reçue n°5: ça irait mieux si la communication politique s'adaptait aux jeunes.
L'abstention des jeunes résulte d'un problème de fond, pas de forme. Quand on

essaie de changer la forme sans modifier la substance, le rejet peut même être encore plus fort. Dans une expérimentation lors d'un véritable scrutin à l'étranger la moitié des jeunes participants recevaient les tracts électoraux classiques, l'autre moitié était exposée aux tweets réels des différents candidats: cette dernière a moins voté que la première. Ils tiennent beaucoup aux référendums, à la démocratie directe. La participation électorale est pour eux connotée positivement, au contraire de l'abstention.

Idée reçue n°6: c'est une génération égoïste, qui s'intéresse peu aux autres.
Ils ont une envie d'intérêt collectif, et ne sont pas particulièrement sensibles aux discours promettant une amélioration de leur propre situation. Ils vont voter selon ce qui leur paraît l'intérêt général plutôt que leur intérêt particulier. Ils sont beaucoup plus soucieux que leurs aînés que l'État n'intervienne pas dans leur vie privée.

◼ Vocabulaire

l'abstention ponctuelle (f) *one-off / occasional abstention*
en décalage *out of step*
la déception *disappointment*
à l'échelon national *at the national level*
empirer *to worsen*
le rassemblement *meeting*
le tract électoral *electoral leaflet*

---

1 Les jeunes communiquent en tweets. Comment communiquer des idées politiques avec eux?
2 À la prochaine élection, j'irai voter si je ne suis pas parti en weekend. Je le ferai régulièrement quand je serai plus âgé.
3 Pourquoi voter quand les campagnes ignorent les préoccupations réelles des jeunes?
4 Ce qui me fait peur, c'est qu'ils se désintéressent des partis traditionnels et qu'ils se rapprochent des extrêmes comme le Front national.
5 Ils pensent à leur propre situation, et ils sont seulement intéressés par les moyens de l'améliorer.
6 Les jeunes s'abstiennent plus parce qu'ils pensent que la démocratie française ne fonctionne pas bien.

1b Relisez l'article « Six idées reçues sur les jeunes et la politique » et traduisez ces phrases en français.

1 Young people are interested in discussions about issues that affect the general public.
2 They are less likely to vote for the traditional parties.
3 Some are extremely upset that democracy in France is not working well.
4 On the national scale, politics is out of step with what young people want.
5 The big parties will be avoided by young people if the connection between politicians and young people is not improved.

2 À l'oral. Discutez avec un(e) partenaire.

- Que pensez vous des six « idées reçues »? Est-ce que vous êtes d'accord avec certaines d'entre-elles?
- Quels sont les messages clés des résultats du questionnaire?
- Si on proposait le même questionnaire dans votre pays, ou dans un autre pays francophone, pensez-vous que les mêmes idées seraient exprimées?

3 Remplissez les blancs avec la bonne forme du subjonctif.

1 J'ai peur que Philippe ne _____ pas. (*venir*)
2 Bien qu'il _____ fini, il doit rester là. (*avoir*)
3 Il vaudrait mieux que Régis et Caroline ne _____ pas. (*jouer*)
4 Il est dommage que Jordan n'y _____ pas allé. (*être*)

4 ⎍⎍ Écoutez Khalil qui est membre du Parti démocrate-chrétien (PDC) en Suisse. Répondez aux questions en français.

1 Selon Khalil, quelles sont les qualités que les jeunes apportent à la politique? (5 détails)
2 Pourquoi, selon lui, les jeunes sont-ils bien équipés pour aborder les problèmes auxquels leur génération doit faire face?
3 Pour quelles raisons a-t-il choisi ce parti?
4 Comment peut-on encourager l'engagement dans la politique, selon Khalil? (3 détails)

5 À l'écrit. Lisez le paragraphe. Qu'en pensez-vous? Écrivez 250–300 mots suivant les points ci-dessous.

> « Les jeunes citent comme principales causes de désengagement les mensonges des politiques (71%), le fait que les campagnes ignorent les préoccupations réelles de la population (45%), puis la malhonnêteté des hommes politiques. Leur frustration en amène certains à envisager des solutions radicales, comme voter aux extrêmes (43%) ou participer à une manifestation violente (25%). On est loin de l'apathie évoquée par certains commentateurs. »

- Est-ce qu'il vous semble que les jeunes sont démotivés par la politique, en France ou ailleurs dans le monde francophone?
- Qu'est-ce que les jeunes peuvent apporter à la politique?
- Comment doit-on engager les jeunes?

⌘ Grammaire

Forming the subjunctive

The subjunctive is used to express what you think, feel and wish, and to show an element of doubt or uncertainty.

To form the present subjunctive: take the *ils* form of the present tense, leave off the *-ent* and add these endings: **-e, -es, -e, -ions, -iez, -ent**

*J'aime mieux qu'il **finisse** ses études.* I'd rather he finished his studies.

Most verbs which are irregular in the present tense are also irregular in the subjunctive:

avoir – j'aie	être – je sois
aller – j'aille	faire – je fasse

The perfect subjunctive is a compound tense formed from the present subjunctive of *avoir* or *être* and the past participle. It refers to something that has (perhaps) happened.

*Il est possible qu'elle **ait pu** finir la formation.* It is possible that she managed to finish the training.

*Je ne suis pas certain qu'elle **soit restée** ici toute la journée.* I am not certain she stayed here all day long.

See pages 153–154 and the grammar box on 4.3A.

■ Expressions clés

aller à l'encontre de
à l'échelon local
à l'échelon national
C'est notre avenir qui est en jeu.
avoir envie de s'engager
quitte à…
Il faut qu'il / elle / on soit…

B: Les ados et l'engagement politique – motivés ou démotivés?

1 Lisez le texte et répondez aux questions en français.

Régionales 2015: 34% des jeunes ont voté Front national

Le FN est le grand vainqueur du premier tour des régionales. Le parti de Marine Le Pen a séduit près de 30% des électeurs au niveau national. Chez les jeunes, le score est encore plus impressionnant. Selon une enquête exclusive, 34% des 18–30 ans ont voté pour le Front national au premier tour. Le Parti socialiste (et ses alliés) arrive loin derrière à 22%.

« Le vote FN est indéniable chez les jeunes, avec près de 4 points de plus que la moyenne nationale », remarque Jean-Daniel Lévy, d' Harris Interactive*. « Ce vote frontiste n'est pas qu'un vote de protestation », ajoute le sondeur. « Il répond à une forte demande de changement ainsi qu'à trois thématiques nationales que l'on remarque aussi chez l'ensemble des Français. »

Les trois enjeux qui ont le plus compté pour les jeunes au moment du vote sont l'emploi à 47% (contre 41% au niveau national), la sécurité à 34% (contre 39%) et l'immigration à 32% (contre 34%).

Un chiffre plus impressionnant que celui du vote FN, c'est le taux d'abstention. Chez les 18–30 ans, 64% des inscrits ne sont pas allés voter. Ce sont 14 points de plus que la moyenne nationale.

*Institut de sondages d'opinion

1 De quoi s'agit-il?
2 Comment étaient les résultats pour le Front national au premier tour des élections régionales?
3 Quelle est la preuve que ce parti est plus populaire chez les jeunes que parmi le reste de la population au moment de l'article?
4 Quelle question intéresse surtout les jeunes?
5 Expliquez les « 14 points » mentionnés dans le dernier paragraphe.

2 〰 **Écoutez le reportage enregistré le lendemain du résultat du premier tour des élections 2015. Vrai (V), faux (F) ou information non-donnée (ND)?**

1 Au premier tour, le Front national a gagné dans six régions.
2 Le chef du parti s'est exprimé ravi du résultat.
3 Il est moins probable que le Front national puisse remporter une région la semaine prochaine.
4 Plus de la moitié des électeurs français ont voté pour le Front national.
5 Jusqu'ici c'était le meilleur résultat du parti.
6 Davantage de jeunes ont décidé de ne pas voter.
7 Pour changer le résultat de chacune des régions où le FN est en tête, le nombre des jeunes votants a besoin d'augmenter de 5%.
8 Les jeunes pourraient changer le résultat du deuxième tour.

▣ Compétences

Talking about data and trends

When talking about trends, always ensure that you have looked carefully for evidence.

Carefully isolate the information that you need and use set phrases that might help emphasise the points you are making.

Percentages
66,6% could be expressed as *soixante-six pour cent virgule six*, or *deux tiers de…*

Proportions
la moitié, un tiers, un quart, un sur six…

Quantities
plus de la moitié de…, de plus en plus (de)…, de moins en moins (de)…, au moins, à peine…

Useful words
augmenter, doubler, baisser, chuter, diminuer, la croissance

3a Lisez le texte et l'infographie puis répondez aux questions en français.

Élections régionales: les jeunes se mobilisent pour empêcher le Front national de vaincre

Après un premier tour en fanfare pour le Front national aux régionales, un sursaut de participation a joué contre le parti d'extrême droite, qui n'a remporté aucune région dimanche soir. Nombreux sont les jeunes à s'être déplacés pour empêcher le FN de vaincre, selon une enquête exclusive. Parmi les électeurs de 18 à 30 ans, 78% indiquent s'être déplacés pour faire barrage au FN, soit 6 points de plus que le reste des électeurs français.

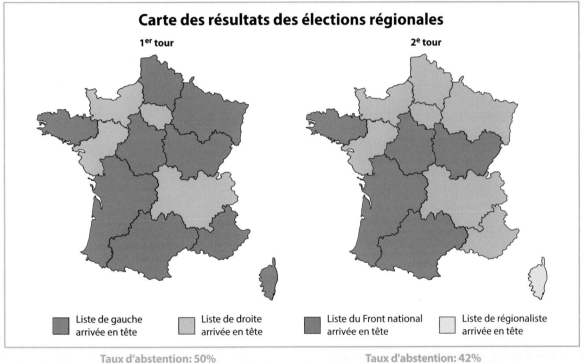

Carte des résultats des élections régionales

1er tour — 2e tour

Liste de gauche arrivée en tête
Liste de droite arrivée en tête
Liste du Front national arrivée en tête
Liste de régionaliste arrivée en tête

Taux d'abstention: 50%   Taux d'abstention: 42%

1 Expliquez la différence entre les résultats pour le FN aux premier et deuxième tours.
2 Comment le journaliste explique-t-il cette différence?
3 Quel pourcentage des électeurs français ont voté au deuxième tour?
4 Expliquez pourquoi le FN a perdu tant de régions malgré un nombre de votes comparable au premier tour.

3b Traduisez le texte en anglais.

4 À l'oral. Avec un(e) partenaire, préparez une présentation de deux minutes pour illustrer et expliquer les résultats des deux tours des dernières élections présidentielles en France. Considérez:

- le système des élections françaises
- les résultats de chaque tour
- le niveau de participation
- la réaction du public, surtout des jeunes, entre les deux tours.

■ Expressions clés

être séduit(e) par…
au niveau national
ce n'est qu'un vote de protestation
un vote sanction contre le gouvernement
arriver en tête
soi-disant
dès le premier tour
nulle part
Jamais autant de Français n'ont…
Nombreux sont…

1a Lisez l'article et choisissez un titre (a–g) pour chaque idée proposée (1–7)

Quels remèdes à l'abstention des jeunes?

Les 18–24 ans demeurent ceux qui se sont le plus abstenus lors d'un scrutin. Claude Bartolone, président de l'Assemblée nationale, comme bien d'autres avant lui, a proposé de rendre le vote obligatoire. Ce n'est pas la seule piste envisageable, et pas forcément la plus prometteuse, estime le politologue Michael Bruter.

[1] « Les jeunes ne sont pas intéressés par les cours d'éducation civique. Ce qui marche bien, c'est l'éducation en famille: les parents qui emmènent leurs enfants au bureau de vote, qui les encouragent à parler politique à la maison. »

[2] « Le vote est un droit plutôt qu'un devoir. Sinon cela accroît la défiance envers la politique. Les jeunes ne veulent pas qu'on leur dise de voter, mais plutôt qu'on leur donne une vraie raison d'aller voter et qu'on leur en donne envie. »

[3] « Ces sites Internet ou applis qui résument les programmes, les comparent et permettent à chacun d'identifier celui qui lui correspond le mieux sont jugés utiles par 50% des jeunes sondés. C'est une piste intéressante dans la mesure où ils indiquent accorder bien plus d'importance aux idées qu'aux personnalités politiques. »

[4] « Il faudrait capitaliser sur l'expérience du premier vote, faire en sorte que ce premier vote soit un moment spécial: prévoir une cérémonie, un courrier, ou plus simplement un accueil un peu particulier au bureau de vote. »

[5] « Beaucoup de gens s'y montrent favorables, mais le vote électronique cause une baisse de la participation et du sentiment de satisfaction et d'efficacité du vote. »

[6] « Attention, toutefois: cela fonctionne très bien quand il s'agit de sujets qui intéressent, comme l'Europe ou les libertés individuelles (euthanasie, mariage gay, usage du cannabis), ne nécessitant pas de connaissances techniques. En revanche, les référendums sur les institutions, bien plus répandus en France, sont moins mobilisateurs. »

[7] « Notons que beaucoup d'États aux États-Unis interdisent d'effectuer plus de deux mandats d'affilée, ce qui assure un renouvellement de la classe politique, tandis qu'en France, seul le président de la République est concerné par cette limitation. »

UN VOTE PEUT CHANGER LE RÉSULTAT.

VOTER, ÇA COMPTE.

Les agences de communication contre l'abstention

AACC | Démocratie Communication | www.aaccvote2012.fr

Vocabulaire

d'affilée *in a row / consecutively*
l'appli (f) *app*
demeurer *to remain*
le devoir *obligation*
effectuer *to carry out*
l'efficacité (f) *effectiveness*
le scrutin *election*

a Voter par Internet.
b Changer le discours visant les jeunes.
c Faire du premier vote un moment spécial.
d Limiter à deux le nombre de mandats consécutifs.
e Rendre le vote obligatoire.
f Multiplier les applications d'aide au vote.
g Renforcer l'éducation civique.

1b À l'oral. Relisez l'article et discutez avec un(e) partenaire. Mettez les idées dans l'ordre: 1 – Ça marche bien, 7 – Ça ne marche pas du tout.

2a 〜〜 Écoutez l'interview d'Hélène, professeur de lycée et syndicaliste. Choisissez les cinq phrases vraies.

Selon Hélène…

1 Il n'y a pas de déconnexion entre la politique et les citoyens.
2 Les citoyens ont plus que jamais une influence sur la politique.
3 L'État intercède dans de nombreux domaines.
4 Les Français ne s'intéressent pas à la politique.
5 Les impôts sont décidés par les élus.
6 Leur propre sort est, pour la plupart, la préoccupation d'un grand nombre des représentants élus.
7 Ce sont les citoyens qui votent un bon nombre de lois.
8 Les personnes élues peuvent paraître distantes de ce qu'elles représentent.

2b 〜〜 Réécoutez l'interview, puis écrivez en français et en phrases complètes un paragraphe de 90 mots au maximum où vous résumez ce que vous avez compris suivant ces points:

● la déconnexion entre le public et la politique
● l'influence de l'État
● les élus.

3 Traduisez en français.

1 He regrets that I cannot come this weekend.
2 I would prefer it if the students listened to the arguments.
3 Although I am nervous, I know I can win.
4 I would rather he left before the rain started.
5 It is essential that he finishes the work.
6 It is possible that he forgot.

4a À l'oral. Lisez ces idées politiques et discutez-en avec un(e) partenaire. Mettez les dans l'ordre: 1 si vous êtes tout à fait d'accord, 6 si vous n'êtes pas du tout d'accord.

1 Pour que les médias jouent pleinement leur rôle de contre-pouvoir, il faut qu'ils soient indépendants de l'État.
2 On retrouve trop souvent les mêmes noms dans les rubriques « Politique » et « Justice » des journaux.
3 L'école prépare les citoyens, non pas à faire preuve de sens critique, mais à vénérer l'État et à accepter son autorité.
4 Pour rapprocher la politique des citoyens, il faut la rendre plus locale. Les décisions devraient être prises plus près de ceux qu'elles concernent.
5 On doit réduire l'influence des partis pour redonner leur place aux compétences et aux idées.
6 Il faut rendre la politique plus directe en restituant aux citoyens les décisions qui les concernent.

4b Traduisez les idées 1–6 en anglais.

5 À l'écrit. « La déconnexion entre la politique et les citoyens n'est plus réparable. C'est aux citoyens d'agir. » Qu'en pensez-vous? Écrivez une réponse de 250–300 mots. Vous pouvez faire référence à la France ou à un autre pays francophone.

■ **Vocabulaire**

l'élu(e) (m / f) *elected representative*
jouer son rôle de contre-pouvoir *fulfil its role in challenging political authority*
à sens unique *one-way*
le sort *fate / lot*

⊞ **Grammaire**

The subjunctive – other uses

The subjunctive mood is often used to express ideas where there is an element of doubt or uncertainty. It can also be used to express what you think or wish. It is most commonly used:

• after certain conjunctions (*avant que, bien que, quoique, afin que, pour que, à condition que…*)

• after certain verbs of doubting, fearing, regretting, wishing (*avoir peur que, douter que, ne pas penser que, regretter que…*)

• after certain impersonal expressions (*il faut que, il vaudrait mieux que, il n'est pas certain que, il est possible que, il est essentiel que…*).

J'ai peur que mon fils n'ait pas envie de voter.

Il est dommage que tant de parents ne discutent pas la politique avec leurs enfants.

See pages 153–154 and the grammar box on 4.2A.

■ **Expressions clés**

rendre le vote obligatoire
on estime que…
Ce qui marche bien, c'est…
témoigner de…
Il faudrait capitaliser sur…
En revanche…
Notons que…

1a Lisez les opinions de six jeunes sur l'avenir de la politique en France. Écrivez un nom pour chaque question (1–6).

« Les aspirations citoyennes ne sont plus aussi bien représentées en raison des changements dans la structure de notre société, une société désormais bien plus diverse qu'autrefois. Moi, je soutiens que des débats locaux, peut-être en guise de « comités citoyens », pourraient être créés dans les quartiers en ville, ou dans les communes ou cantons ruraux. Ainsi la politique serait rendue plus accessible et réelle. »
Gilles, 26 ans

« L'image de la classe politique est ternie par la corruption et le mensonge au sommet de l'État, ainsi que dans la presse subventionnée. Ce modèle républicain imite ce qu'on voit aux États-Unis. Il faut absolument changer ce cliché puisque, selon toute vraisemblance, l'extrême droite en profite. »
Nadège, 30 ans

« Il est important de saisir le fond des enjeux. Donnons la parole aux citoyens et mettons les partis politiques devant leurs responsabilités. Il s'agit d'abord d'avoir un grand débat sur l'état actuel de la démocratie dans nos pays et sur les pratiques de nos représentants. En effet, leurs procédés nous ont particulièrement dégoûtés. »
Guillaume, 28 ans

« Dans l'atmosphère actuelle et suite aux événements tragiques de ces derniers mois, il est essentiel de rétablir le vivre-ensemble, au sein de notre société si diverse et souvent indifférente. Il faut absolument être tolérant envers les autres, le chômage et les problèmes économiques ne cessant d'aviver les tensions qui se répètent un peu partout. »
Rachel, 24 ans

« À l'échelle nationale, le manque de mobilité sociale est inquiétant. Si l'on considère le cas de ceux qui accèdent aux universités, aux grandes écoles ou aux classes préparatoires, on s'aperçoit que leurs origines sociales sont moins représentatives de la population que dans la plupart des autres pays démocratiques. Il vaut mieux réparer les inégalités dans le système éducatif qu'essayer d'attirer les gens vers la politique quand il est trop tard. »
Olivier, 33 ans

« La politique directe fait partie intégrante du système politique français. C'est notre droit de descendre dans la rue pour nous exprimer, pourvu que nous ayons des revendications alternatives à y présenter. En tant que citoyen français, je sais que c'est la meilleure façon d'agir si on veut être entendu! »
Jean-Paul, 20 ans

Vocabulaire

le canton *administrative district*
la classe préparatoire *course to prepare for entrance exam for elite French universities*
donner la parole à *to give a voice to*
la revendication *claim*
le vivre-ensemble *social cohesion*

1 Qui recommande qu'on fasse quelque chose de local dans la société pour encourager la politique d'intégration?
2 Qui pense que les gens devraient agir directement?
3 Qui est convaincu que le Front national a bénéficié de l'image négative des hommes politiques?
4 Qui présente son idée d'une démocratie plus locale?
5 Qui croit que beaucoup de problèmes commencent pendant la scolarité?
6 Qui demande à ce que le système politique lui-même soit examiné et réformé?

1b Traduisez l'opinion de Rachel en anglais.

1c À l'oral. Discutez avec un(e) partenaire.
- Que pensez-vous des idées exprimées ci-dessus?
- Qu'est-ce que Nadège veut dire par « ce modèle républicain imite ce qu'on voit aux États-Unis »?
- À votre avis, quels sont les dangers auxquels les pays républicains doivent faire face?

2 〜 **Écoutez l'interview de trois jeunes Marseillais sur la politique d'intégration et choisissez les bonnes fins de phrase.**

1 Selon Imrhan, la politique d'intégration…
   a marche très bien.
   b a récemment changé.
   c n'a jamais marché.

2 Pour Imrhan, ce qui rend le « vivre-ensemble » impossible, c'est…
   a la politique.
   b la religion.
   c le système de classe sociale.

3 Assia parle de…
   a la réponse des médias aux attentats.
   b son inquiétude pour le sort de la démocratie.
   c la réaction du public à ce qui s'est passé.

4 Dylan n'a…
   a aucune compréhension de la communauté musulmane.
   b jamais considéré ses copains comme différents de lui.
   c plus envie de voter aux élections.

5 Pour Dylan ce n'est pas…
   a une question de voter pour le Front national.
   b la peine d'aller aux urnes.
   c la faute des Français.

6 Sa préférence serait…
   a plus d'occasions de voter directement.
   b des comités citoyens.
   c rabaisser l'âge de la majorité électorale à seize ans.

3 **À l'écrit. « Les Français sont un peuple très politisé, intéressé par les affaires publiques et les débats d'idées. » Écrivez 250–300 mots pour décrire comment le paysage politique français pourrait changer. Considérez les points suivants:**

- l'image des hommes politiques et les partis traditionnels
- l'application de la démocratie
- les communautés mixtes et le « vivre-ensemble »
- la voix des citoyens.

Nuit debout: mouvement social et politique, initialement constitué d'opposants à la loi Travail. Beaucoup de jeunes y ont participé.

Vocabulaire

la cible *target*
la cité *housing estate*
l'échec (m) *failure*

Compétences

Expressing doubt and uncertainty

In order to express feelings of doubt and uncertainty, it is a good idea to be familiar with the subjunctive mood. Some verbs would be conjugated using the indicative if used in the affirmative, but require the subjunctive when they are negated. This is because doubt has been introduced.

Il croit que + **indicative**
Il ne croit pas que + **subjunctive**

Je suis sûr(e) que + **indicative**
Je ne suis pas sûr(e) que + **subjunctive**

If you are using an expression of probability (where there is little doubt), you should use the indicative rather than the subjunctive.

Il est presque sûr que le supermarché est fermé aujourd'hui.
Not: *Il est possible que le supermarché soit fermé aujourd'hui.*

Expressions clés

Il va de soi que…
C'est ainsi que…
au demeurant
ne disposant pas de
de moins en moins
Quant à…
mettre en garde

Démontrez ce que vous avez appris!

1 Reliez les mots 1–10 aux traductions en anglais a–j.

1	ministre	a	leaflet
2	député	b	ballot
3	scrutin	c	minister
4	urne	d	round
5	ministère	e	coalition
6	cohabitation	f	ballot box
7	tour	g	challenge
8	remporter	h	to win
9	tract	i	ministry
10	défi	j	MP

2 Reliez le début et la fin des phrases.

1 Selon les statistiques, la plupart…
2 Certains lycéens délaissent les urnes…
3 Les opposants à l'abaissement du droit du vote disent…
4 De nos jours, les jeunes sont mieux informés que ceux…
5 L'école ne prépare pas…
6 Les jeunes sont de plus en plus…
7 Les enfants sont conditionnés…
8 Ils sont capables de…

a …que les moins de 16 ans ne sont pas assez responsables.
b …autonomes grâce à l'ère numérique.
c …à penser comme leurs parents.
d …des jeunes ne réclament pas le droit de vote.
e …suffisamment les élèves à la compréhension de la politique.
f …donner leur opinion lors d'élections.
g …pour les pavés.
h …des générations d'antan.

3 Traduisez en français.

1 Young people are not interested in politics.
2 They are more likely to make their choice at the last second.
3 More than half of my friends have no intention of voting.
4 It is very important to get involved with political debate.
5 It is vital that the planet is protected.
6 The most important issue for young people at the moment is that of unemployment.
7 Some people want to prevent the National Front from winning more elections.
8 Currently the rate of abstention is too high so young people must go to the ballot boxes.

4 Remplissez les blancs avec le bon mot de la case.

1 Le vote est un droit plutôt qu'un _____.
2 La politique a une influence considérable sur la vie des _____.
3 Trop souvent, les élus _____ très loin de ceux qu'ils représentent.
4 Il _____ qu'il existe une déconnexion entre la politique et les citoyens.
5 Il faut que la presse _____ indépendante de l'État.
6 Il _____ lancer un grand débat sur l'état de la démocratie, en donnant la parole aux citoyens.
7 On _____ rectifier les inégalités par le moyen de l'éducation.
8 Les partis politiques sont _____ avec le suffrage universel.

semblent	devoir	soit	citoyens
nés	faut	doit	semble

Testez-vous!

1a 📧 **Lisez le texte et pour chaque phrase écrivez vrai (V), faux (F) ou information non-donnée (ND).**

L'âge de vote en Wallonie-Bruxelles

Le Conseil de la Jeunesse (CJ), le porte-parole des jeunes en Fédération Wallonie-Bruxelles, est ravi d'une proposition qui vise à donner plus d'importance à la voix des jeunes. Sur le fond, le CJ continue d'adopter une position nuancée sur le droit de vote à 16 ans.

Le Conseil a réalisé auprès des jeunes âgés de 16 à 30 ans une enquête sur la question et a recueilli l'avis et les arguments de 1 046 jeunes. Sur ces 1 046 personnes, 827, soit 79%, se sont prononcées contre l'abaissement; 219, soit 21%, se sont prononcées pour.

Concernant les opposants à l'idée, trois arguments sont avancés:
- le manque de maturité et le caractère influençable des jeunes de 16 à 18 ans (53%)
- le manque de connaissances de notre système politique (30%)
- le manque d'intérêt vis-à-vis des questions politiques (17%).

Des jeunes concluent alors que l'abaissement de l'âge légal du vote est inutile, voire dangereux, tant pour les jeunes qui pourraient être manipulés que pour la société qui verrait des partis anti-démocratiques tenir des discours démagogiques pour s'adjuger le vote des jeunes.

Les arguments des jeunes en faveur de l'abaissement du droit de vote à 16 ans sont plus disparates:
- l'appel au droit à la liberté d'expression (29%)
- l'opportunité d'impliquer ainsi plus les jeunes dans le débat politique (24%)
- la présence d'une maturité suffisante à 16 ans (21%).

Enfin, tant dans le camp du « oui » que dans celui du « non », une majorité de personnes qui font des recommandations (53%) insistent sur la nécessité de sensibiliser les jeunes aux enjeux de ce vote et à la politique.

Le CJ considère encore davantage que la question essentielle dans ce débat n'est pas l'âge auquel une personne a le droit de voter, mais plutôt la mise en œuvre dans notre pays des conditions indispensables pour former de bons citoyens. Pour atteindre cet objectif, l'éducation formelle mais aussi l'éducation non-formelle doivent permettre aux jeunes de se construire leur propre opinion en toute connaissance de cause. Le véritable enjeu pour le Conseil de la Jeunesse est de permettre aux jeunes, mais aussi à tous les citoyens, de retrouver du sens et de l'intérêt pour la politique.

1 Le Conseil de la Jeunesse a fait un sondage sur l'abaissement du droit de vote en Wallonie-Bruxelles.

2 Les 16–18 ans sont le groupe dont le plus grand nombre de personnes a été recensé.

3 Ce qui inquiète le plus les sondés, c'est le niveau de maturité des jeunes de 16–18 ans.

4 La manipulation des jeunes est une bonne raison pour s'opposer à la loi, selon l'article.

5 Pour le Conseil de la Jeunesse on pourrait former les jeunes à l'école ou les weekends.

6 La maturité des jeunes est citée comme l'argument principal pour l'abaissement de l'âge de vote.

7 Selon l'article, une meilleure éducation politique des jeunes est nécessaire.

8 En Wallonie-Bruxelles les jeunes ne reçoivent qu'une demi-heure d'instruction civique par semaine.

9 Le Conseil de la Jeunesse est pour l'éducation formelle et informelle parmi toutes les catégories d'élèves.

10 Le Conseil de la Jeunesse insiste pour que l'éducation politique ne soit que nécessaire pour les très jeunes.

[10 marks]

1b ✏️ **Relisez le texte. Écrivez en français et en phrases complètes un paragraphe de 90 mots au maximum où vous résumez ce que vous avez compris suivant ces points:**

- les raisons données contre l'abaissement du droit de vote [3]
- les raisons données pour l'abaissement du droit de vote [3]
- la position du Conseil de la Jeunesse sur la question. [1]

Attention! Il y a 5 points supplémentaires pour la qualité de votre langue. Essayez donc d'utiliser vos propres mots autant que possible.

[12 marks]

2 **Lisez ce texte d'un site Internet et traduisez-le en anglais.**

Encore une fois la question de l'âge légal de vote s'est présentée en France. Cela suit la publication d'un projet de loi qui sera débattu à l'Assemblée nationale dans les prochaines semaines. Les enjeux qui se produisent généralement au cours de ces discussions sont bien connus. Les jeunes de 16–18 ans sont-ils assez matures pour comprendre les questions politiques? Il y a ceux qui prétendent que les jeunes sont trop sensibles à leur milieu familial et que c'est seulement lorsqu'ils atteignent 18 ans qu'ils mûrissent à cet égard. D'autres prétendent que les jeunes ne s'intéressent pas à la politique, mais il semble que les statistiques récentes ne soutiennent pas cette théorie.

[10 marks]

3 **« Les jeunes de 16–18 ans n'ont pas la motivation ni la capacité de voter. » En vous référant à au moins un article, expliquez dans quelle mesure vous êtes d'accord ou non avec cette affirmation. Écrivez environ 300 mots.**

4a **Écoutez la première partie de l'interview avec François, membre et bénévole du mouvement de jeunes du parti MoDem. Choisissez la bonne réponse.**

1 François dit que le rôle de son mouvement est…
- **a** administratif.
- **b** symbolique.
- **c** informatif.

2 Lors des réunions avec les députés, les représentants du MoDem…
- **a** écoutent les explications des députés.
- **b** expliquent des événements d'un point de vue différent.
- **c** débattent des décisions déjà prises par les responsables du parti.

3 Les causes des manifestations…
- **a** sont rarement soutenues par le mouvement.
- **b** sont toujours justifiées par le mouvement.
- **c** sont expliquées par le mouvement.

4 Selon François, les désaccords entre les générations d'un parti sont…
- **a** nécessaires.
- **b** insupportables.
- **c** catastrophiques.

[4 marks]

4b **Écoutez la deuxième partie de l'interview et répondez aux questions en français. Essayez de répondre le plus directement possible aux questions et d'écrire des réponses concises. Il n'est pas toujours nécessaire de faire des phrases complètes.**

1 Selon François, comment est-ce que le parti bénéficie des opinions des plus jeunes? [2]

2 Quels sont les deux enjeux sur lesquels le parti MoDem et les jeunes ne sont pas du même avis? [2]

3 Expliquez le rôle du mouvement des jeunes pour la jeunesse et le parti MoDem. [2]

4 Selon François, quels sont les buts principaux partagés entre le parti et le mouvement des jeunes? [2]

[8 marks]

Conseil

Answering questions in French

When answering questions in French, follow these steps:

- Check whether full sentences are necessary. This is not always the case, and writing full sentence answers when not required can open up the possibility of making language errors.
- If full sentences are not required, you still need to use enough language to answer the question.
- If you need to write in sentences or, more likely, short paragraphs, it is vital that you do not lift full sentences from the source material. It is also an opportunity to show off your range of good French.
- Check your language carefully.

5 💬 **Discutez avec un(e) partenaire.**

Il y a beaucoup de Français qui sont contre le droit de vote à 16 ans parce qu'ils pensent qu'un lycéen de seconde n'a pas assez de maturité. Selon eux, il n'aurait pas encore la compréhension du monde politique, ni le bagage culturel pour aller voter. À l'âge de 16 ans, on est trop influencé par sa famille et conditionné à penser comme ses parents.

- Que dit-on ici sur l'attitude des Français envers le droit de vote pour les jeunes?
- Comment réagissez-vous à cette opinion?
- Quels sont les arguments pour ou contre cette question en France ou ailleurs dans le monde francophone?

6a 📖 **Lisez l'article sur la participation des jeunes à la politique et trouvez des synonymes pour les expressions 1–8.**

LA PARTICIPATION DES JEUNES

Pourquoi certains enfants et jeunes sont-ils très actifs dans la politique, tandis que d'autres ne le sont pas? Est-ce que c'est quelque chose que vous aimeriez changer?

La participation des jeunes signifie qu'ils ont une voix significative sur les questions qui affectent leur vie. Il y a différentes façons d'agir, selon le niveau et le contexte; par exemple, en se lançant dans la politique locale ou en participant à un forum jeunesse. Lorsque les jeunes participent, il y a de la créativité et de l'innovation, surtout parce que les jeunes comprennent mieux les besoins des jeunes.

L'un des principaux obstacles auxquels font face les jeunes est leur manque de formation, de connaissances ou de compétences nécessaires pour participer. Un exemple de renforcement des capacités nous est venu du Canada où des jeunes éduquent des enfants plus jeunes sur un enjeu comme les droits humains.

La motivation est le désir ou la volonté de chacun des jeunes à participer, et peut-être à s'engager à une participation ou à une action à plus long terme. La motivation varie en fonction de la personnalité, des préférences et des intérêts de chacun des jeunes, mais est également influencée par son / sa propre expérience et les possibilités qui lui sont offertes pour changer les choses dans sa propre vie ou dans la communauté.

Pour que les jeunes participent, il est important de les inclure dans le processus de prise de décision au tout début, en leur demandant ce qui leur paraît important et en favorisant leur sentiment d'appartenance.

1 alors que
2 indique
3 entreprendre
4 originalité
5 aptitudes
6 souhait
7 vécu
8 impression de faire partie d'une communauté

[8 marks]

6b 💬 **Traduisez en anglais le deuxième paragraphe du texte (« La participation des jeunes signifie… »).**

[10 marks]

7 ✏️ **« Il existe une déconnexion entre les partis et le public qui ne peut pas être réparée. » En vous référant à au moins un article, expliquez dans quelle mesure vous êtes d'accord ou non avec cette affirmation. Écrivez environ 300 mots.**

4 Vocabulaire

4.1 Pour ou contre le droit de vote?

	abaisser	to lower
	accorder	to give, grant
l'	aîné(e) (m / f)	elder
d'	antan	of long ago
l'	apathie (f)	apathy, strong indifference
l'	Assemblée (f) nationale	French National Assembly (parliament)
	autonome	independent
les	biens (mpl)	assets
le	bulletin de vote	ballot paper
la	carte électorale	voter registration card
	centriste	in / of the centre
le	chiffre	figure
la	cohabitation	coalition
	concourir	to compete
le	conseil	committee, board
	demeurer	to remain
la	démocratie	democracy
le/la	député(e)	MP
	dissoudre	to dissolve
le	droit	right (entitlement)
la	droite	right (political standpoint)
	ébranler	to weaken, shake
l'	électeur(-trice) (m / f)	voter
	élevé(e)	high
	élire	to elect
l'	élu(e) (m / f)	elected representative
l'	État (m)	state
l'	étude (f)	study
la	femme politique	politician
la	gauche	left (political standpoint)
l'	homme (m) politique	politician
la	loi	law
la	majorité	legal age
la	majorité électorale	voting age
le	mandat	mandate
	marcher (bien)	to work (well)
le	milieu	environment
le/la	militant(e)	activist
le	mineur	minor
le	ministère	ministry
le / la	ministre	minister
le	mouvement	movement
s'	opposer à	to oppose
le	parti	political party
	plafonner	to reach a ceiling
la	politique	politics, policy

	ponctuel(le)	occasional, one-off
le	pouvoir	power
la	prémajorité	legal state allowing certain rights, before full electoral maturity
le	quinquennat	five-year term of office
	réclamer	to demand, claim
la	revendication	claim
le	scrutin	ballot, election
le	Sénat	Senate (upper house)
le	sénateur	senator
le	statut	statute, regulation
le	taux de participation	turnout
la	tranche	group, bracket
l'	urne (f)	ballot box
la	valeur	value
le	vécu	life experience
les	Verts (mpl)	the Green Party
la	voix	vote, voice

4.2 Les ados et l'engagement politique – motivés ou démotivés?

l'	abstention (f)	abstention
l'	adhérent(e) (m / f)	member
	adhérer à	to subscribe to , join, be a member of
le	cadre	middle manager
la	campagne	campaign
le	chômage	unemployment
la	cible	target
la	conscience politique	political awareness, consciousness
	débattre	to debate, discuss
en	décalage	out of step
la	déception	disappointment
	dégoûter	to disgust
se	déplacer	to go out / move
le	désenchantement	disenchantment
la	désillusion	disillusionment
se	désintéresser de	to lose interest in
le	devoir	obligation
	éclater	to break out
	effectuer	to carry out
s'	engager	to get involved
	enrichissant(e)	enriching
s'	exprimer	to express oneself
la	fatigue	tiredness, weariness
la	force	strength
	forcément	necessarily, inevitably
le	Front national	National Front

	gagner	to win
l'	impôt (m)	tax
l'	inquiétude (f)	worry
s'	intéresser à	to be interested in
	intervenir	to intervene
le	lendemain	following day
la	malhonnêteté	dishonesty
la	manifestation	protest, demonstration
le	mensonge	lie, lying
	mûr(e)	mature
	nuancer	to qualify, tone down
	obligatoire	compulsory
le	pavé	street (lit. cobblestone)
la	piste	route
le	porte-parole	spokesperson
la	protestation	protest
se	prononcer	to declare oneself
	puissant(e)	powerful
	rassembler	to gather
	remporter	to win
le	renouvellement	renewal
le	résultat	result
	séduire	to charm, appeal to
le	sentiment d'appartenance	sense of belonging
	soulever	to provoke
	soutenir	to support
le	soutien	support
la	subvention	subsidy
	supprimer	to remove, put an end to
le	sursaut	jolt into action, spurt
	susciter	to stir up
le	tirage	draw
le	tour	round of voting
	vaincre	to defeat
la	volonté	will
le	vote blanc	blank voting slip
le	vote nul	ruined voting slip
le	vote de protestation	protest vote

la	citoyenneté	citizenship
	collaborer	to collaborate, cooperate
le	contre-pouvoir	challenge to political authority
	davantage	more
la	déconnexion	disconnect, disconnection
le	défi	challenge
	diminuer	to reduce
le	discours	speech
l'	échec (m)	failure
l'	échelon (m)	level
	empêcher	to prevent
	empirer	to worsen
l'	enjeu (m)	issue
le / la	fonctionnaire	civil servant
	fonctionner	to function, work
	habituel(le)	usual
l'	inégalité (f)	inequality
l'	influence (f)	influence
	influencer	to influence
	instaurer	to establish, put in place
s'	investir (dans)	to put oneself (into), invest a lot of emotion (into)
le	noyau	core
l'	obstacle (m)	obstacle
la	parole (donner la parole à)	word (to give a voice to)
la	préoccupation	worry
le	programme	programme (of reforms)
	ramener	to bring back
se	rapprocher de	to move closer to
	rectifier	to rectify
le	remède	remedy, solution
la	rubrique	newspaper column / heading
	soucieux(-euse)	concerned
le	statu quo	the present system
le	syndicat	trade union
	témoigner	to bear witness to / demonstrate
le	tract	leaflet, handout

4.3 Quel avenir pour la politique?

l'	actualité (f)	news, current affairs
	actuellement	currently
l'	affaissement (m)	decline
	appartenir	to belong
l'	attentat (m)	terrorist attack
le	bureau de vote	polling station
le / la	citoyen(ne)	citizen

5 Manifestations, grèves – à qui le pouvoir?

By the end of this section you will be able to:

		Language	Grammar	Skills
5.1	**Le pouvoir des syndicats**	Understand the important role of unions	Understand and use subject and object pronouns	Translate the English gerund into French
5.2	**Manifestations et grèves – sont-elles efficaces?**	Talk about strikes and protests and consider different methods of protesting	Understand and use relative pronouns	Use language to promote a cause
5.3	**Attitudes différentes envers ces tensions politiques**	Discuss different attitudes towards strikes, protests and other political tensions	Understand and use demonstrative adjectives and pronouns	Talk about priorities

Existe-il une « culture de la grève » particulière à la France?

La mise en place de la RTT (réduction du temps de travail) au début des années 2000 a apporté avec elle de multiples questions et problèmes à résoudre. Comme réponse au chômage en « partageant le travail », la loi a attiré l'attention sur la question de l'équilibre entre vie professionnelle, famille et loisirs. Tout ça dans un pays où la réponse publique aux questions politiques est, depuis longtemps, d'agir directement en manifestant ou en faisant grève…

■ Le saviez-vous?

- La France fait partie des pays les plus grévistes d'Europe. Entre 2005 et 2014, elle a perdu 132 jours de travail pour fait de grève pour 1 000 salariés.
- C'est plus que la moyenne européenne, où l'on compte une cinquantaine de jours de grève en moyenne par an pour 1 000 salariés sur la même période.
- Toutefois, le nombre de grèves en France a beaucoup baissé depuis les années 1970.
- En France, en 2016, le taux de syndicalisation (c'est-à-dire, le nombre de salariés adhérents à un syndicat) était de 11%.
- Au Royaume-Uni, en 2015, le taux de syndicalisation était de 25%. Au Canada, en 2014, le taux de syndicalisation était de 29%. En Belgique, en 2013, le taux de syndicalisation était de 55%.

Pour commencer

1 **Pour chaque phrase, devinez vrai (V) ou faux (F). Si vous n'êtes pas sûr(e), cherchez les réponses en ligne.**

1 Les manifestations ne sont pas légales en France.
2 Il y a plus de travailleurs syndicalisés (%) en France qu'au Royaume-Uni.
3 La grande majorité des actifs sont satisfaits de leur travail.
4 On manifeste rarement en France contre des questions politiques.

5 Le secteur public se met plus en grève que le secteur privé.
6 En France il faut adhérer à un syndicat pour profiter de sa représentation.
7 En France, on ne peut pas faire grève si on n'est pas syndicalisé.
8 Si on est délégué syndical on doit être rémunéré pour son travail.

2 Sans utiliser un dictionnaire, écrivez une définition en anglais des termes suivants:

1 la rémunération
2 un syndicat
3 embaucher
4 un délégué
5 une manifestation
6 un emploi
7 un défilé
8 débattre

3 À l'oral. Discutez avec un(e) partenaire.

Des chauffeurs de taxi en grève à Bafoussam, au Cameroun, août 2016. Ils dénonçaient les amendes qu'ils devaient payer à l'administration urbaine.

- Décrivez la photo.
- Pour quelle(s) raison(s) ces personnes manifestent-elles, selon vous?
- Avez-vous déjà participé à une manifestation? Décrivez ce qui s'est passé.

Vocabulaire

adhérer à *to subscribe to*
la cotisation *subscription fee*
cracher sur *to turn one's nose up at* *(lit. to spit on)*
le / la dirigeant(e) *director, manager*
l'échappatoire (f) *loophole, way out*
le licenciement *dismissal, lay-off*
pleurnicher *to snivel, whinge*
les prud'hommes (mpl) *industrial tribunal*
le souci *worry*

4 Lisez les points de vue sur les syndicats. Pour chaque opinion, écrivez P (positif), N (négatif) ou P + N (positif et négatif).

1 Quand les salariés auront l'obligation d'adhérer à un syndicat pour être défendu gratuitement, on sera proche de 100%.

2 Dans ce pays c'est la rue qui décide… Pas les syndicats qui représentent très peu de Français… Alors, à quoi bon payer pour encore plus d'hommes politiques! Et aller voter, ça sert à quoi?

3 Ils n'aident pas « gratuitement ». J'aimerais bien connaître les rémunérations des dirigeants syndicaux… Comment peut-on prendre un syndicat au sérieux quand on voit que certains dirigeants se promènent dans une grande voiture avec chauffeur? Qui paie pour tout ça?

4 Ceux qui décrient les syndicats sont toujours les premiers à venir pleurnicher auprès des délégués de leur entreprise quand leurs postes sont menacés.

5 Si j'avais investi mes cotisations et mes jours de grève depuis 40 ans, je pourrais me payer un beau voyage.

6 Comment faire confiance aux syndicats? Pour certains militants permanents, il s'agit d'une échappatoire au travail qui leur permet cependant de progresser plus vite dans la hiérarchie que leurs collègues, tout en étant protégés d'un éventuel licenciement.

7 J'ai connu beaucoup de gens qui crachaient sur les syndicats; et puis un jour ils ont eu des soucis avec leur patron ou leur chef. Et bien devinez ce qu'ils ont fait? Ils sont allés demander l'aide d'un syndicat car aller seul aux prud'hommes c'est risqué. Le syndicat ne leur demande même pas d'adhérer et les aide à présenter leur dossier.

1 Lisez le texte sur les syndicats en France et choisissez les bonnes fins de phrase.

LES SYNDICATS:
QUEL EST LEUR RÔLE EN FRANCE?

QU'EST-CE QU'UN SYNDICAT?
Pour l'essentiel, les syndicats défendent les droits et intérêts économiques et professionnels, tant collectifs qu'individuels, des salariés. Les syndicats professionnels, souvent organisés par branches d'activités ou par régions, sont regroupés en fédérations au plan national. Ils se composent d'un secrétaire général, de responsables syndicaux qui assistent aux séances du comité d'établissement avec voix consultative et qui doivent être choisis parmi les membres du personnel de l'entreprise, et de délégués, des salariés désignés par un syndicat représentatif. Les revendications portent souvent sur les conditions de travail, les rémunérations ou les protections sociales.

LES CINQ SYNDICATS HISTORIQUES
En France, il existe huit principales organisations syndicales, mais les cinq les plus représentatives sont la CGT (Confédération générale des travailleurs), la CFDT (Confédération française démocratique du travail), FO (Force ouvrière), la CFE–CGC (Confédération française de l'encadrement–Confédération générale des cadres) et la CFTC (Confédération française des travailleurs chrétiens).

Ces cinq confédérations historiques sont, depuis plus de 40 ans, reconnues représentatives au niveau national et interprofessionnel.

QUEL EST LE RÔLE DES SYNDICATS DANS L'ENTREPRISE ET AU-DELÀ?
Suite à la dernière réforme, pour qu'un accord collectif de branche soit validé, il doit être signé par un ou plusieurs syndicats représentants 30% des voix et ne doit pas être rejeté par les syndicats représentants 50% des voix.

Le taux de syndicalisation n'aurait cessé de baisser depuis l'après-guerre, ne correspondant aujourd'hui qu'à environ 8% des salariés. Mais leur rôle reste essentiel pour porter des revendications collectives et attirer les médias dans leurs combats.

Vocabulaire
l'accord (m) *agreement*
la revendication *demand, claim*

---

1 Les intérêts des employés sont…
- **a** définis par les syndicats.
- **b** défendus par les syndicats.
- **c** fournis par les syndicats.

2 Chaque syndicat…
- **a** peut être organisé au gré de ses membres.
- **b** doit être organisé de façon strictement définie.
- **c** doit être organisé par le gouvernement.

3 Les revendications personnelles…
- **a** sont parfois portées par les syndicats.
- **b** ne sont jamais portées par les syndicats.
- **c** ne peuvent pas être portées par les syndicats.

4 Les cinq principaux syndicats…
- **a** sont reconnus comme représentatifs depuis quarante ans.
- **b** n'ont pas beaucoup de pouvoir.
- **c** existent depuis moins de quarante ans.

5 Pour qu'un accord collectif soit signé, il faut que / qu'…
- **a** tous les employés syndicalisés soient d'accord.
- **b** 50% des membres soient d'accord.
- **c** un ou plusieurs syndicats représentant 30% des voix l'aient signés.

6 Depuis 1945, le taux des travailleurs syndicalisés…
- **a** tombe.
- **b** monte.
- **c** reste constant.

2a 〰️ **Écoutez la première partie de l'interview de Laure et Yasmine, deux salariées d'une entreprise de taille moyenne en France, qui parlent des syndicats. Choisissez les trois phrases qui sont vraies.**

1 Laure n'est pas membre d'un syndicat.
2 Selon Laure, il y a toujours beaucoup de monde aux manifestations syndicales.
3 Yasmine est déléguée syndicale.
4 Pour Yasmine, le pouvoir des syndicats est principalement d'agir comme une nuisance.
5 Laure ne croit pas que le financement des syndicats soit juste.
6 Selon Laure, le nombre d'adhérents reflète bien le nombre de collègues.

2b 〰️ **Écoutez la deuxième partie de l'interview. Choisissez les deux phrases qui sont vraies.**

1 Yasmine soutient l'action des partis de gauche pour augmenter le nombre d'adhérents.
2 Le pourcentage de ceux qui sont représentés par les syndicats et qui paient leurs cotisations atteint souvent 80%.
3 Yasmine démontre qu'un grand pourcentage de travailleurs participe aux élections professionnelles.
4 Yasmine croit que le nombre d'adhérents aux partis politiques est proportionnellement très similaire.

2c 〰️ **Réécoutez les deux parties de l'interview. Écrivez en français et en phrases complètes un paragraphe de 90 mots au maximum où vous résumez ce que vous avez compris suivant ces points:**

• le pouvoir des syndicats
• le taux d'adhésion
• la participation aux élections professionnelles.

3 **Traduisez en français.**

1 A union representative? Yes, there is one of those in our company.
2 I am telling you to do it straight away.
3 He telephoned me to explain it.
4 Do I like Marie and Simon? Yes, I like them a lot.
5 They did not know so I told them all about it.
6 Luc explained to us how he got there.

4 **À l'oral. Discutez avec un(e) partenaire.**

• Quels sont les avantages des syndicats pour les salariés?
• Quels sont les avantages ou les désavantages pour les entreprises?
• À votre avis, est-ce que l'adhésion à un syndicat devrait être obligatoire?

■ Vocabulaire

l'aubaine (f) *godsend*
l'avancement (m) *career advancement*
le bruit *noise*
l'encarté(e) (m / f) *recruit*
la faiblesse *weakness*

▣ Grammaire

Pronouns

Subject pronouns are used for the subject of the sentence:

Elle n'adhère pas au syndicat.

Direct object pronouns are used for the direct object of the sentence:

Tout le monde nous écoute.

Indirect object pronouns are used for the indirect object of a sentence, often with the meaning 'to' or 'for' in English. Use an indirect object pronoun if you are using a verb which is followed by *à*:

Je lui ai dit oui.

Object pronouns usually come immediately before the verb. In a compound tense, the pronoun goes before the auxiliary (*avoir / être*) verb.

When there are several object pronouns in the same sentence, they follow a certain order (see the table on page 147).

Je lui en ai parlé. I've talked to him / her about it.

See pages 145–147.

■ Expressions clés

suite à…
ne cesse de…
à quoi bon + *infinitive*
à quoi sert…
tout en étant
il suffit de…
en tant que…

1a Lisez l'article sur la grève des employés d'Air France. Répondez aux questions en français.

Air France: une semaine de grève, 13% des vols annulés

Conformément aux prévisions, 13% des vols d'Air France ont été annulés mercredi 27 juillet, pour la première journée de la grève des hôtesses et stewards de la compagnie. Selon des sources aéroportuaires, 181 vols Air France ont été annulés au départ ou à l'arrivée des aéroports parisiens mercredi.

Les hôtesses et stewards sont opposés au renouvellement de l'accord d'entreprise qui fixe notamment leurs règles de rémunération, de travail et de carrière.

Le conflit porte moins sur le contenu de l'accord que sur sa durée (dix-sept mois), jugée « insuffisante » pour les syndicats, qui réclament trois à cinq ans, voire un accord à durée indéterminée comme les autres catégories du personnel. En acceptant un accord de dix-sept mois, les syndicats craignent que l'entreprise n'utilise « le moindre retournement de tendance » pour reprendre les négociations, dans un an, avec des exigences beaucoup plus élevées.

Les négociations ont débuté au printemps entre la direction d'Air France et les trois syndicats représentatifs en vue de bâtir un nouvel accord d'entreprise, l'actuel arrivant à échéance le 31 octobre.

Le SNPNC et l'UNSA, 45% des voix à eux deux, ont lancé leur appel à la grève début juin, reprochant à la direction de « refuser de prendre en compte toute revendication » et « de persister dans des demandes inacceptables », telles qu'une baisse de rémunération équivalente à « un mois de salaire par an », selon eux.

Pour déminer une grève en plein chassé-croisé estival, la direction a proposé, le 1er juillet, de reconduire jusqu'en mars 2018 l'accord existant, « avec certaines modifications mineures », selon elle.

Des « mesurettes », ont répondu les syndicats en maintenant leur préavis, provoquant la colère du PDG. Faire grève en plein été est une « véritable aberration » selon le président d'Air France, Frédéric Gagey. La direction estime avoir « tout mis sur la table » pour l'éviter, en répondant « intégralement ou partiellement » à l'ensemble des exigences des syndicats. Sauf à celle, centrale, portant sur la durée de l'accord. Elle n'a pas l'intention de négocier pendant la grève.

▇ Vocabulaire

annuler *to cancel*
arriver à échéance *to elapse, expire*
le chassé-croisé *back-and-forth*
déminer *to defuse (a situation)*
voire *even*

1 Quel a été l'effet du premier jour de grève pour les voyageurs?
2 Qui fait grève?
3 Selon les syndicats, quelle est la raison principale de cette grève?
4 Qu'est-ce que les syndicats réclament?
5 Pourquoi les syndicats ont-ils rejeté l'offre d'un accord de dix-sept mois?
6 Donnez un exemple de « demandes inacceptables » citées par les syndicats.
7 Que comprenez-vous par « une grève en plein chassé-croisé estival »?
8 Qu'est-ce que la direction d'Air France a proposé pour l'accord toujours en existence?
9 À quelle question est-ce que la direction d'Air France n'a pas proposé de réponse?
10 Pourquoi est-il probable qu'il y aura d'autres grèves?

1b Traduisez le troisième paragraphe en anglais (« Le conflit porte … plus élevées. »).

2 À l'oral. Discutez avec un(e) partenaire.

- Que pensez-vous du rôle des syndicats dans cet article (page 92)?
- À votre avis, dans ces circonstances, est-ce que la grève est inévitable?
- Les syndicats devraient-ils avoir autant de pouvoir?
- Les grèves sont-elles nécessaires lorsqu'on ne peut pas trouver d'autres solutions?

3 〰️ Écoutez l'interview d'Henri Legrand, journaliste français, sur le syndicalisme en France. Écrivez en français et en phrases complètes un paragraphe de 90 mots au maximum où vous résumez ce que vous avez compris suivant ces points:

- l'image des syndicats en France
- les différences entre les syndicats en France et les syndicats ailleurs en Europe
- la présence des syndicats dans les entreprises françaises
- l'attitude des salariés français envers les syndicats.

4 À l'écrit. Écrivez 250–300 mots pour résumer le rôle que jouent les syndicats dans la société française. Vous devez répondre aux questions suivantes:

- Est-ce que les syndicats sont trop puissants par rapport à leur taux d'adhésion?
- Comment expliquer la position du syndicalisme français actuel, entre désintérêt et attirance?
- Les syndicats deviendront-ils inutiles?
- À votre avis, comment pourrait-on moderniser les syndicats en France pour qu'ils soient plus représentatifs de la société?

Vocabulaire

la cotisation *subscription fee (for a trade union)*
en tête des cortèges *leading the processions*

Expressions clés

Ce qui soulève la question…
sur un plan (sociologique)
Au niveau européen…
l'engagement syndical
Les secteurs les plus syndiqués sont…
le taux de syndicalisation
le nombre d'adhérents
la légitimité des syndicats

Compétences

Translating the English gerund into French

The gerund as the present participle
By accepting a two year agreement… *En acceptant un accord de deux ans…*

The gerund as the subject of the sentence
Use the infinitive of the verb:
Having employee representation is important. *Avoir une représentation des employés est important.*

The gerund as the complement of the verb 'to be'
Use the infinitive, usually preceded by *de*:
One of his duties is attending meetings.
L'une de ses fonctions est d'assister aux réunions.

The gerund after prepositions
Use the verb in the present tense, supplemented with an adverb:
She is good at solving problems.
Elle résout facilement les problèmes.

Or by reordering the sentence, and using the infinitive:
He organised it by using his contacts.
Il a utilisé ses contacts pour l'organiser.

Finally, certain phrasal verbs (a verb + a preposition) can also be dealt with by using an infinitive:
When will we begin working?
Quand allons-nous commencer à travailler?

1 Écoutez ces lycéens qui parlent des grèves en France. Qui dit quoi?
Écrivez un nom pour chaque opinion donnée: Florian, Nadine, Julie.

1 On dit que les Français font la grève en continu.

2 En France les rapports sont basés sur la résolution des conflits.

3 La main-d'œuvre française a tendance à réagir d'une certaine manière.

4 Les statistiques sont difficiles à évaluer.

5 À l'étranger, la France est considérée comme pays leader dans le domaine des grèves.

6 Il est bien connu que les autres pays européens font moins la grève que la France.

2 Lisez le texte et choisissez la bonne réponse.

UNE CULTURE DE GRÈVE VISIBLE

Alors pourquoi est-ce que les étrangers pensent qu'on fait tout le temps grève? Parce que la France a bien une « culture de grèves », même si celle-ci ne se reflète pas nécessairement dans les chiffres. Cette culture tient à la façon dont se sont construits les rapports sociaux entre patronat et employés historiquement. La grève a été dépénalisée en France en 1864, vingt ans avant que les syndicats n'aient été autorisés.

Avec ce décalage s'est constituée une culture des rapports de force dans le monde du travail. Après la Seconde Guerre mondiale, les pays d'Europe du Nord-Ouest (pays nordiques, Allemagne, Grande-Bretagne) ont reconstruit leurs rapports sociaux sur un principe de « régulation pacifiée », où la négociation précède le conflit. En France, en Espagne et en Italie, on a construit un système de « régulation conflictuelle » où les factions montrent les crocs, et les discussions pour sortir de la crise commencent ainsi.

Le syndicalisme français est aussi très différent de celui d'autres pays européens où les grands syndicats sont depuis longtemps sociaux-démocrates. Par contre en France le principal syndicat, la CGT, a été pendant des années un syndicat marxiste et militant, défendant la lutte des classes.

En France, le nombre de syndicats cause encore des difficultés, par exemple, on peut très bien avoir une convention collective signée par deux syndicats minoritaires, sur une augmentation salariale de 2%. Mais il peut y avoir une grève deux semaines plus tard lancée par deux autres syndicats sur le même accord, pour aboutir à une augmentation salariale de 4%.

Vocabulaire

le décalage *discrepancy*
montrer les crocs *to show one's teeth*
le patronat *employers*

1 Les autres pays associent la France aux grèves puisque…

a les statistiques reflètent clairement cette tendance.

b la France est toujours en état de grève.

c la France tient à une culture de grève.

2 Les syndicats ont été établis…

a bien avant que le recours à la grève n'ait été autorisé.

b au moment où les grèves ont été autorisées.

c après l'accord du droit de grève.

3 Après la Seconde Guerre mondiale les pays nordiques ont établi des rapports…

a paisibles.

b basés sur le conflit.

c similaires au modèle français, entre le patronat et les syndicats.

4 Le syndicalisme français est influencé par…

a le marxisme.

b le modèle allemand.

c la social-démocratie.

5 Le nombre de syndicats en France…

a satisfait la demande.

b peut provoquer des problèmes.

c est comparable aux autres pays européens.

6 Il est possible d'avoir des grèves proches les unes des autres puisqu'une convention collective… soutenue par la majorité des salariés.

a n'a pas besoin d'être

b doit être

c n'est jamais

3a Lisez cet article sur la loi Travail. Choisissez les trois phrases qui sont vraies.

Le Premier ministre et les syndicats CGT–FO, qui se sont rencontrés mercredi à Matignon, sont une nouvelle fois restés sur leurs désaccords concernant l'épineux dossier de la loi Travail.

Les opposants à la loi Travail avaient de nouveau battu le pavé mardi, jour de vote du texte au Sénat. À Paris, la manifestation a rassemblé entre 14 000 et 55 000 personnes. Le défilé s'est déroulé dans le calme hormis de brèves échauffourées.

Les syndicats avaient déjà prévenu qu'ils poursuivraient leur mobilisation si le gouvernement ne bougeait pas. Mardi après-midi, le Sénat a adopté une nouvelle version de la loi Travail. Mais les concessions du gouvernement étaient insuffisantes. La CGT a marqué son « profond désaccord » sur le projet de loi Travail, dont les « petites avancées sont très loin du compte ».

1 Les manifestants soutenaient la loi Travail.
2 Il n'y a eu aucun problème de violence.
3 Les syndicats avaient déjà indiqué qu'il y aurait une autre grève.
4 Le gouvernement a proposé plusieurs changements au projet de loi.
5 Les syndicats et le Premier ministre se sont une nouvelle fois réunis une semaine avant la manifestation.
6 Les amendements proposés par le gouvernement étaient insuffisants.

3b Traduisez en français.

Yesterday in Paris there was another demonstration against the government's proposals for the law on working hours. The march took place peacefully except for some minor scuffles. Union leaders were once again meeting with the prime minister with a view to overcoming the deep disagreements on the current proposal sent to the Senate last Tuesday.

4 À l'oral. Pour le secrétaire national de la CGT, il faut « arrêter de stigmatiser la France: la case grève est un passage utilisé dans tous les pays. » Est-ce que c'est vrai dans tous les pays? Discutez avec un(e) partenaire.

- À votre avis, est-ce que la France a une réputation de pays gréviste?
- Est-ce qu'il y a beaucoup de grèves dans votre pays, ou dans d'autres pays francophones?

5 À l'écrit. « Les grèves ne marchent pas. » Comment réagissez-vous à cette opinion? Écrivez environ 150 mots.

Vocabulaire

battre le pavé *to protest, take to the streets*
le défilé *march*
l'échauffourée (f) *brawl, scuffle*
épineux *tricky, thorny*
(l'Hôtel) (m) Matignon *prime minister's residence*

Compétences

Using language to promote a cause

Enhance your cause by:

- stating a high impact fact
- giving a sense of finality if action isn't taken
- asking for help.

The present subjunctive will be needed if you are expressing fear or a sense of superlative (*le seul, le premier, le dernier,* etc.):

*On craint qu'il n'y **ait** aucune solution acceptable pour les syndicats.*

*Une grève est la seule éventualité que l'on **puisse** imaginer.*

Expressions clés

il peut y avoir…
descendre dans la rue
se rencontrer dans la rue
se dérouler

■ Vocabulaire

l'acharnement (m) *doggedness, tenacity*

écopé *received*

être vent debout (contre…) *to be strongly opposed (to…)*

le / la prévenu(e) (m / f) *the accused*

le voyou *gangster, thug*

1a Lisez les deux articles au sujet d'une manifestation exceptionnelle. Répondez aux questions en français.

1 Pourquoi les huit anciens salariés ont-ils été condamnés à la prison?
2 Qu'est-ce qui est arrivé aux deux salariés qui ont été condamnés pour « violence en réunion »?
3 Comment les prévenus ont-ils défendu leurs actions?
4 Comment la secrétaire d'État a-t-elle réagi de façon hors norme?
5 Que pense-t-elle de la décision?
6 Que voudrait voir le député Yann Galut?
7 Comment est-ce que le porte-parole du PCF a décrit les actions des salariés?
8 Que pensez-vous de l'action des salariés? Quant aux hommes politiques, devraient-ils réagir ainsi?

GOODYEAR: PEINES DE PRISON POUR 8 SALARIÉS QUI AVAIENT SÉQUESTRÉ LEURS PATRONS

Huit anciens salariés de l'usine Goodyear d'Amiens-Nord ont été condamnés à Amiens à 24 mois de prison dont 9 fermes pour la séquestration durant 30 heures en 2014 de deux cadres dirigeants de cette entreprise promise à la fermeture.

Par ailleurs, deux des huit salariés ont également été condamnés pour violences en réunion, mais n'ont pas écopé de peine supplémentaire. Entre le 6 et le 7 janvier 2014, le directeur des ressources humaines ainsi que le directeur de la production avaient été retenus dans les locaux de l'usine de pneumatiques que plusieurs dizaines de salariés avaient occupée avant de les laisser partir.

À la barre, tous les prévenus avaient évoqué « un coup de colère » face à une direction qui « n'apportait aucune réponse » à la « détresse sociale » dans laquelle se trouvaient les salariés de cette entreprise de 1 143 salariés, fermée quelques jours après.

GOODYEAR: LA CONDAMNATION DES EX-SALARIÉS FAIT RÉAGIR AU SEIN DU GOUVERNEMENT

C'est suffisamment rare pour être souligné. La secrétaire d'État Pascale Boistard a bravé mardi l'usage qui impose à un membre du gouvernement de ne pas critiquer une décision de justice. Elle a publié un message sur Twitter pour réagir: « Au-delà des fonctions et responsabilités, devant une si lourde condamnation, je ne peux qu'exprimer mon émotion fraternelle », a-t-elle écrit.

Ce n'est pas la seule personnalité de gauche à prendre la défense des ex-salariés. Le député PS Yann Galut s'est dit « très choqué » par la condamnation de ces derniers. « J'aimerais la même sévérité à l'égard des patrons voyous », a-t-il ajouté sur Twitter.

La gauche radicale est aussi vent debout. Olivier Dartigolles, le porte-parole du PCF, a parlé « d'acharnement insupportable contre les (salariés) de Goodyear ». « Criminalisation scandaleuse de l'action syndicale », a complété Pierre Laurent, le secrétaire national du PCF.

1b **À l'oral. Discutez des textes (page 96) avec un(e) partenaire.**

- Qu'est-ce qui s'est passé?
- Selon vous, est-ce que les huit salariés ont eu tort de réagir ainsi?
- Que pensez-vous de la décision judicaire?

2 〰 **Écoutez l'interview d'Hélène Garet, journaliste bordelaise, sur les grèves dans les secteurs publics et privés. Elle parle de la SNCF. Écrivez en français et en phrases complètes un paragraphe de 90 mots au maximum où vous résumez ce que vous avez compris suivant ces points:**

- le secteur et l'industrie les plus susceptibles de faire grève; pourquoi?
- le coût d'une journée de travail perdue
- la culture de la grève en France.

3 **Remplissez les blancs avec le bon pronom.**

1 Le train _____ j'attends est en retard à cause de la grève.
2 C'est le secteur public _____ se met le plus souvent en grève.
3 La grève _____ on parle aura lieu la semaine prochaine.
4 _____ est clair, c'est que le train n'arrive pas!
5 Vous comprenez les raisons pour _____ on fait la grève?
6 C'est le contrôleur _____ vous avez vu sur le quai.

4 **À l'écrit. Est-il étonnant que la France ait la réputation d'être championne des grèves? Écrivez 250–300 mots suivant ces points:**

- la réputation de la France en ce qui concerne les grèves
- les rapports entre les syndicats et le patronat dans les secteurs public et privé
- les autres types de manifestation pratiqués en France.

🖪 Grammaire

Relative pronouns

Relative pronouns are used to link two parts of a sentence and to avoid repetition. They are words like 'who', 'which' and 'that'.

Qui represents something that is the subject of the verb that follows:
Elle s'intéresse au travail du délégué du syndicat qui l'a déjà représentée.

Que represents someone or something that is the object of the verb that follows:
C'est quelqu'un que j'aime bien.

Dont means 'whose', 'of whom' or 'of which'. It replaces *de + qui*, or *de + lequel* and can refer to people or things. It can also be used to connect a noun to verbs followed by *de*, such as *avoir besoin de*:

C'est le patron dont on parlait tout à l'heure.

La somme d'argent dont il a besoin est énorme!

See pages 146–147. (A full list of relative pronouns is given on page 146.)

■ Expressions clés

être susceptible de…
dater de…
affirmer que…
Par conséquent…
Par ailleurs…
également
Au-delà des…

1a Lisez le texte sur une manifestation à Paris. Trouvez l'équivalent en français.

Loi Travail: 2 000 policiers pour encadrer une manifestation au parcours réduit

La manifestation contre la loi Travail prévue jeudi 23 juin à Paris aura bien lieu. Mais son parcours a été fortement réduit, et elle sera encadrée par plus de 2 000 fonctionnaires de police.

Parmi les mesures de sécurité, des « interdictions de paraître » contre « une centaine de personnes » et « un dispositif de pré-filtrage [...] afin d'éviter que puissent être introduits des projectiles ou des dispositifs permettant de se masquer ».

Les organisations syndicales se sont également engagées à « mettre en place un service d'ordre renforcé, structuré et dimensionné », a précisé le préfet. Le service d'ordre sera présent dans le cortège, mais celui-ci sera aussi à proximité des « points sensibles » du parcours et de la place de la Bastille, point de départ et d'arrivée du défilé.

Après deux jours de tractations avec les syndicats, le préfet de police de Paris avait dans un premier temps annoncé mercredi matin l'interdiction du défilé, ce qui aurait constitué une première historique depuis la guerre d'Algérie. Cette annonce avait provoqué un tollé politique et syndical.

L'autorisation de la manifestation parisienne a été obtenue plus tard dans la matinée, à l'issue d'une rencontre entre le ministre de l'Intérieur et les secrétaires généraux de la CGT. Les deux responsables syndicaux ont salué une « victoire pour les syndicats et la démocratie ».

La CGT a par ailleurs réclamé mercredi l'ouverture d'une enquête parlementaire sur les « dysfonctionnements » du maintien de

l'ordre et « les choix opérés par le ministère de l'Intérieur » lors des précédentes manifestations.

« De nombreux manifestants sont victimes de graves dysfonctionnements: délogés, pourchassés, blessés, interpellés par les forces de police alors même qu'ils n'ont commis aucune infraction! » dénoncent les huit organisations dans un communiqué. « Dans le même temps, certains individus responsables de ″casse″ sont contenus en tête de cortège sans jamais être neutralisés par les forces de police. »

Les organisations dénoncent le fait que le parquet demande « des peines ou des poursuites alors même que les dossiers sont vides de preuve ». Elles jugent que « le fait de participer à des manifestations, à des mobilisations est retenu à charge. [...] Le droit de manifester est un droit fondamental! Ce gouvernement ne peut pas le bafouer et opposer la nécessaire sécurité à la liberté d'expression et d'action », concluent-ils.

1	marche de protestation		**6**	à la fin de
2	mécanisme		**7**	sévère
3	aussi		**8**	harcelé
4	prohibition		**9**	délit
5	chahut		**10**	constitutif

1b Relisez le texte et répondez aux questions en français.

1 Quel changement a été fait au parcours du défilé du jeudi 23 juin?
2 Quelles sont les trois mesures qui ont été mises en place pour la manifestation?
3 Où sera situé le service d'ordre, organisé par les syndicats?
4 Qu'est-ce qui s'est passé mercredi matin?
5 Quelle a été la réaction?
6 Comment les syndicats ont-ils salué leur victoire?
7 Pourquoi la CGT a-t-elle porté plainte contre les forces de l'ordre?
8 Qui n'a pas été interrompu par la police, selon la CGT?
9 Selon les syndicats, qu'est-ce que le parquet a demandé?
10 Pourquoi les syndicats n'étaient-ils donc pas contents?

1c Traduisez le cinquième paragraphe en anglais (« L'autorisation de la manifestation … et la démocratie »).

2a 〰 **Écoutez la première partie de l'interview avec Quentin et Amélie sur les grèves et manifestations en France. Vrai (V), faux (F) ou information non-donnée (ND)?**

1 Quentin estime que les mouvements de grèves ne devraient pas être autorisés.
2 La grève est un mot d'origine française.
3 La France est le premier pays à avoir dépénalisé la grève.
4 Au Moyen Âge, faire grève voulait dire arrêter de travailler.
5 Selon Amélie, il y a également des implications au niveau de la loi.
6 Amélie souligne la perte d'argent qui résulte d'une grève.

2b 〰 **Écoutez la deuxième partie de l'interview. Choisissez les bonnes fins de phrase.**

1 Protester contre les choses que l'on trouve injustes est une tradition…
  a mondiale.
  b française.
  c parisienne.
2 Quentin pense qu'arrêter d'étudier pour protester est…
  a une excellente idée.
  b nécessaire.
  c une excuse.
3 Les casseurs sont ceux qui viennent aux manifestations pour…
  a causer des problèmes.
  b agir plus directement.
  c être violent, en particulier contre la police.
4 L'organisation de manifestations calmes est la responsabilité…
  a de la police.
  b des dirigeants des syndicats.
  c des manifestants.

3 **À l'oral. Que pensez-vous des idées de Quentin et d'Amélie? Discutez avec un(e) partenaire.**

- Est-il acceptable d'arrêter d'étudier pour soutenir une cause?
- Est-ce que les grèves devraient être rendues illégales?
- Comment empêcher les casseurs d'aller aux manifestations?
- Existe-t-il d'autres dangers pendant les manifestations?
- Est-ce que de grosses sommes d'argent devrait être dépensées pour encadrer les manifestations?

4 〰 **Écoutez le reportage sur l'attitude des syndicats envers les manifestations interrompues par la violence. Écrivez en français et en phrases complètes un paragraphe de 90 mots au maximum où vous résumez ce que vous avez compris suivant ces points:**

- les raisons de la colère du Premier ministre
- son attitude envers la loi Travail
- les demandes faites à la CGT concernant les futures manifestations.

■ **Vocabulaire**

cesser *to cease, stop*
injurier *to insult*

▷ **Compétences**

Talking about priorities

- When talking about priorities, it is always a good idea to have some stock phrases that can be adapted around any subject, such as *en ce qui concerne*…

- Superlatives are particularly invaluable when highlighting issues:
  *La question **la plus importante**, c'est*…

- Markers (*premièrement, deuxièmement, finalement*…) can also be used to order points. These can include phrases such as *avant de*:

  ***Avant de** discuter la question des grèves, il faut aborder le problème des syndicats*…

■ **Expressions clés**

Le débat tourne autour de…
le point crucial du débat
au cœur du débat
au fond du problème
saisir le fond des enjeux
Il faut souligner l'importance de…
Il faut insister sur le fait que…

1a À l'oral. Lisez les textes sur la grève à la SNCF, puis discutez avec un(e) partenaire.

- Est-ce que la grève aurait dû avoir lieu?
- À votre avis, le droit de grève doit-il être préservé?

Grève à la SNCF: 76% des Français y sont opposés et 30% n'en connaissent pas les raisons

Une semaine après le début du mouvement, plus des trois quarts des Français (76%) se disent opposés à la grève des cheminots, même s'ils sont seulement 34% à connaître les raisons de ce conflit, selon un sondage aujourd'hui.

Le public a également déclaré son manque de confiance envers le gouvernement pour sortir de cette crise.

Grève SNCF: « Le bac, c'est sacré »

Le secrétaire général de l'UMP, Luc Chatel, a déploré les conséquences de la grève SNCF sur le baccalauréat. « Le bac, c'est sacré dans notre pays, c'est l'examen qui vient couronner quinze années d'études, quinze années d'efforts […] Je suis scandalisé par cette prise d'otages indigne. »

Il a continué: « 8% des bacheliers, c'est 50 000 élèves ce matin qui, en plus du stress de l'examen, ont dû tout le weekend stresser pour savoir s'ils seraient présents ce matin. »

Le Premier ministre juge « incompréhensible » la poursuite de la grève à la SNCF

La tension ne cesse de monter à la SNCF. À trois jours de l'ultime réunion de négociation sur le temps de travail, la grève va se poursuivre ce vendredi pour le troisième jour consécutif avec les mêmes perturbations à attendre. Le secrétaire d'État aux Transports Alain Vidalies a dit: « C'est toujours le ministre des Transports qui porte la responsabilité. C'est le gouvernement qui décide. La SNCF est une entreprise publique. Elle n'appartient ni aux syndicats ni à la direction mais aux Français ».

■ Vocabulaire

le cheminot *railway worker*
la perturbation *disruption*

1b Relisez les textes et la partie « Grammaire », puis traduisez les phrases en français.

1. More than three-quarters of French people do not understand the reasons for this strike.
2. Two weeks after the start of the movement and the public has little confidence in the government to resolve this conflict.
3. This shameless hostage-taking of the unions has outraged the general secretary of the UMP.
4. Those candidates had to spend the weekend stressing about whether they would be present on that morning.
5. That strike will go ahead on Friday with the same disruption expected.
6. The minister said that the SNCF belongs to the French people, not the unions, nor its management.

➕ Grammaire

Demonstrative adjectives and pronouns

Demonstrative adjectives are the equivalent of 'this', 'that', 'those', 'these', used before a noun.

	Singular	Plural
masc.	ce (cet *before vowel or silent* h)	ces
fem.	cette	ces

Cet accord n'a pas été finalisé.
Ces casseurs seront sans doute arrêtés.

Demonstrative pronouns replace nouns to say 'this one', 'those ones', etc. They always **agree** with the **noun** they refer to.

	Singular	Plural
masc.	celui	ceux
fem.	celle	celles

*J'adore mon emploi, mais **celui** de Nellie est mal payé.*
(*emploi* is masculine)

See pages 147–148.

2a Lisez l'extrait du roman *Élise ou la Vraie Vie*. Traduisez les expressions 1–6 en anglais.

Je poussai la porte de l'atelier. Quelqu'un m'interpella. Je me retournai. Le régleur écrasait par terre sa cigarette inachevée. Il était accompagné d'un ouvrier que j'avais vu quelquefois passer dans notre allée.

– Salut, me dit-il. Vous êtes la nouvelle?

– Elle est quand même là depuis une quinzaine, fit remarquer le régleur.

– C'est le onzième jour, dis-je.

– Je suis le délégué syndical.

– Ça m'intéresse.

Et je lui fis un grand sourire.

– Vous m'écrirez votre nom et demain je vous ferai passer la carte et le timbre.

– Faut-il régler tout de suite?

Il se mit à rire.

– À la paye, si ça vous arrange. Vous venez d'où?

– J'étais en province.

Les hommes arrivaient. Nous avançâmes. Je lui parlai de mon frère. Il me dit qu'il le connaissait, que c'était un coriace.

Daubat, qui arrivait, me donna une tape amicale sur l'épaule.

– Bonjour, la demoiselle... Un conseil. Vous êtes gentille tout plein et sérieuse, bien comme il faut. N'allez pas vous mettre dans les pattes d'un syndicat. Et ne parlez pas trop avec les Algériens. Bonne journée!

Les moteurs se mirent en marche et le grand serpent mécanique recommença à nous dévorer.

Élise ou la Vraie Vie, Claire Etcherelli (1967)

Une image extraite du film *Élise ou la Vraie Vie* (1970)

Vocabulaire

coriace *tough, hard-headed*
inachevé *unfinished*
le régleur *operator, line manager*

1	atelier	**4**	faire un grand sourire
2	allée	**5**	tape amicale
3	régler	**6**	conseil

2b Relisez l'extrait et répondez aux questions en français.

1. Expliquez l'attitude d'Élise, l'auteur, envers les syndicats.
2. Daubat avertit Élise contre deux choses. Quelles sont-elles?
3. Expliquez ce que l'auteur veut dire par « le grand serpent mécanique ».

3 Écoutez les micros-trottoirs (1–7) sur les tensions de pouvoir au travail. Pour une attitude positive, notez P. Pour une attitude négative, notez N. Pour une attitude positive et négative, notez P + N.

4 À l'écrit. « Les grèves ne font qu'embêter le public. » Comment réagissez-vous à cette opinion? Écrivez 250–300 mots suivant ces points:

- ce qui est attendu des syndicats en France
- le pouvoir du patronat et du gouvernement en France
- les perturbations.

Expressions clés

à quoi sert…
sachant que…
ce sont eux aussi qui…
Il existe…
Qui a envie de…?
ne cesser de…
davantage de…
désormais…
ni… ni…

Démontrez ce que vous avez appris!

1 **Reliez les mots 1–15 avec leur équivalent en anglais a–o.**

1	manifestation	**a**	troublemaker
2	provoquer	**b**	factory
3	débattre	**c**	march
4	défilé	**d**	to take on
5	patron	**e**	strike
6	usine	**f**	job
7	rémunération	**g**	demonstration
8	banderole	**h**	to cause
9	grève	**i**	level
10	niveau	**j**	crime
11	boulot	**k**	to debate
12	dirigeant	**l**	boss
13	casseur	**m**	director / manager
14	délit	**n**	pay
15	embaucher	**o**	banner

2 **Traduisez en français.**

1 Strikes can cause anger among the general public.
2 France has a reputation for strikes among its workforce.
3 Union representatives often meet with the management to discuss collective bargaining agreements.
4 Fewer workers are members of unions in France than elsewhere in Europe.
5 The power of the unions in France remains considerable.
6 Politicians and union leaders must learn to work together for the good of the workforce and society as a whole.

3 **À l'oral. Discutez les opinions sur des syndicats avec un(e) partenaire, puis mettez-les dans l'ordre: 1 – Je suis d'accord, 8 – Je suis tout à fait contre.**

1 Il ne fait aucun doute que les syndicats sont trop puissants.
2 Il est scandaleux qu'il ne soit pas nécessaire d'adhérer à un syndicat pour bénéficier de son soutien.
3 À quoi bon débattre avec la direction de l'entreprise… elle dicte tout!
4 Selon les chiffres officiels, il n'y a pas plus de grèves en France qu'ailleurs en Europe.
5 Personne n'ignore que faire la grève fait partie des libertés accordées par la Constitution.
6 Il faut tenir compte du fait que les grèves et les manifestations ont de lourdes conséquences sur le public.
7 Il s'agit d'abord de se demander si ceux qui manifestent le font pour les bonnes raisons.
8 Dans l'ensemble, manifester est une perte de temps puisque personne n'écoute et que le public réagit mal.

4 **Imaginez que vous êtes journaliste. On vous a demandé d'écrire un article sur les grèves à la SNCF. Écrivez 250–300 mots sur l'un des thèmes suivants:**

- l'utilisation de la police pour encadrer une manifestation
- les casseurs aux manifestations
- la perturbation des transports en plein été dues à la grève.

Testez-vous!

1 📖 Lisez le texte « Manifestations en France… », puis répondez aux questions en français. Essayez de répondre le plus directement possible aux questions et d'écrire des réponses concises. Il n'est pas toujours nécessaire de faire des phrases complètes.

Manifestations en France: le carré rouge s'exporte à Paris

Symbole des manifestations étudiantes au Québec, le carré rouge a été adopté jeudi par des étudiants qui manifestaient dans les rues de Paris contre un projet de loi modifiant le Code du travail français.

« On a choisi ce symbole car ce qui se passe en France fait écho au mouvement étudiant du Québec, le projet de loi Travail contribue directement à la précarité des étudiants », lance Mathis D'Angelo, militant et étudiant en cinéma à l'université Paris 8.

Le projet de loi El Khomri, du nom de la ministre du Travail, propose notamment un taux de majoration des heures supplémentaires de 10% contre 25% actuellement.

« Cela va réduire les payes des étudiants et surtout ne pas inciter les employeurs à embaucher davantage », dénonce celui qui rappelle que dans son établissement, plus d'un étudiant sur deux travaille pour subvenir à ses besoins.

1. Où s'est déroulée la manifestation? [1]
2. Les étudiants manifestaient contre quoi? [1]
3. Pourquoi, selon Mathis D'Angelo, a-t-on choisi le carré rouge? [2]
4. Expliquez la signification des chiffres 25% et 10% en ce qui concerne ce projet de loi. [2]
5. Quel serait le résultat de la loi pour les étudiants? [2]

[8 marks]

2 〰️ Écoutez l'interview de deux étudiants manifestant à Paris. Écrivez en français et en phrases complètes un paragraphe de 90 mots au maximum où vous résumez ce que vous avez compris suivant ces points:

- l'effet du symbole qu'ils utilisent [2]
- les modifications du symbole dans cette université [2]
- le contexte historique du symbole. [3]

Attention! Il y a 5 points supplémentaires pour la qualité de votre langue. Essayez donc d'utiliser vos propres mots autant que possible.

[12 marks]

3 💬 Discutez avec un(e) partenaire.

« Nous savons que *liberté* est un mot rouge, comme la dette des étudiants, et comme tous ces gens qui au Québec et ailleurs se battent pour leurs droits. »

Lors des manifestations de l'hiver dernier, de nombreux étudiants se questionnaient sur la nécessité d'utiliser une couleur rappelant celle du sang. En effet, de nombreux étudiants végétaliens déploraient la situation. Contre toute attente, la couleur choisie pour remplacer le rouge sera le vert pâle.

- Que dit-on sur le symbole choisi par les étudiants?
- Comment réagissez-vous aux informations contenues dans ces deux textes?
- Quelle est l'importance des manifestations pour les gens dans le monde francophone?

4 ✏️ Quelle est l'importance de l'action directe pour les jeunes? Devrait-on décourager les grands rassemblements qui doivent être encadrés par la police? Écrivez environ 300 mots.

Pour vous aider:
- le droit d'expression
- l'importance du vote des jeunes adultes
- les problèmes pour les municipalités

5a 📖 Lisez le texte « Quel est le vrai visage des casseurs? ». Trouvez l'équivalent des mots 1–8 dans les quatre premiers paragraphes du texte.

Quel est le vrai visage des casseurs?

Tandis que la mobilisation contre la loi Travail se poursuit, les fameux « casseurs » réapparaissent dans les médias. Il semble qu'aucun mouvement social en France ne puisse faire l'économie de leur présence, et ce toujours pour le pire et jamais pour le meilleur.

Leur description et leur comportement sont toujours les mêmes: ils sont jeunes, radicaux, masqués et habillés tout en noir. Ils s'infiltrent dans les cortèges et ils provoquent systématiquement les forces de l'ordre en les insultant ou en leur jetant des projectiles de toutes sortes. Ils commettent des dégradations en brisant des vitrines, détériorant du mobilier urbain et parfois brûlant des voitures. Ils semblent totalement opportunistes, manipulant des manifestations légales pour en faire ce qu'ils veulent: un concentré de violences.

Dans les médias, les « casseurs » sont des personnes sans réelle idéologie, qui prendraient opportunément prétexte des manifestations de rue pour assouvir leurs pulsions destructrices. Lorsqu'ils manifestent, le visage dissimulé avec des foulards, c'est autant pour ne pas être identifié que pour se protéger de l'usage des grenades lacrymogènes par les forces de l'ordre.

Mais qui sont ces étranges et inquiétants « casseurs »? Ils apparaissent extrêmement organisés, structurés, revendiquant des objectifs politiques.

Participant aux mouvements sociaux, présents à la fois dans les manifestations, mais aussi dans les assemblées générales, ils font partie intégrante du mouvement social. Mais lorsque les affrontements éclatent, ce sont bien eux qui recourent principalement à la violence physique, en jetant des pierres ou des feux d'artifice.

Mais il semble qu'ils ne sont pas seuls: des militants révolutionnaires affiliés à des organisations légales, et d'autres étudiants, lycéens non organisés et parfois même des syndicalistes, salariés et chômeurs sont présents à leurs côtés. Très souvent habillés de la même manière, pour les mêmes raisons de protection et de confidentialité, sans nécessairement participer directement aux affrontements. Ils permettent au noyau dur de ne pas se retrouver seul face aux forces de l'ordre.

Ainsi, ceux qu'on stigmatise avec l'étiquette infamante de « casseurs » sont, quelquefois, des militants hautement politisés.

1	fédération	**5**	cassant
2	conduite	**6**	attentistes
3	incitent	**7**	caché
4	méthodiquement	**8**	buts

[8 marks]

5b Relisez le texte et choisissez les quatre phrases qui sont vraies.

1 Les casseurs deviennent de plus en plus rares.
2 Normalement la tenue des casseurs est noire.
3 Les actions de la police incitent les casseurs, qui s'amusent à recourir à la violence.
4 Selon l'auteur, leurs actions sont rarement planifiées.
5 Les médias les décrivent comme des individus sans scrupules qui utilisent les manifestations pour commettre des actes violents.
6 Les groupes de casseurs sont souvent très bien organisés.
7 Ils n'assistent jamais aux réunions et aux assemblées, mais ils apparaissent directement à la tête du cortège.
8 Il est probable que certains d'entre eux sont des militants d'associations qui manifestent, et qu'ils s'habillent de la même manière.

[4 marks]

5c Traduisez en anglais le troisième paragraphe du texte (« Dans les médias … les forces de l'ordre. »).

[10 marks]

5d Relisez le texte. Écrivez en français et en phrases complètes un paragraphe de 90 mots au maximum où vous résumez ce que vous avez compris suivant ces points:

- l'image des « casseurs » présentée par les médias [2]
- la politisation des casseurs [2]
- l'identité des casseurs. [3]

Attention! Il y a 5 points supplémentaires pour la qualité de votre langue. Essayez donc d'utiliser vos propres mots autant que possible.

[12 marks]

6 Relisez le texte et traduisez en français.

The impact of 'troublemakers' on demonstrations is worrying. These people often appear at the head of the processions, and are generally believed to be young and radical, with the aim of hurling abuse at the police and causing violence. But it is possible that among them are 'legitimate' demonstrators, dressed in the same way so as to be able to confront the police with help at their side. As for the troublemakers, many are more organised than was at first thought. They often attend meetings in advance of the demonstrations during which they wear hoods to both protect themselves and hide their identities.

[10 marks]

7 « Les manifestations ne devraient pas être autorisées par les municipalités. » Qu'en pensez-vous? Écrivez environ 300 mots.

Conseil

Varying sentence structure to enhance writing and speaking

- It is a good idea to vary your sentence structure by sparingly using techniques such as the passive voice and pronouns. This takes some practice but can make your language read or sound much more authentic.
- Consider avoiding repetition of key nouns by substituting them with synonyms or direct object pronouns if possible.
- Avoid overusing other phrases like *Il y a…* by introducing alternatives such as *Il existe…* or *On trouve…*
- Read lots of authentic French texts for other ideas!

5.1 Le pouvoir des syndicats

l' accord (m)	agreement
l' acharnement (m)	doggedness, tenacity
l' adhérent(e) (m / f)	member
adhérer à	to become a member of
s' affaiblir	to decline, weaken
l' affilié(e) (m / f)	member
l' appel (m) à la grève	call to strike
assister à	to attend
l' assurance (f)	insurance
l' aubaine (f)	godsend
l' avancée (f)	advance, progress
bafouer	to flout
bâtir	to build, construct
la compagnie ferroviaire	railway company
le congé	leave, holiday
la convention collective	collective bargaining agreement
convoquer	to summon
la cotisation	subscription, contribution
cracher sur	to turn one's nose up at
défendre	to defend
le / la délégué(e)	representative
le désaccord	disagreement
dévoyé(e)	led astray
le / la dirigeant(e)	manager, director
la disposition	provision
le dossier	case
le droit	right
à durée indéterminée	permanent, open-ended
l' échappatoire (f)	way out, loophole
l' échéance (f)	completion date , expiry
l' élaboration (f)	development
élire	to elect
embaucher	to take on, hire
encarter	to recruit
l' entreprise (f)	business, company
la fermeture	closure
la fonction publique	civil service
la formation	training
gêner	to bother
gérer	to manage, deal with
le / la gestionnaire	administrator
la grille de salaire	pay scale
l' impact (m)	impact
important(e)	considerable
l' impôt (m)	tax
l' interlocuteur(-trice) (m / f)	representative, spokesperson

licencier	to dismiss
la main-d'œuvre	workforce
la mesurette	small measure
le niveau	level
l' œuvre (f)	work
le paritarisme	equal representation
le patron	boss
pleurnicher	to snivel, whinge
le poids	weight
le/la porte-parole	spokesperson
le poste	position (employment)
se poursuivre	to go on, continue
proposer	to offer
les prud'hommes (mpl)	industrial tribunal
le rapport	relationship
reconduire	to renew
la rémunération	pay
le renouvellement	renewal, extension
reprendre le travail	to go back to work
les représailles (fpl)	reprisals
la reprise du travail	resumption of work
la retraite	retirement
la réunion	meeting
le secours	assistance
suspendre le travail	to stop work
le syndicat	trade union
le taux	rate, level
valider	to approve
verser	to pay in

5.2 Manifestations et grèves – sont-elles efficaces?

agir	to act
battre le pavé	to take to the streets
le bienfait	benefit
le blocage	blockade
le boulot	job
le cadre	executive
le / la casseur(-euse)	troublemaker
le chassé-croisé	to-ing and fro-ing, back and forth
le chef	leader, head
le cheminot	railway worker
le chômage	unemployment
le cortège	procession
le décalage	gap, discrepancy
le défilé	march
le délit	crime, offence

	dénoncer	*to denounce*
	dépasser	*to overtake*
	dicter	*to lay down the law*
la	direction	*management*
	encadrer	*to supervise, police*
l'	époque (f)	*period in time*
l'	exigence (f)	*demand*
	exprimer	*to express*
le	gaz lacrymogène	*tear gas*
la	grève	*strike*
le / la	gréviste	*striker*
	imprescriptible	*enduring*
	inviolable	*sacrosanct*
la	journée d'action	*day of action*
	lancer	*to launch*
la	lutte	*struggle*
le / la	manifestant(e)	*demonstrator, protester*
la	manifestation	*demonstration*
	menacer	*to threaten*
la	mobilisation	*rallying*
	mobiliser	*to mobilise, to rally*
la	négociation	*negotiation*
l'	ouvrier(-ère) (m / f)	*worker*
	pacifique	*peaceful*
le	parcours	*route*
la	perturbation	*disruption*
	porter	*to support*
le	rassemblement	*gathering*
	rassembler	*to assemble*
la	revendication	*demand*
la	séance	*session*
	soutenir	*to support*
le	tract	*leaflet*
les	tractations (fpl)	*negotiations*
le	travail	*job*
l'	usine (f)	*factory*
la	veille	*the day / evening before*
le	voyou	*gangster, thug*

	comporter	*to compromise, contain*
la	condamnation	*condemnation*
le	conflit larvé	*simmering conflict*
	craindre	*to fear*
	croissant(e)	*growing*
	culpabiliser	*to blame*
	dépénalisé(e)	*decriminalised*
	déroger	*to depart from*
la	détresse	*distress*
l'	échauffourée (f)	*brawl, scuffle*
l'	embauche (f)	*recruitment*
	empêcher	*to prevent*
l'	emploi (m)	*job*
l'	enquête (f)	*survey*
	éviter	*to avoid*
l'	incitation (f)	*incentive*
l'	infraction (f)	*offence*
	injurier	*to insult*
l'	interdiction (f)	*ban*
	interpeller	*to arrest*
l'	inutilité (f)	*uselessness*
	légitime	*legitimate*
le	parquet	*public prosecutor's department*
	perturbateur(-trice)	*disruptive*
	perturber	*to disrupt*
la	peur	*fear*
le	pouvoir	*power*
la	précarité	*instability*
	préciser	*to explain, clarify*
la	pression	*pressure*
	profiter de	*to benefit from, make the most of*
	protéger	*to protect*
	réagir	*to react*
	réclamer	*to claim*
le / la	salarié(e)	*employee*
	saluer	*to praise*
	sensible	*sensitive, delicate*
la	séquestration	*illegal confinement*
le	souci	*worry*
le	tollé	*outcry*
le / la	travailleur(-euse)	*worker*

5.3 Attitudes différentes envers ces tensions politiques

l'	affrontement (m)	*confrontation*
	agacer	*to annoy, irritate*
s'	amplifier	*to amplify, get bigger*
	annuler	*to cancel*
la	banderole	*banner*
la	colère	*anger*

6 La politique et l'immigration

By the end of this section you will be able to:

		Language	Grammar	Skills
6.1	**Solutions politiques à la question de l'immigration**	Discuss some of the political issues concerning immigration in francophone countries	Form and use combination tenses: imperfect and perfect	Use language for describing change
6.2	**L'immigration et les partis politiques**	Consider the viewpoints of political parties regarding immigration	Form and use the future perfect and the conditional perfect	Summarise from listening
6.3	**L'engagement politique chez les immigrés**	Consider immigration from the standpoint of immigrants, as well as aspects of racism	Choose the right tenses	Disagree tactfully

L'immigration en France a été surtout influencée par son héritage colonialiste, ainsi qu'une longue tradition de recrutement d'une main d'œuvre étrangère. Dans l'ensemble, il y a eu une augmentation constante de l'immigration qui a, inévitablement, eu un fort impact sur la nature de la société française. Les recensements récents démontrent qu'environ 100 000 étrangers viennent s'ajouter à la population française chaque année. Malheureusement, bien que l'immigration ait toujours été considérée une réussite sur le plan économique, depuis les deux dernières décennies, l'immigration est de plus en plus considérée comme une racine des problèmes sociaux et une source principale de conflit.

Vocabulaire

dans l'ensemble *on the whole*
le recensement *census*
la réussite *success*

Pour commencer

1 **Devinez la bonne réponse.**

1 En 2015, la France a accueilli _____ d'immigrés que le Royaume-Uni et l'Allemagne.
 a plus
 b moins
 c un nombre équivalent

2 Au niveau mondial, la France est en _____ position des pays de destination désirés par les immigrés.
 a deuxième
 b sixième
 c quatrième

3 Comme _____, les chiffres sur l'origine ethnique en France ne sont que des estimations.
 a la loi interdit toute question sur la race
 b il n'y a pas eu de recensement au cours de ces dernières années
 c les catégories ethniques des personnes ne sont pas définies

4 En 2014, plus de _____ ressortissants français se sont installés au Canada.
 a 6 500
 b 4 500
 c 5 500

5 Si _____, on a plus de chances de pouvoir s'installer légalement comme immigré au Québec.
 a on est bilingue
 b on parle anglais
 c on parle français

2 **À l'oral. Discutez avec un(e) partenaire.**

- Pourquoi est-ce que les gens veulent changer leur pays natal?
- Quels sont les avantages de l'immigration pour le pays d'accueil?
- Quels en sont les problèmes?

3 ⎺⋏⎺ **Écoutez ces quatre personnes qui parlent de l'immigration. Faites un résumé en français de ce que chaque personne dit suivant ces points:**

- De quel pays d'accueil s'agit-il?
- Les immigrés viennent de quels pays?
- Quels sont les problèmes identifiés?

| Mohamed | Océane | Léo | Maeva |

4 **Reliez les expressions (1–8) aux définitions (a–h).**

1 ressortissant
2 immigré
3 pays d'accueil
4 Union européenne
5 immigrant
6 infrastructure économique
7 menace
8 pays d'origine

a personne en train d'immigrer ou qui vient d'immigrer
b installations et équipements à la fondation de l'économie
c citoyen d'un pays
d danger ou risque
e territoire qui reçoit des immigrés
f territoire de naissance d'une personne
g une association socio-politique d'États européens
h personne qui est établie dans un pays d'accueil par voie d'immigration

5 **À l'oral. Regardez l'affiche, puis discutez avec un(e) partenaire.**

- « L'immigration, ça fait toujours des histoires » – qu'est-ce que cela veut dire pour vous?
- Pouvez-vous donner d'autres exemples d'« histoires d'immigration »?

Le saviez-vous?

- Depuis le début de la crise migratoire en Europe, c'est l'Allemagne qui accueille le plus grand nombre de réfugiés. Le pays a accueilli 1,1 million de demandeurs d'asile en 2015. 79 000 migrants ont demandé l'asile en France en 2015.

- De toutes les demandes d'asile soumises au gouvernement français chaque année, seulement 25% d'entre elles sont acceptées.

- Tout pays signataire de la convention de 1951 relative au statut des réfugiés, dite Convention de Genève, est légalement obligé d'accepter des réfugiés. Tous les pays des l'Union européenne sont signataires de la Convention.

- Selon l'Organisation internationale du Travail (OIT), il y a 232 millions de migrants dans le monde aujourd'hui (3,1% de la population mondiale). Un des buts de l'OIT est d'assurer une protection adéquate à cette catégorie vulnérable de travailleurs.

- Les étrangers qui résident habituellement en France depuis au moins cinq ans et qui peuvent prouver leur « assimilation à la communauté française » peuvent demander la nationalité française.

PALAIS DE LA PORTE DORÉE

MUSÉE DE L'HISTOIRE DE L'IMMIGRATION

L'IMMIGRATION ÇA FAIT TOUJOURS DES HISTOIRES.

www.histoire-immigration.fr
PALAIS DE LA PORTE DORÉE - PARIS 75012
Métro ⑧ - Tramway ③ - Porte Dorée

A: Solutions politiques à la question de l'immigration

1a Lisez le texte. Trouvez des synonymes pour les expressions 1–10.

Jusqu'à présent...

Tahir Rahim, acteur français d'origine algérienne

Au début du 20e siècle, la France a dû affronter un grand problème par rapport à sa population. Comme le taux de natalité français tombait plus bas que le taux de mortalité, la population française a graduellement diminué. La solution qu'a proposée l'État a été d'ouvrir le pays pour la première fois aux immigrants étrangers pour compenser le déficit. À la fin de la Seconde Guerre mondiale, la hausse de la natalité n'a pas réduit le besoin de recruter des immigrés pour des raisons économiques et sociales. Par conséquent, la France a en priorité recruté des Algériens. Certains disent que la France a eu un sens du devoir colonial vis-à-vis de l'Algérie. En effet, le cas de l'Algérie était différent; étant des sujets français, les Algériens pouvaient circuler librement entre l'Algérie et la France. Grâce aux efforts très efficaces de l'État pour encourager l'immigration, les chiffres ont explosé de 1945 à 1974, ce qui a contribué à une augmentation rapide de la population (surtout chez les immigrés non européens). À la suite de cette période, l'essor de l'immigration n'a cessé de progresser.

La France actuelle est un pays constitué d'habitants très divers. Aujourd'hui, près d'un immigré sur deux en France est né dans un pays européen, contre trois sur dix dans un pays africain. Il est donc évident que le sujet de l'immigration est important et pertinent en France. C'est aussi un sujet très complexe dont l'intensité change rapidement selon le gouvernement au pouvoir.

Vocabulaire

affronter *to confront*
l'essor (m) *development, rise*
pertinent *relevant*
le sens du devoir *sense of duty*
vis-à-vis *with regard to*

1   peu à peu
2   augmentation
3   diminué
4   principalement
5   en ce qui concerne
6   facilement
7   productifs
8   après
9   variés
10 suivant

1b Relisez le texte et répondez aux questions en français.

1   Pourquoi la population française a-t-elle peu à peu diminué au début du 20e siècle?
2   Quelle solution a proposé l'État?
3   Après la Seconde Guerre mondiale, d'où venaient en priorité les immigrés?
4   Pourquoi la France avait-elle un sens du devoir vis-à-vis de l'Algérie?
5   Quel avantage les Algériens exerçaient-ils?
6   On suggère ici que le sujet de l'immigration change par rapport à quoi?

2a **Complétez les phrases avec la bonne forme du verbe au passé composé.**

1 Dès son arrivée en France, Rachid _____ faire face à plusieurs problèmes. (*devoir*)
2 Une manifestation contre la législation anti-immigration _____ organisée par les organisations antiracistes. (*être*)
3 À la suite d'une visite de Marine Le Pen du Front national, de violentes émeutes _____ à Calais. (*éclater*)
4 Le nombre d'immigrés clandestins en France _____ un niveau impossible à gérer. (*atteindre*)

2b **Complétez les phrases avec la bonne forme du verbe à l'imparfait.**

1 Avant de s'installer en France, Saïd et sa famille _____ dans un village au Sénégal. (*habiter*)
2 Elle _____ un travail mieux rémunéré. (*chercher*)
3 Chacun d'eux _____ l'intention de lutter contre le racisme. (*avoir*)
4 Nous _____ aider les sans-papiers à trouver un logement. (*vouloir*)

3a 〰 **Écoutez ce reportage sur l'immigration en France. Trouvez l'équivalent en français.**

1 the debate on immigration
2 (they) shape common opinion
3 most of the time
4 received ideas
5 the most qualified jobs
6 on the other hand
7 twice as many

3b 〰 **Réécoutez le reportage et notez si les phrases sont vraies (V) ou fausses (F).**

1 Les chiffres concernant l'immigration ne sont pas une source d'information sûre.
2 Les conclusions publiées par l'Insee confirment un bon nombre d'idées reçues.
3 Les immigrés sont peu représentés dans les emplois les plus qualifiés.
4 Les descendants d'immigrés accèdent plus souvent à des emplois de cadres que les autres Français.
5 Les emplois précaires sont plus souvent occupés par des immigrés africains.
6 Les immigrés maghrébins sont parmi les immigrés les plus actifs sur le marché du travail.
7 Les autres Français sont aussi souvent victimes de discrimination que les immigrés et leurs descendants.

3c 〰 **Réécoutez et corrigez les phrases fausses de l'activité 3b.**

4 **À l'oral. Discutez avec un(e) partenaire.**

- Pourquoi l'immigration est-elle devenue un gros problème en France?
- Quelles idées reçues a-t-on des immigrés en France? D'où viennent ces idées?
- Est-ce qu'un pays devrait être juridiquement obligé d'accueillir des réfugiés?

🇫 Grammaire

The imperfect tense and the perfect tense

Remember that you should use the **imperfect tense** when describing situations in the past and for saying what things used to be like. You use the **perfect tense** for completed actions in the past. The two tenses are often used together in texts or reports.

*Au début du 20e siècle, la France **a dû** affronter un grand problème par rapport à sa population. Comme le taux de natalité français **tombait** plus bas que le taux de mortalité, la population française **a** graduellement **diminué**.*

See pages 149–151.

■ Expressions clés

Au début du siècle
Il est vrai que…
Il est (donc) évident que…
Avant de considérer…
Considérons d'abord…
Le fond du problème, c'est que…
Ce qui rend la situation plus grave, c'est…

1 Lisez les propositions de ces jeunes concernant l'immigration et remplissez les blancs avec le bon mot de la case.

Y A-T-IL UNE SOLUTION

Henri

À mon avis, il est grand temps d'introduire une politique radicale pour réduire la présence des immigrés clandestins en France. Par exemple l'utilisation des tests ADN prouverait les liens familiaux, et permettrait de les vérifier. Ces tests seraient facultatifs mais en même temps, fortement recommandés.

Hélène

Ces tests soulèvent cependant quelques difficultés. Premièrement, la définition d'une famille liée par la génétique néglige totalement les conditions et situations où la conception de la famille s'étend au-delà de la famille biologique. Deuxièmement, bien que les tests soient facultatifs, le risque d'être refusé augmenterait de manière significative si le candidat ne les faisait pas.

Sandrine

Pourquoi ne pas établir un test de la connaissance de la langue française et des valeurs de la République? Le candidat devrait répondre oralement à des questions proposées au hasard. En cas d'échec, le candidat serait obligé de suivre 40 heures de cours de français et 3 heures d'initiation aux valeurs de la République.

Philippe

Pour moi c'est la politique de l'immigration « choisie » qui combattrait le mieux l'immigration clandestine. En gros, l'immigration « choisie » favoriserait l'immigration de personnes possédant des qualifications utiles au développement économique du pays. Le gouvernement a déjà concédé que les problèmes d'intégration sont dus à une politique de l'immigration subie – c'est-à-dire déterminée par les besoins économiques – ce qui a permis à des groupes divers (souvent non-éduqués) d'entrer en France.

■ Vocabulaire

facultatif optional
au hasard at random
subi imposed
le test ADN DNA test

niveau	frontière	coût	violentes
développement	liens	caractéristiques	facultatifs
nécessaires	entretien	valeurs	déficit
problème	politique	obligés	

1 Les tests ADN viseraient à confirmer les _____ familiaux.
2 Henri pense que les tests ADN devraient être _____.
3 Selon Hélène, même si les tests ADN étaient facultatifs, les immigrés se sentiraient peut-être _____ de les faire.
4 Sandrine pense que les immigrés qui ont un bon _____ de français ont plus de chance de s'intégrer dans l'Hexagone.
5 Pendant le test sur les _____ de la République, chaque candidat doit répondre à des questions orales.
6 Philippe propose une _____ d'immigration « choisie ».
7 Cette politique favorise les immigrés qui possèdent des qualifications utiles au _____ économique du pays.

2 À l'oral. Reconsidérez le texte « Y a-t-il une solution? ». Travaillez en groupes de trois personnes. Chaque personne doit présenter une proposition différente et en donner les avantages et les inconvénients.

3a 〰 **Écoutez la première partie de ce reportage sur les immigrés clandestins. Notez les quatre phrases qui sont vraies.**

1 Les statistiques concernant les immigrés clandestins sont définitives.
2 Aujourd'hui on estime qu'il y a au moins 400 000 sans-papiers résidant en France.
3 Certains immigrés deviennent clandestins en restant en France après l'échéance de leur carte temporaire de séjour.
4 La loi introduite en 2009 vise à exposer les passeurs.
5 Si un clandestin coopère avec les autorités, il reçoit une carte de résidence de dix ans.
6 Les clandestins ne peuvent jamais s'intégrer dans la société française.
7 Les informations données à la police par les clandestins peuvent mener à l'arrestation des passeurs.
8 La loi de 2009 aide vraiment tous les immigrés clandestins.

3b 〰 **Écoutez la deuxième partie de ce reportage sur la loi relative aux droits des étrangers en France. Écrivez en français et en phrases complètes un paragraphe de 90 mots au maximum où vous résumez ce que vous avez compris suivant ces points:**

- la situation en ce qui concerne l'immigration légale
- la situation en ce qui concerne l'immigration illégale
- les objectifs de la nouvelle loi sur l'immigration.

4 **Traduisez en français.**

1 We need to fight against the increasing number of illegal immigrants in this country.
2 The life of an illegal immigrant is often difficult.
3 Some employers use illegal immigrants as a cheap workforce.
4 Radical policies are needed to reduce immigration.
5 Many governmental policies concerning immigration are no more than barriers of discrimination.

5 **À l'écrit. Vous faites un reportage sur l'immigration aujourd'hui, en France ou dans un autre pays francophone. Écrivez 250–300 mots. Mentionnez les points suivants:**

- le problème des immigrés clandestins
- le problème des réfugiés
- les solutions proposées pour combattre ces problèmes
- votre opinion sur l'efficacité de ces solutions.

Vocabulaire

le clivage division
démanteler to dismantle, break up
l'échéance (f) expiry
l'éloignement (m) forcé forced removal
la filière channel, network

Compétences

Describing change

The language for describing change is the language of comparison and contrast. Extended responses pointing out differences will often include reference to historic situations which are introduced with the imperfect tense. Think about how you might compare and contrast situations when offering your own answers in either written work or oral work:

*La situation de l'immigration en France **empirait** de plus en plus entre 2000 et 2005 tandis qu'à l'heure actuelle on propose de nouvelles politiques pour résoudre les problèmes.*

Read the *Expressions clés* for expressions of comparison and contrast.

Expressions clés

Cependant…
Par contre…
tandis que…
D'un côté… d'un autre côté…
À l'opposé…
Pourtant…

Une image extraite du film *Samba* (2014) qui traite de l'immigration clandestine et des sans-papiers en France

1a Lisez cette interview avec François Gemenne, spécialiste des migrations. Trouvez les synonymes dans le texte.

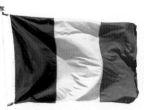

LA POLITIQUE DE L'IMMIGRATION EN BELGIQUE

A-t-on une idée précise du coût ou du bénéfice de l'immigration pour l'État belge?

Il n'y a pas d'étude qui fasse autorité sur cette question qui mérite d'être posée. Mais notre système est comparable à celui de la France, qui, elle, a fait de telles études. L'immigration coûte entre 4 et 10 milliards d'euros par an à la France, ce qui est peu. Rapporté à la Belgique, cela devrait être entre 1 et 5 milliards.

Vous ne croyez pas à l'immigration choisie?

Non, les politiques ne peuvent plus choisir qui ils veulent ou non accueillir sur leur territoire. Je sais que ce message est inaudible, mais les migrations sont hors de contrôle. Cela échappe complètement aux politiques qui souhaiteraient les maîtriser. C'est une évolution structurelle liée à la mondialisation.

Plusieurs politiques affirment que le multiculturalisme est un échec.

Il y a effectivement beaucoup d'espoirs et de rêves brisés, tant chez les pays qui accueillent que chez les migrants. Même s'il a connu des ratés, le monde multiculturel n'est pas un échec.

Un État a-t-il un seuil de tolérance dans l'accueil de réfugiés?

Je crois que c'est un grand fantasme, propagé aussi par la gauche, que d'évoquer une sorte de capacité maximale. Quand bien même un tel seuil existerait, avec 15 000 demandes annuelles, on est très largement en dessous. Bien que tous les partis disent qu'il faut aider les réfugiés, ils font tout pour qu'ils restent en dehors de l'Europe. Le nombre de réfugiés syriens présents en Europe est ridicule. Ils sont à 95% en Turquie et au Liban. Et comme Didier Reynders, ministre fédéral des Affaires étrangères, l'a confié récemment, on est très très content qu'ils restent là-bas. Je m'offusque qu'on se réjouisse que les demandes d'asile soient en recul alors que le nombre de guerres et conflits augmente dans le monde.

Faut-il renforcer les barrières européennes?

Au contraire, ce serait criminel. Une telle décision électoraliste ne peut qu'augmenter et perpétuer ce genre de drames. C'est un autre fantasme dans lequel vivent les politiques. Nulle part au monde les murs et les barrières n'ont permis de réguler les flux migratoires. Cela va juste augmenter l'immigration illégale et leur faire prendre encore plus de risques.

Vocabulaire

inaudible *unbearable, impossible to listen to*
s'offusquer *to take offence*
se réjouir *to be delighted*
le seuil *threshold*

1 similaire	5 diffusé
2 en ce qui concerne	6 diminuent
3 pays	7 contre la loi
4 gérer	8 cette sorte

1b Écrivez en français et en phrases complètes un paragraphe de 90 mots au maximum où vous résumez ce que vous avez compris suivant ces points:

- le coût de l'immigration en Belgique
- la réponse de François Gemenne à l'idée d'un seuil de tolérance d'accueil pour les réfugiés
- ce que François Gemenne pense du renforcement des barrières contre l'immigration en Europe.

1c Traduisez en anglais le dernier paragraphe du texte (« Faut-il renforcer les barrières européennes? »).

2 〰 **Écoutez ce reportage sur quelques attitudes politiques envers l'immigration. Répondez aux questions en français.**

1 Quelle a été la réaction de certains partis politiques face à l'afflux des migrants en France?
2 Quelle solution est proposée par Marine le Pen et le Front national?
3 Quelle est la position politique des Verts en ce qui concerne l'immigration?
4 Quelle est la réponse du Parti socialiste et du gouvernement?
5 Donnez deux raisons pour lesquelles les Républicains trouvent difficile d'établir une position commune envers l'immigration.

3a **Complétez les phrases avec la bonne forme du verbe au futur antérieur.**

1 Chaque pays _____ être entendu pendant le sommet européen. (*vouloir*)
2 Ils _____ la publication des chiffres pour mesurer l'étendue du problème. (*attendre*)
3 Nous pourrons prendre les bonnes décisions quand nous _____ tous les paramètres. (*considérer*)
4 Je changerai peut-être d'avis quand tu m'_____ d'aider un migrant. (*convaincre*)

3b **Complétez les phrases avec la bonne forme du verbe au conditionnel passé.**

1 Si on avait connu le nombre exact de migrants en Europe, on _____ exercer un meilleur contrôle. (*pouvoir*)
2 Si j'avais regardé les infos hier, j'_____ parler des incidents à Calais. (*entendre*)
3 Si les gouvernements européens étaient tombés d'accord, ils _____ une politique commune d'immigration. (*établir*)
4 Si nous avions considéré le point de vue des immigrants, nous _____ plus de compassion. (*avoir*)

4 **Traduisez en français.**

1 By the year 2050 the number of immigrants in Europe will have doubled.
2 In an ideal world the politicians would have accepted the responsibility to help those who flee from conflict in their own country.
3 The French government should have been more careful in the exercise of its policy with regard to immigration.
4 By six o'clock this evening she will have finished her work.
5 If I had thought about it I would have helped them.

5 **Travail de recherche. Renseignez-vous sur l'attitude des partis politiques aujourd'hui, en France ou dans un autre pays francophone, envers l'immigration. Écrivez 250–300 mots. Considérez:**

- l'attitude des partis politiques principaux
- les bénéfices de leurs politiques
- les problèmes de leurs politiques.

Vocabulaire

l'ampleur (f) du problème *the magnitude of the problem*
la dissuasion *deterrence*
une filière *route, pathway*
nuancé *subtle*

Grammaire

The future perfect and the conditional perfect

The **future perfect** is used to express what **will have happened** (at some point in the future).

*Dans 10 ans on **aura atteint** la capacité maximale d'immigrants en France.*

The **conditional perfect** is used to express **what would have happened** (usually if something else **had** also happened).

You can also use this tense to express what **could have happened** (using the verb *pouvoir*) or what **should have happened** (using the verb *devoir*).

*Elle **aurait donné** plus aux organisations caritatives si elle avait plus d'argent.*

See pages 152–153.

Expressions clés

face à l'ampleur du problème
la priorité c'est de…
au sens le plus strict du terme…
notamment
en définitive
à l'égard de…
Toutefois…
Cela va juste…

B: L'immigration et les partis politiques

1 Lisez le texte et choisissez la bonne réponse.

LE « FLÉAU » DE « L'IMMIGRATION CLANDESTINE »

Marine Le Pen occupe le terrain à Calais. Arrivée ce vendredi matin sous les applaudissements et les huées, la présidente du Front national est venue dénoncer le « fléau » qu'est, selon elle, « l'immigration clandestine » pour la ville qui fait face à un afflux de migrants cherchant à traverser la Manche. Cette visite intervient au lendemain de l'annonce par le ministre de l'Intérieur de renforts policiers dans la préfecture du Pas-de-Calais alors que cette semaine des rixes ont éclaté entre migrants exaspérés par leurs difficultés à trouver un moyen de passer en Angleterre.

La présidente du Front national a commencé par déambuler pendant près d'une heure dans une rue commerçante, à la rencontre des habitants et des commerçants. L'ambiance était quelque peu tendue. Une vingtaine de personnes appartenant à des associations pro-migrants ont lancé à la dirigeante du FN des « Marine dégage! » ou « solidarité avec les réfugiés ». Une centaine de sympathisants du FN ont alors répliqué par des Marseillaises ou des « Marine présidente ».

Depuis plusieurs mois, le nombre de clandestins a quasiment doublé*. La patronne du FN, dont le parti a battu des records dans ce département lors des élections européennes de mai, s'est alors adressée à la frange de la population qui se dit inquiète. Profitant de la tension ambiante, elle a dénoncé en même temps l'inertie du gouvernement.

« On ne prend pas la mesure du désespoir de cette population. On ne veut pas régler le problème de l'immigration clandestine. Alors je viens dire qu'il est possible de le faire », a-t-elle déclaré face à une nuée de micros et de caméras. Dénonçant un manque de « courage » des autorités, elle s'en est prise aux frontières, son leitmotiv. « Nous devons retrouver la maîtrise de nos frontières », a-t-elle martelé accompagnée notamment par Steeve Briois, le maire FN d'Hénin-Beaumont, ville voisine.

Puis la présidente du FN en a rajouté lors d'une conférence de presse dans un hôtel du bord de mer de la ville portuaire: « Il n'y a plus de lois qui vaillent à Calais, il n'y a plus que la jungle, la loi du plus fort, la violence, l'inverse de la République », a-t-elle déclaré. « Le gouvernement ne dit mot de ce qui se passe à Calais et ferme les yeux. »

« Les habitants, eux, sont à bout » a-t-elle encore dénoncé, en fustigeant au passage la « mollesse » du ministre de l'Intérieur, Bernard Cazeneuve, et « le silence assourdissant » du Premier ministre Manuel Valls et du président Hollande sur la situation à Calais.

* Le nombre a augmenté jusqu'à environ 10 000 en 2016, selon des associations caritatives à Calais.

Vocabulaire

dégager *to clear off, get out*
le fléau *scourge*
fustiger *to criticise harshly*
les huées (fpl) *boos, booing*
la Marseillaise *French national anthem*
marteler *to hammer home*
la nuée *horde*
s'en prendre à *to attack*
la rixe *brawl*
valoir *to be worth, to dominate*

1 La réception à Calais de Marine Le Pen a été…
  a entièrement positive.
  b à moitié positive, à moitié négative.
  c entièrement négative.

2 Les migrants à Calais…
  a veulent s'intégrer à la société française.
  b veulent s'établir dans la ville.
  c veulent s'établir en Angleterre.

3 Des renforts pour la police dans la région de Calais…
  a viennent d'être annoncés.
  b vont être annoncés.
  c sont annoncés depuis longtemps.

4 Marine Le Pen a commencé sa visite…
  a en parlant avec quelques commerçants et habitants de la ville.
  b en parlant avec des associations pro-migrants.
  c en parlant avec les sympathisants du FN.

5 Marine Le Pen a critiqué…
  a les actions du gouvernement.
  b les actions des migrants.
  c les actions des habitants.

6 Elle a déclaré que le problème de l'immigration clandestine en France…
  a n'a pas de solution.
  b a une solution.
  c n'aura jamais de solution.

2 Traduisez en français.

On the day after the announcement of another increase in the number of illegal immigrants in France, the supporters of the National Front gathered in the shopping streets of Calais to criticise the lack of action of the French government. About 50 people belonging to pro-migrant groups also arrived in the streets of the port. Several brawls broke out in this atmosphere of tension and despair regarding the immigration problem. Reinforcements were sent in from police headquarters and more than 20 people were arrested.

3 À l'oral. Regardez l'image et discutez avec un(e) partenaire. Que s'est-il passé à Calais en 2016 et depuis?

Le démantèlement de la « Jungle » de Calais, octobre 2016

4a 〰️ Écoutez ce reportage sur la politique envers l'immigration adoptée par François Hollande dans son rôle de président de la République française. Indiquez vrai (V), faux (F) ou information non-donnée (ND).

1 François Hollande a fait son premier discours sur l'immigration à l'inauguration du musée de l'histoire de l'immigration à Paris.
2 Le musée de l'histoire de l'immigration vient d'être ouvert.
3 Le thème de l'immigration est souvent le sujet de débats politiques.
4 L'islam est considéré par beaucoup de gens, surtout dans la capitale, comme une menace à la République française.
5 Françoise Hollande veut abolir l'espace Schengen.
6 L'accord de Schengen est la cause d'une immigration hors de contrôle.
7 Les « chibanis » sont des travailleurs d'origine maghrébine.
8 La loi vieillissement en France ouvrira la naturalisation à tous les étrangers de plus de 65 ans.

4b 〰️ Réécoutez le reportage. Écrivez en français et en phrases complètes un paragraphe de 90 mots au maximum où vous résumez ce que vous avez compris suivant ces points:

- ce que François Hollande a dit à propos de l'islam dans son discours
- ce qu'il a dit au sujet de l'espace Schengen
- comment la loi vieillissement aidera les immigrés en France.

5 Travail de recherche. Renseignez-vous sur la situation actuelle du Parti socialiste et du Front national. En quoi ces partis ont-ils changé?

- la direction des deux partis
- leur popularité
- leur position sur l'immigration

📑 Compétences

Summarising a listening passage

- Read the task instructions carefully.

- Listen to the whole extract in order to get a general idea of the content.

- Try to identify key words that you hear, and write them down.

- Listen again and pay attention to the words near the ones you have identified to see if they change or modify the meaning of what is said.

- Write your answer, making sure that you include the correct number and type of pieces of information that you have been asked to give.

- Listen again to check your answer and count the number of words you have used. If you are given a maximum word limit, do not exceed it!

■ Expressions clés

Il faut que…
À propos de…
Vu… (*in view of…*)
Il faut s'attendre à…
Cette analyse montre que…

1a Lisez ces affirmations et le texte sur l'organisation SOS Racisme. Notez les cinq phrases vraies.

SOS RACISME

SOS Racisme lutte contre le racisme, l'antisémitisme et les discriminations raciales en France et à l'étranger. SOS Racisme plaide pour une société mixte, une cohésion sociale pacifique et un « vivre-ensemble » idéal. L'organisation oppose en même temps des arguments xénophobes et nationalistes, des mouvements d'extrême droite, et la conception des communautés séparées et isolées dans la société.

Ses principaux leviers d'action sont le droit, l'éducation et la culture. Pendant les procès, SOS Racisme offre un soutien aux immigrés et minorités raciales confrontés à la discrimination. L'association est également connue pour ses protestations et sa capacité à rendre publics des cas de discrimination survenus dans la société et dans les lois.

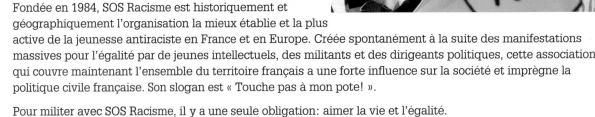

Fondée en 1984, SOS Racisme est historiquement et géographiquement l'organisation la mieux établie et la plus active de la jeunesse antiraciste en France et en Europe. Créée spontanément à la suite des manifestations massives pour l'égalité par de jeunes intellectuels, des militants et des dirigeants politiques, cette association qui couvre maintenant l'ensemble du territoire français a une forte influence sur la société et imprègne la politique civile française. Son slogan est « Touche pas à mon pote! ».

Pour militer avec SOS Racisme, il y a une seule obligation: aimer la vie et l'égalité.

Vocabulaire

le / la dirigeant(e) *leader*
le / la militant(e) *activist, campaigner*
le pote *mate, pal*

1 SOS Racisme lutte contre le racisme à l'étranger ainsi qu'en France.
2 L'organisation s'oppose à la politique d'extrême droite et à la xénophobie.
3 SOS Racisme recommande une politique d'intégration.
4 SOS Racisme vise à cacher les victimes de discrimination raciale.
5 SOS Racisme est l'organisation antiraciste la mieux établie dans le monde.
6 L'organisation a été créée après des manifestations pour l'égalité.
7 L'organisation a été formée par le Parti socialiste.
8 SOS Racisme impose peu de conditions à ceux qui veulent militer.

1b Écrivez en français et en phrases complètes un paragraphe de 90 mots au maximum où vous résumez ce que vous avez compris suivant ces points:

- les objectifs de SOS Racisme
- l'histoire de la création de SOS Racisme
- l'importance de l'organisation.

1c Traduisez le premier paragraphe en anglais (« SOS Racisme lutte contre… »).

2a 〰 Écoutez ce reportage sur l'augmentation du racisme envers les immigrés en France et trouvez des synonymes pour les expressions 1–6.

1 s'alarme
2 vue d'ensemble
3 combat
4 fragiliser
5 confirmation
6 se révèlent

2b 〰 Réécoutez le reportage et répondez aux questions en français.

1 Qu'est-ce qui indique l'augmentation de la tension raciale en France?
2 Qu'est-ce qui s'est passé d'anormal?
3 Pourquoi est-ce qu'un climat délétère s'est produit?
4 Comment le nombre d'actes antimusulmans a-t-il changé?
5 Quel est le but, d'après ce reportage, de l'État islamique?
6 Qu'est-ce qui valide leur stratégie?
7 Quels actes de l'État islamique sont mentionnés?
8 Qui sont de plus en plus souvent les responsables d'actes de racisme?

3 Écrivez la bonne forme du verbe entre parenthèses dans chaque phrase.

1 À l'heure actuelle, des milliers d'immigrants sans papiers _____ pour des employeurs peu scrupuleux. (*travailler*)
2 L'organisation SOS Racisme _____ formée pendant les années 80. (*être*)
3 D'ici 10 ans, il y _____ au moins deux fois plus d'immigrés en France qu'aujourd'hui. (*avoir*)
4 Pendant les années 50, la France _____ des immigrés pour créer une main-d'œuvre. (*accueillir*)
5 Je _____ m'inscrire à une organisation antiraciste pour lutter contre le racisme. (*vouloir*)
6 S'il avait eu de la chance, il _____ un emploi bien rémunéré. (*obtenir*)

4 Travail de recherche. Vous pouvez travailler avec un(e) partenaire. Trouvez des informations et prenez des notes sur la peur de l'islam en Europe. Faites une présentation orale de deux minutes à votre classe.

- Quels événements récents en Europe (et en France en particulier) sont la cause de la peur de l'islam?
- Quelles mesures ont été prises pour combattre cette peur et rassurer la population?
- Comment ont réagi les gouvernements européens?
- Comment ont réagi les habitants des pays européens?
- Est-ce qu'il y a une solution à ce problème?

▪ Vocabulaire

agréger les faits *to gather together the facts*
le climat délétère *poisonous climate*
Daech *Daesh (acronym for Isis, or Islamic State)*
s'enfoncer dans *to sink into*
la faille *rift*
la permanence juridique *the legal service*
réjouissant *cheerful*
tourner à plein régime *to operate at full capacity*

⊞ Grammaire

Choice of tenses

Manipulating verbs accurately is the key to effective communication.

Present: for actions that are happening now.
Perfect: for actions that happened in the past.
Imperfect: for actions that used to happen.
Future: for situations that will happen.
Conditional: for situations that might happen.

Pluperfect: for actions that had happened:
*Les partis **avaient accepté** de travailler ensemble.*

Future perfect: for actions that will have happened:
*À la fin de ses études, il **aura réussi** à mieux comprendre la situation.*

Conditional perfect: for actions that would have happened:
*Il **aurait trouvé** un meilleur emploi s'il avait reçu sa licence.*

▪ Expressions clés

Pour résoudre le problème il faut…
On a déjà noté…
L'objectif principal est de…
selon les chiffres
l'organisation cherche à…
ce projet vise à…

B: L'engagement politique chez les immigrés

1a Lisez le texte sur l'engagement politique des immigrés et répondez aux questions en français.

« IL NE FAUT PLUS SE TAIRE »

Des vacances en famille, une location idéale à Port-Barcarès (Pyrénées-Orientales) dénichée sur Leboncoin.fr et un propriétaire de prime abord particulièrement détendu. Pour Rachid et ses proches, cette semaine d'août au bord de l'eau s'annonçait des plus agréables. « Tout se passait bien jusqu'à l'envoi de mon dossier pour la finalisation du contrat, explique ce Francilien de 24 ans. Je reçois alors un appel du propriétaire qui, d'emblée, me dit: *T'es arabe*? Je lui réponds en rigolant que je suis breton et musulman, mais, tout de suite, j'ai le réflexe d'enregistrer l'appel parce que je sais que ça va péter. » Malheureusement, Rachid ne sera pas déçu, comme le prouve la conversation que nous avons pu écouter.

À l'autre bout du fil, le propriétaire explique qu'il a eu « des problèmes avec les musulmans » l'année précédente qui ont, semble-t-il, laissé une ardoise. « Je préfère ne pas vous louer », assène-t-il. Très calmement, Rachid tente d'expliquer à son interlocuteur qu'aucun amalgame ne mérite d'être fait entre les attentats et les musulmans en général.

Effaré, Rachid invoque ses enfants. Il ne sait comment il va pouvoir leur expliquer un refus de location à cause de leur origine. « Vous allez dire aux Français qui ont perdu leurs enfants au Bataclan, à Nice, que c'est pas des musulmans qui ont commis ces meurtres? » s'emporte le propriétaire de plus en plus exalté avant d'évoquer l'assassinat du prêtre de Saint-Étienne-du-Rouvray. Sans perdre son sang-froid, Rachid insiste « Je suis musulman et je condamne tout autant que vous et j'ai la haine de tous ces actes abominables. »

Peine perdue. Le propriétaire se lâche définitivement « Il y a 90% des musulmans en France qui sont des gens corrects, mais il y en a quand même 10% qui sont des assassins qui continuent à attaquer les Français et qui nous gâchent la vie. Et moi ils m'ont embêté l'année dernière. J'ai décidé de ne pas vous louer et de ne pas louer à des musulmans. »

Une semaine après cet échange, Rachid reste abasourdi par sa violence. Et par l'aisance avec laquelle le propriétaire a assumé le motif de son refus… Afin que son exemple serve à d'autres, Rachid a lui aussi porté plainte pour « discrimination raciale au logement par refus de location » avec le soutien de SOS Racisme. Un délit dont l'auteur encourt jusqu'à trois ans de prison et 45 000 € d'amende. « Face aux remarques qui se multiplient depuis les attentats, il ne faut plus se taire et avoir honte », insiste-t-il.

Vocabulaire

abasourdi *dumbstruck, stunned*

assener *to throw in, fling*

déniché *spotted, discovered*

effaré *aghast*

embêter *to hassle*

d'emblée *from the outset*

laisser une ardoise *to run up a bill, owe money*

ça va péter *it's going to kick off*

de prime abord *at first sight*

1. Qu'est-ce que Rachid avait organisé?
2. Quand est-ce que les problèmes ont commencé pour Rachid?
3. Qu'est-ce que le propriétaire lui a demandé au téléphone?
4. Comment a-t-il justifié sa question?
5. Comment Rachid a-t-il expliqué sa position envers les attentats commis par les terroristes musulmans?
6. Qu'est-ce qui a rendu Rachid abasourdi?
7. À la suite du refus de location qu'est-ce que Rachid a fait?
8. Quelles sont les conséquences pour les auteurs de tels délits racistes?

1b Relisez « Il ne faut plus se taire ». Trouvez les synonymes dans le texte.

1 relaxé
2 sa famille
3 essaie
4 meurtriers
5 facilité
6 raison
7 appui
8 infraction

2 Traduisez en français.

1 Faced more and more often with racist attacks, immigrants should no longer remain silent.
2 We are shocked by the violence of certain individuals who show anti-Muslim attitudes.
3 SOS Racisme can support those who wish to make legal complaints about racism.
4 The perpetrators of racist acts can receive up to three years' imprisonment.
5 Engaging in politics is an excellent way to fight racism.

3 Travail de recherche. Trouvez la chanson « Les crayons de couleur » de Hugues Aufray sur Internet, écoutez-la et répondez aux questions en français.

1 Quelle sorte de personne est-ce que le petit garçon voulait dessiner?
2 Quelle question a-t-il posée?
3 Quelles races sont suggérées par les couleurs rouge, jaune et noire?
4 Qu'est-ce que le petit garçon a fait en rentrant chez lui?
5 Quelle est la morale de la chanson?

4a �róⁿ Écoutez ce reportage sur « Les femmes immigrées à la plate-forme politique ». Écrivez en français et en phrases complètes un paragraphe de 90 mots au maximum où vous résumez ce que vous avez compris suivant ces points:

- l'objectif des associations des femmes immigrées
- les détails de la création de l'association Les Nanas-Beurs
- les détails des associations Voix d'Elles-Rebelles et Voix de Femmes.

4b ⎮róⁿ Réécoutez le reportage. Reliez le début et la fin des phrases.

1 Les actions de l'association Les Nanas-Beurs…
2 Les Nanas-Beurs fournissent pour les immigrés…
3 Les femmes et les jeunes filles maghrébines…
4 Les Marches contre le racisme pendant les années 80…
5 Voix de Femmes est…

a …un espace de médiation avec la société de résidence.
b …ont mobilisé les immigrés à la recherche de la citoyenneté.
c …ne sont pas limitées à la communauté maghrébine.
d …l'association de femmes immigrées la plus récente.
e …ont trouvé l'émancipation dans la société française.

5 À l'oral. Faites des recherches pour trouver d'autres renseignements sur les associations d'immigrés en France ou dans un autre pays francophone afin de faire une présentation en classe. Vous pouvez travailler avec un(e) partenaire.

📭 **Compétences**

Disagreeing tactfully

When you want to disagree with a point that has been made, you can introduce your disagreement tactfully by using one or more of the following phrases.

Je suis plutôt de l'avis que…
Cela peut bien en être le cas, mais…
N'oubliez pas non plus que…
Il faut considérer en plus…
J'accepte ce point mais je veux / voudrais ajouter…

There are many other ways to tactfully disagree. When you hear or read them, make a note of them and use them in your own responses – particularly in oral exchanges with others.

■ **Expressions clés**

à la suite de…
À fin de répondre à…
En effet…

6 Résumé

Démontrez ce que vous avez appris!

1 « Actuellement, l'immigration en France et dans les autres pays francophones devient un problème de plus en plus complexe. » Décrivez l'image en considérant cette opinion.

Pour vous aider:

- Que voyez-vous? Soyez aussi précis que possible.
- Que représente cette photo?
- Considérez les liens entre cette photo et les thèmes que vous êtes en train d'étudier.

2 Reliez les expressions 1–10 aux définitions a–j.

1	quota	a	faire partie de
2	engagement	b	ensemble des pays du nord-ouest de l'Afrique
3	s'intégrer	c	arrivée en grand nombre
4	Maghreb	d	embauchage
5	radical	e	en contravention avec les lois
6	accueillir	f	région de circulation libre en Europe
7	espace Schengen	g	recevoir et accepter
8	débouté	h	nombre déterminé
9	afflux	i	rejeté
10	clandestin	j	d'un caractère absolu, extrême et sans compromis

3 Reliez le début et la fin des phrases.

1	En France, le Front national propose une politique…	a	…établissent une plate-forme de médiation.
2	Des associations contre le racisme…	b	…avec le soutien d'organisations comme SOS Racisme.
3	Les sans-papiers arrivent en France…	c	…d'identifier le nombre exact des immigrés clandestins en Europe.
4	On a peur que l'immigration menace…		
5	Il est impossible…	d	…n'apportera pas de solution au problème.
6	Renforcer les barrières en Europe…	e	…d'immigration zéro.
7	On peut porter plainte légalement contre les actes racistes…	f	…à l'aide de passeurs d'êtres humains.
8	Un grand pourcentage d'immigrés…	g	…essaient de s'intégrer dans la société française.
		h	…les valeurs du pays d'accueil.

4 Remplissez les blancs avec la bonne forme du verbe entre parenthèses.

1 Désormais, les partis politiques hormis le Front national vont … sur l'immigration. (*se mettre d'accord*)
2 D'ici cinq ans, il y … une solution aux problèmes de contrôle des immigrés clandestins. (*avoir*)
3 Depuis les années 70, les jeunes d'origine étrangère … assez facilement dans la société française. (*s'intégrer*)
4 À l'heure actuelle, la crainte des immigrés, surtout des musulmans, … de plus en plus exacerbée par les attentats terroristes. (*être*)
5 Les associations antiracistes … à la suite des Marches pour l'égalité pendant les années 80. (*s'établir*)
6 En France, des associations comme Les Nanas-Beurs … pour les droits des jeunes femmes maghrébines. (*lutter*)
7 Le racisme et la discrimination sont à … (*déplorer*)
8 Qui … ignorer la nature complexe de l'immigration de nos jours? (*pouvoir*)

Testez-vous!

1a 📖 Lisez le texte « Immigration: postures et impostures ». Choisissez les cinq phrases qui sont vraies.

1 Seulement un dixième des réfugiés ont reçu l'asile dans les pays riches.
2 L'Afrique accueille la plupart des réfugiés.
3 En Europe, le nombre de demandeurs d'asile est toujours en hausse.
4 D'après le texte, plus de 15 000 immigrants déboutés du droit d'asile se sont naturalisés en France.
5 Le nombre d'immigrés en France représente 0,3% de la population du pays.
6 Des immigrants arrivent en France mais en même temps d'autres la quittent.
7 L'immigration illégale est difficile à mesurer.
8 46% des immigrés entrés en France en 2012 venaient de pays africains.

[5 marks]

1b ✏️ Écrivez en français et en phrases complètes un paragraphe de 90 mots au maximum où vous résumez ce que vous avez compris suivant ces points:

● l'accueil des réfugiés [2]
● pourquoi la France ne devrait plus être considérée comme un pays d'immigration massive [2]
● les vraies statistiques en ce qui concerne la provenance des immigrés en France. [3]

Attention! Il y a 5 points supplémentaires pour la qualité de votre langue. Essayez donc d'utiliser vos propres mots autant que possible.

[12 marks]

1c 📖 Traduisez en anglais le dernier paragraphe.

[10 marks]

2a 〜 Écoutez la première partie de ce reportage sur l'expulsion des Roms à Lyon en 2012. Essayez de répondre le plus directement possible aux questions et d'écrire des réponses concises. Il n'est pas toujours nécessaire de faire des phrases complètes.

1 Qu'est-ce qui s'est passé jeudi matin? [2]
2 Pourquoi parle-t-on de coïncidence? [1]
3 Qui avait lancé le plan d'évacuation? [1]
4 Qui sont les personnes qui squattent à la gare? [2]
5 Quelles personnes vivent dans la précarité? [3]
6 Qui a supervisé l'évacuation? [1]

[10 marks]

IMMIGRATION: POSTURES ET IMPOSTURES

Afflux ingérable, cheval de Troie du terrorisme, l'UE première touchée… Fabulations et idées reçues sur les migrants sont légion, souvent relayées par les gouvernements.

Idée reçue: L'Europe est la principale destination des réfugiés, qui vont tous vers le Nord

Si l'on parle uniquement de réfugiés, près de neuf sur dix dans le monde vivent dans un pays en développement, selon l'Initiative conjointe pour la migration et le développement (ICMD) menée par le PNUD: cela représentait 13,7 millions de personnes en 2013, soit 87% des réfugiés. Les pays riches n'en accueillent donc qu'un dixième. L'Asie est la principale concernée, accueillant plus de 10 millions de personnes devant l'Afrique (2,9 millions) et l'Europe (1,5 million). En Europe, selon Eurostat, 625 000 personnes ont demandé l'asile en 2014 (dont plus de 200 000 pour la seule Allemagne), un chiffre en hausse de 44% par rapport à 2013. 185 000 ont obtenu une réponse positive, dont moins de 15 000 en France. Cela reste très peu.

Idée reçue: La France est un pays d'immigration massive

En moyenne, 200 000 immigrés entrent en France tous les ans, soit 0,3% de la population totale. C'est moitié moins que la moyenne des pays de l'Organisation de coopération et de développement économiques (OCDE). Il faut retrancher à ces arrivées les départs, évalués par l'Insee à 60 000 personnes. « La France n'est plus un pays d'immigration de masse, c'est fini depuis longtemps », résume El Mouhoub Mouhoud, professeur d'économie à l'université Paris-Dauphine. Depuis 1974, précisément, date de l'arrêt de l'immigration de travail.

Quant à l'immigration illégale, elle est par nature difficilement quantifiable. Les estimations les plus hautes font état d'un « stock » de 400 000 clandestins tandis qu'il y a 5 000 à 10 000 personnes par an en situation régulière. Par ailleurs, faire croire, comme Marine Le Pen, à un « flot continu de clandestins en provenance d'Afrique et du Moyen-Orient » est très exagéré: 46% des immigrés entrés en France en 2012 étaient nés dans un pays européen (Portugal, Royaume-Uni et Espagne en-tête). Seulement trois sur dix venaient d'un pays africain.

2b 〰 Écoutez la deuxième partie du reportage. Écrivez en français et en phrases complètes un paragraphe de 90 mots au maximum où vous résumez ce que vous avez compris suivant ces points:

- ce qu'on a fait avec les squatteurs du jardin public [3]
- la provenance des squatteurs et pourquoi ils sont venus en France [2]
- ce qui est arrivé à ceux qui n'étaient ni relogés ni déportés. [2]

Attention! Il y a 5 points supplémentaires pour la qualité de votre langue. Essayez donc d'utiliser vos propres mots autant que possible.

[12 marks]

3 💬 Traduisez en français.

On the eve of a presidential visit to Lyon, more than 100 illegal migrants were evacuated from a camp in the centre of the city. These migrants have been camping each night near the entrance to the railway station. The evacuation of the camp was supervised by the police this Thursday morning. Around 80 Romany squatters, originally from the Balkans, were temporarily lodged in hotels in the city. Many of these people had been refused the right to asylum in France and had to accept 'voluntary return' to Romania or Macedonia.

[10 marks]

4 💬 « Comment peut-on contrôler l'immigration clandestine? » Discutez avec un(e) partenaire. Vous pouvez mentionner les points ci-dessous.

Le pont de l'Europe de Strasbourg–Kehl, un pont frontalier entre l'Allemagne et la France

- les problèmes associés à l'espace Schengen en Europe
- les amnisties pour la dénonciation des contrebandiers et des passeurs d'êtres humains
- d'autres mesures pour réduire l'immigration.

5a Lisez le texte et trouvez des synonymes pour les expressions 1–10.

SOS MÉDITERRANÉE est une association indépendante de tout parti politique et de toute confession, qui se fonde sur le respect de l'homme et de sa dignité, quelles que soient sa nationalité, son origine, son appartenance sociale, religieuse, politique ou ethnique.

SOS MÉDITERRANÉE a vocation à porter assistance à toute personne en détresse sur mer se trouvant dans le périmètre de son action, sans aucune discrimination. Les personnes concernées sont des hommes, femmes ou enfants, migrants ou réfugiés, se retrouvant en danger de mort lors de la traversée de la Méditerranée.

SOS MÉDITERRANÉE est financée par des dons privés et des subventions publiques. Les fonds collectés sont alloués à la location du bateau, aux frais quotidiens d'entretien et de sauvetage (soit au total 77 000 euros par semaine).

5b Relisez le texte et répondez aux questions en français. Essayez de répondre le plus directement possible aux questions et d'écrire des réponses concises. Il n'est pas toujours nécessaire de faire des phrases complètes.

1 Quels sont les liens politiques de SOS Méditerranée? [1]
2 Quel est l'objectif de cette organisation? [2]
3 Qui sont les personnes concernées par cet objectif? [1]
4 Comment l'association SOS Méditerranée est-elle financée? [1]
5 À quoi ces fonds sont-ils destinés? [1]

[6 marks]

6 « On a de plus en plus recours aux associations caritatives pour aider les immigrés car les gouvernements des pays ne savent pas comment agir. » Comment réagissez-vous à cette affirmation? Écrivez environ 300 mots. Vous pouvez mentionner les points suivants:

- les raisons pour lesquelles les immigrés ont besoin d'aide
- les problèmes auxquels les gouvernements doivent faire face vis-à-vis de l'immigration
- comment les associations caritatives aident les immigrés en France ou dans un autre pays francophone.

7 « Il faut accueillir seulement les immigrants qui demandent l'asile et les réfugiés qui fuient les conflits dans leurs pays d'origine. Cela résoudra le problème du nombre croissant des immigrés. » Comment réagissez-vous à cette opinion? Écrivez environ 300 mots.

1 organisation
2 foi
3 est basée
4 mission
5 aider, secourir
6 en situation critique
7 zone de démarcation
8 aides
9 destinés
10 coûts

[10 marks]

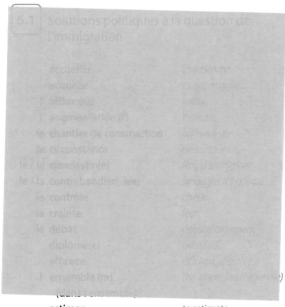

6 Vocabulaire

6.1 Solutions politiques à la question de l'immigration

estimer	to estimate
l' état (m)	state
façonner l'opinion (f)	to shape opinion
favoriser	to favour
au fil de	in the course of
le fond	the baseline
fuir	to flee, escape
les gros titres (mpl)	headlines
imposer	to impose
en infraction	breaking the law
s' installer	to settle
interdire	to forbid
juridiquement	legally, by law

estimer - to estimate
l'état - the state
façonner l'opinion - to shape an opinion
favouriser - to favour
au fil de - in the course of..
le fond - the baseline
fuir -

le recrutement	recruitment
le / la réfugié(e)	refugee
la réussite	success
les sans-papiers (mpl)	illegal immigrants
séjourner	to stay
le sens du devoir	sense of duty
sensible	sensitive
le statut	status
le taux de chômage	unemployment rate
le taux de mortalité	death rate
le taux de natalité	birth rate
le test ADN	DNA test
à travers	across, through
par voie de	by way of

6.2 L'immigration et les partis politiques

l' ambiance (f)	atmosphere
l' ampleur (f)	breadth, extent
les applaudissements (mpl)	applause
assourdissant(e)	deafening
le bénéfice	benefit
à bout	at the end of one's tether
briser des rêves	to shatter dreams
la capacité maximale	maximal capacity
coûter	to cost
déambuler	to stroll
en définitive	finally, when all is said and done
en dehors	outside
demeurer	to stay, remain
en dessous	below
en dessus	above
le droit d'asile	right of asylum
échapper	to escape
éclater	to burst, break out
le fantasme	fantasy
la fermeté	firmness
la fermeture	closure, closing
la filière	route
le fléau	scourge
la frange	fringe
la frontière	border, frontier
hormis	excluding, except
inaudible	unbearable, impossible to listen to
inaugurer	to inaugurate, open
l' inverse (m)	the opposite

accueillir - to welcome
acquérir - to get/acquire
l'afflux - influx
l'augmentation - increase
le chantier de construction - building site
la circonstance - circumstance
le clandestine - illegal
le contrabandier - smuggler
le contrôle - check
la crainte - fear
le débat - debate/argument
diplômé - qualified
efficace - efficient/effective
l'ensemble - the whole

	promettre	
à	propos de	with regard to
	quasiment	almost
en	raison de	because of
	réduire	to reduce
	renforcer	to reinforce
le	renfort	reinforcement
le	reportage	report
se	réjouir	to rejoice
la	rixe	brawl, scuffle
la	rue commerçante	shopping street
	sciemment	deliberately
le	seuil	threshold
la	solidarité	solidarity
	souffler	to blow
	souhaiter	to wish
	toutefois	nevertheless, however
la	volonté	willingness

6.3 L'engagement politique chez les immigrés

l'	aisance (f)	ease
l'	amende (f)	fine
l'	angélisme (m)	naive optimism
l'	assassinat (m)	murder
	associatif(-ive)	connected to the community
l'	attentat (m)	attack
	bondir	to leap up
la	campagne	campaign
	combattre	to fight against
la	communauté	community
avoir	conscience	to be aware
la	contrainte	obligation
la	crise	crisis
	délétère	poisonous
le	délit	offence
	dévoiler	to unveil

les	données (fpl)	data
le	droit de séjour	right to stay
l'	échiquier (m)	chessboard
l'	égalité	equality
l'	éloignement (m)	removal
l'	émeute (f)	riot
	enregistrer	to record
	établi(e)	established
	établir	to establish
la	faille	rift
	fiable	reliable
	fidèle	loyal
la	fraternité	brotherhood
la	haine	hatred
avoir	honte	to be ashamed
	implacable	inflexible
	insuffisamment	insufficiently
de l'	intérieur	from the inside
la	lutte	struggle, fight
	lutter contre	to fight against
la	manifestation	demonstration
se	manifester	to occur, happen
	militer	to be an activist
la	multiplication	increase in numbers
le	perdant	loser
	peu enviable	unenviable
	peu scrupuleux(-euse)	unscrupulous
en	phase avec	in line with
le	pote	mate (slang)
le	propos raciste	racist remark
	rapatrié(e)	repatriated
le	refus	refusal
bien	rémunéré(e)	well paid
	scolarisé(e)	educated
en	situation irrégulière	foreign national whose papers are not in order
	sollicité(e)	called upon
	soutenir	to support
la	stratégie	strategy
le	syndicat	trade union
se	taire	to remain silent
	valider	to validate
	viser à	to aim to
la	zone grise	grey area

Vocabulaire

assidu *regular*
l'école (f) buissonnière *truancy*
méconnu *unknown*
prôner *to advocate*

« *L'adolescence ne laisse un bon souvenir qu'aux adultes ayant mauvaise mémoire.* »

François Truffaut

1a **Lisez le texte et remplissez les blancs avec les mots de la liste.**

Enfant non ¹_____ et mal-aimé, François Truffaut se réfugie dans le cinéma et la ²_____. Entre école buissonnière et petite délinquance, la fréquentation assidue des ³_____ l'amène à rencontrer le critique de cinéma André Bazin, son père ⁴_____ , qui lui ouvre les portes des revues cinéphiles: après un engagement dans l'armée en 1951, suivi d'une désertion, François Truffaut entre aux *Cahiers du cinéma*, puis à la ⁵_____ *Arts* en 1953, où il publie des articles ⁶_____ polémiques contre l'académisme des ⁷_____ « de la Tradition de la Qualité ». Adepte d'un cinéma ⁸_____ , il admire Jean Renoir, Max Ophuls, et certains réalisateurs ⁹_____ méconnus. Avec Jean-Luc Godard, Jacques Rivette ou Éric Rohmer, François Truffaut prône un cinéma indépendant, ¹⁰_____ et spontané.

Critique puis réalisateur, François Truffaut est l'un des ¹¹_____ majeurs de la « Nouvelle Vague » du cinéma français des années soixante. Son premier long métrage, *Les Quatre Cents Coups* (1958), a rencontré un immense ¹²_____ et a révélé le jeune réalisateur au grand public. Le film est devenu ¹³_____ de la « Nouvelle Vague », expression désignant un groupe de jeunes cinéastes (souvent issus de la critique) ¹⁴_____ d'un cinéma d'auteur débarrassé de la toute-puissance des scénaristes. Dans ce film en noir et blanc largement inspiré de son enfance secrète et solitaire, apparaît le personnage d'Antoine Doinel, ¹⁵_____ par Jean-Pierre Léaud, qui viendra à être considéré comme le double à l'écran du réalisateur lui-même.

spirituel	d'auteur	désiré	cinéastes	ciné-clubs
revue	incarné	emblématique	inventif	adeptes
littérature	représentants	succès	violemment	américains

1b **Traduisez en anglais le deuxième paragraphe du texte.**

2 **À l'écrit. Écrivez en français un paragraphe de 50 mots au maximum où vous résumez le scénario du film.**

3 **À l'écrit. Faites le portrait d'Antoine Doinel, à gauche. Écrivez environ 150 mots.**

- Comment est-il physiquement?
- Quel est son caractère?
- Dans quel milieu est-ce qu'il habite?
- Comment est son comportement journalier?

4 **À l'oral. Faites une présentation de deux minutes sur Antoine Doinel. Utilisez votre réponse à l'activité 3 pour vous aider. Décidez si vous avez de la sympathie pour lui et justifiez votre réponse.**

Ses réactions sont…

On peut le considérer…

Il y a des moments où…

Il réagit sans réfléchir.

Il se montre (in)capable de…

5 **Considérez la représentation d'Antoine et de ses parents. Avec un(e) partenaire, décidez quelle(s) définition(s) s'applique(nt) à ces protagonistes:**

- un personnage archétypique
- un personnage stéréotypé
- un personnage statique
- un personnage dynamique.

Justifiez vos réponses en vous référant à:

- leurs caractéristiques
- leurs actions
- leur (manque de) développement tout au long du film.

6 **À l'écrit. Identifiez dans le film une scène qui représente bien le caractère de chaque protagoniste. Écrivez un paragraphe d'environ 50 mots pour chacun où vous expliquez votre choix de scène.**

7 **À l'écrit. Regardez la liste de quelques techniques utilisées par François Truffaut dans *Les Quatre Cents Coups*. Quel est l'effet de ces techniques? Expliquez comment les techniques sont utilisées dans le film. Écrivez 25–30 mots pour chacune.**

- l'emploi d'acteurs anonymes / peu connus
- le tournage en noir et blanc
- le dialogue quasi spontané / improvisé
- les longs plans séquences
- le bruitage
- l'emploi de musique
- l'emploi des miroirs
- les gros plans de visage
- le plan fixe

8 **À l'écrit. Regardez les images à droite. Choisissez-en une pour écrire un commentaire d'environ 150 mots en expliquant la technique utilisée, son effet et sa signification.**

9 **À l'oral. Faites une présentation de deux minutes sur votre scène favorite du film en indiquant les éléments que vous trouvez impressionnants.**

> ### ■ Expressions clés
>
> Cette technique est utilisée pour…
> La technique renforce…
> La technique met l'accent sur…
> La technique souligne…
> Cette technique aide à …
> Cette technique suggère…
> De cette manière on peut…
> En utilisant… le réalisateur…

« LA GLOIRE, JE L'AI RENCONTRÉE À 18 ANS EN 188 PAGES »

Née le 21 juin 1935 à Cajarc, Françoise Quoirez – elle prendra plus tard le pseudonyme de Françoise Sagan (emprunté à un personnage de Proust) pour la publication de *Bonjour Tristesse* – est issue d'une famille bourgeoise.

Élève peu brillante, elle a préféré lire seule Jean-Paul Sartre et Albert Camus tout en fréquentant régulièrement les clubs de jazz du Quartier latin. Elle a raté ses examens universitaires à la Sorbonne mais, fascinée par les *Illuminations* de Rimbaud, elle a écrit en quelques semaines *Bonjour Tristesse* (le titre tiré d'un vers de Paul Éluard) qu'elle a déposé au bureau de l'éditeur René Julliard. *Bonjour Tristesse* raconte dans un style immédiat et détaché l'éveil à l'amour d'une adolescente à la fois innocente et perverse.

Le roman de Françoise Sagan, âgée alors d'à peine 19 ans, est lancé au printemps 1954 sur fond d'émancipation féminine. Neuf années après la guerre, un vent de liberté souffle sur le Saint-Germain des Prés existentialiste. La presse s'emballe pour le ton nouveau de cette mineure. Le livre obtient le prestigieux Prix des Critiques avant d'être encensé par François Mauriac. Le public curieux et un tantinet choqué suit, les ventes explosent et *Bonjour Tristesse* atteint à ce jour plus de deux millions d'exemplaires vendus. C'est l'un des plus grands best-sellers de l'histoire de l'édition française. La jeune Françoise Sagan connaît la gloire, propulsée icône de la jeunesse affranchie des années 1950–1960 et bientôt égérie des zazous et des existentialistes parisiens de tous poils. « La gloire, je l'ai rencontrée à 18 ans en 188 pages, c'était comme un coup de grisou », dira-t-elle plus tard.

■ Vocabulaire

affranchi *liberated*
le coup de grisou *firedamp explosion (firedamp is a type of gas)*
l'égérie (f) *muse*
s'emballer *to be carried away with enthusiasm*
encensé *lauded, praised*
sur fond de *against a background of*
un tantinet choqué *a tad shocked*
de tous poils *of all kinds*
les zazous (mpl / fpl) *hipsters, 'the jazz crowd'*

1a Répondez aux questions en français.

1 Où et quand Françoise Sagan est-elle née?
2 Elle avait quel âge quand *Bonjour Tristesse* a été publié?
3 Elle a gagné quel prix pour son roman?
4 Combien d'exemplaires de *Bonjour Tristesse* ont été vendus jusqu'à maintenant?
5 Comment Françoise Sagan a-t-elle réagi?

1b Traduisez en anglais le deuxième paragraphe du texte (« Élève peu brillante … innocente et perverse. »).

2 Voici une liste des mots clefs pour parler de *Bonjour Tristesse*. Trouvez les équivalents français / anglais:

l'été (m)	l'adolescence (f)	la pinède	plot	sadness	Riviera
les conquêtes (fpl)	la chaleur	la Riviera	parent	spoilt child	relationships
les relations (fpl)	le casino	le père	love	summer	casino
l'enfant (f) gâtée	la vengeance	l'accident (m) de route	adolescence	father	girlfriend
la petite amie	la jalousie	le remords	heat	jealousy	entanglements
l'amour (m)	les liaisons (fpl)	la tristesse	conquests	pine wood	revenge
le complot	le parent		remorse	road accident	

3 À l'écrit. Faites un résumé de *Bonjour Tristesse*. Écrivez un maximum de 50 mots.

4 À l'écrit. Faites le portrait de Cécile en environ 150 mots en vous référant à:

- ses caractéristiques
- ses actions
- son développement tout au long du roman.

Est-ce que vous avez de la sympathie pour Cécile? Justifiez votre réponse.

5 À l'écrit. Dans le roman, identifiez une scène qui représente bien le caractère de Cécile. Écrivez environ 200 mots où vous expliquez votre choix de scène.

6 À l'écrit. Considérez les rôles joués par les personnages secondaires du roman. Écrivez un paragraphe d'environ 50 mots sur chaque personnage de la liste pour expliquer ce personnage et son rôle.

- Raymond
- Anne Larsen
- Elsa
- Cyril
- Charles Webb et sa femme

7 À l'oral. *Bonjour Tristesse* nous est présenté à la première personne. De ce point de vue subjectif, qu'est-ce qu'on apprend des rapports entre Cécile et les autres? Choisissez un personnage de l'activité 6 et, en deux minutes, présentez votre réponse à la classe.

8 À l'écrit. Regardez (à droite) la liste de quelques thèmes de *Bonjour Tristesse*. Pour chaque thème, identifiez une scène du roman qui le représente d'une manière impressionnante. Justifiez votre choix en environ 50 mots.

L'amour
L'adolescence troublée
La jalousie
La tristesse
Le remords
L'égoïsme

9 Décidez quelle scène du roman est la plus importante pour vous. Faites une analyse écrite de cette scène. Écrivez environ 200 mots. Vous pouvez mentionner:

- les actions importantes
- les thèmes principaux présentés
- l'importance de la scène à votre avis.

10 Traduisez en anglais cette critique qui parle de l'adaptation cinématographique de 1958 de *Bonjour Tristesse* par Otto Preminger.

D'après le roman de Françoise Sagan (qui est beaucoup plus fort que le film en question), cette charmante pochade d'Otto Preminger regorge de villas luxueuses et voitures de sport, de robes somptueuses et bijoux de haute qualité, de dîners à Saint-Tropez et soirées à Monte-Carlo! En pauvre petite fille riche, Jean Seberg s'imprime durablement dans nos mémoires pour sa jeunesse, sa beauté, ses cheveux courts et blonds. Dommage que le reste de la distribution ne soit pas à la hauteur.

Expressions clés

(Cécile) est de nature…
La plupart du temps, elle…
Elle se comporte comme (si)…
Elle semble être (toujours)…
Elle veut avant tout…
Il y a des moments où…
D'après ses actions…
En fin de compte, elle…

1a Lisez cet extrait du roman *Jean de Florette* et choisissez l'expression qui a le même sens que les expressions ci-dessous tirées du texte.

Six mois plus tôt, un « étranger du dehors » était venu un jour s'installer au village des Ombrées, de l'autre côté de la colline.

Il arrivait on ne savait d'où, mais certainement du Nord, car il avait cet accent ridicule qui supprime les « e » muets, comme dans les chansons de Paris, et de plus, il ne quittait jamais un grand chapeau noir parce qu'il avait peur du soleil.

C'était un homme de haute taille, avec des mains épaisses et lourdes, une grosse figure rougeaude, et des cils roux à ses yeux bleus. Il s'appelait d'un nom étrange: Siméon.

Il avait acheté un petit cabanon dans la colline, juste au-dessus des Ombrées, et il vivait avec une vaste femme de sa race, qui cultivait des légumes dans le petit jardin, et nourrissait cinq ou six poules.

Ce Siméon affectait un grand mépris pour les indigènes, qui le regardaient de travers.

Chaque année, il prenait un permis de chasse pour justifier ses courses dans les collines. Mais le fusil n'était pas son arme principale: en réalité, il tendait des pièges, des collets et des gluaux très fins autour de petits abreuvoirs bien cachés, qu'il allait remplir d'eau tous les jours.

Deux fois par semaine, il partait pour Marseille à bicyclette; il mettait un bleu de plombier, et fixait sur le porte-bagages une grosse boîte à outils, qui était pleine de grives, de lapins et de perdrix.

Jean de Florette (premier tome de *L'Eau des collines*),
Marcel Pagnol (1963)

1 étranger
- **a** personne qui est née en dehors de la France
- **b** personne qui n'est pas la bienvenue
- **c** personne qui vient d'ailleurs

2 supprime
- **a** ne prononce pas
- **b** prononce clairement
- **c** prononce mal

3 vaste
- **a** bavarde
- **b** curieuse
- **c** énorme

4 indigènes
- **a** gens du coin
- **b** nouveaux venus
- **c** travailleurs manuels

5 tendait
- **a** préparait
- **b** se rapprochait de
- **c** tirait

1b Complétez les phrases selon le sens du texte.

1 On supposait que l'« étranger » venait…
2 Son accent faisait penser aux…
3 Il portait un chapeau pour se…
4 Il s'appelait Siméon. Ce n'était pas un prénom…
5 Sa femme s'occupait…
6 Les indigènes…
7 Pour attraper des bêtes, Siméon se servait surtout de…
8 Siméon se rendait à Marseille afin de…

Marcel Pagnol

Né le 28 février 1895 à Aubagne dans le sud-est de la France, Marcel Pagnol a fondé ses propres studios de cinéma en 1934 et a réalisé de nombreux films avec les grands acteurs de la période. En 1946, il a été élu à l'Académie française. En 1962, il a publié *L'Eau des collines*, roman en deux tomes: *Jean de Florette* et *Manon des Sources*, inspiré de son film *Manon des Sources* qui avait été réalisé dix ans plus tôt. Marcel Pagnol est mort en 1974 à Paris.

En plus… En 1926, Marcel Pagnol a assisté à Londres à une projection de *Broadway Melodies*, un des premiers films parlants. C'est à ce moment-là qu'il a décidé de se consacrer au cinéma. Les auteurs de théâtre l'ont considéré comme un traître.

Vocabulaire

l'abreuvoir (m) *trough*
le bleu *overalls*
le cil *eyelash*
le collet *trap, noose*
le gluau *snare (to trap birds)*
la grive *thrush*
le piège *trap*
rougeaud *red(-faced)*

2a Lisez cet extrait du roman *Le Grand Meaulnes* et remplissez chaque blanc avec un mot de la case.

La pluie était tombée tout le jour, pour ne cesser qu'au soir. La journée avait été mortellement ennuyeuse. Aux récréations, personne ne sortait. Et l'on entendait mon père, M. Seurel, crier à chaque minute, dans la classe:

« Ne sabotez donc pas comme ça, les gamins! »

Après la dernière récréation de la journée, ou comme nous disions, après le dernier « quart d'heure », M. Seurel, qui depuis un instant marchait de long en large pensivement, s'arrêta, frappa un grand coup de règle sur la table, pour faire cesser le bourdonnement confus des fins de classe où l'on s'ennuie, et, dans le silence attentif, demanda:

« Qui est-ce qui ira demain en voiture à La Gare avec François, pour chercher M. et Mme Charpentier? »

C'étaient mes grands-parents: grand-père Charpentier, l'homme au grand burnous de laine grise, le vieux garde forestier en retraite, avec son bonnet de poil de lapin qu'il appelait son képi… Les petits gamins le connaissaient bien. Les matins, pour se débarbouiller, il tirait un seau d'eau, dans lequel il barbotait, à la façon des vieux soldats, en se frottant vaguement la barbiche. Un cercle d'enfants, les mains derrière le dos, l'observaient avec une curiosité respectueuse… Et ils connaissaient aussi grand'mère Charpentier, la petite paysanne, avec sa capote tricotée, parce que Millie l'amenait, au moins une fois, dans la classe des plus petits.

Il fallait, pour conduire avec moi la voiture qui devait les ramener, quelqu'un de sérieux qui ne nous versât pas dans un fossé, et d'assez débonnaire aussi, car le grand-père Charpentier jurait facilement et la grand'mère était un peu bavarde.

Le Grand Meaulnes, Alain-Fournier (1913)

1 Ce jour-là, il avait beaucoup …
2 Aux récréations, lorsqu'il faisait mauvais, les élèves … dans la salle de classe.
3 Le professeur a frappé un grand coup de règle sur la table pour … la classe.
4 Il a demandé à la classe si quelqu'un … aller chercher M. et Mme Charpentier.
5 M. Charpentier était bien …
6 Il se … d'un « képi » qui était un bonnet de poil de lapin.
7 Mme Charpentier allait … la classe des plus petits.

calmer	connu	restaient	voir
coiffait	plu	voulait	

2b Relisez l'extrait. Vrai (V), faux (F) ou information non-donnée (ND)?

1 Ce jour-là, les élèves avaient été trop occupés.
2 M. Seurel devait sortir pour récupérer les enfants.
3 M. Seurel a réussi à faire taire les enfants.
4 M. et Mme Charpentier voulaient que François vienne les chercher.
5 M. Charpentier avait travaillé comme garde forestier.
6 Les enfants respectaient M. Charpentier.
7 Mme Charpentier avait travaillé comme institutrice.
8 D'habitude, Mme Charpentier était silencieuse dans la voiture.

Alain-Fournier

Alain-Fournier est né le 3 octobre 1886 à La Chapelle-d'Angillon dans le Cher. Son roman *Le Grand Meaulnes* est paru en 1913. Il a transposé dans ce livre sa rencontre avec son premier amour, Yvonne de Quièvrecourt. *Le Grand Meaulnes* a été largement salué par la critique et a raté d'une seule voix le prestigieux prix Goncourt. L'écrivain est mort au combat le 22 septembre 1914, à l'âge de 27 ans. Il a été nommé chevalier de la Légion d'honneur et décoré de la Croix de guerre avec palme, à titre posthume.

En plus… Alain-Fournier est un pseudonyme, le vrai nom de l'écrivain étant Henri-Alban Fournier. *Le Grand Meaulnes* est son seul roman. Cependant, il a également écrit de nombreux poèmes et nouvelles.

Vocabulaire

la barbiche *goatee*
barboter *to splash around*
le bourdonnement *humming*
le burnous *cloak*
la capote *hood*
se débarbouiller *to give one's face a quick wash*
débonnaire *easy-going*
saboter *to botch, mess up*
verser *to deposit*

Literary language

The last paragraph of this extract includes one example of a verb in the imperfect subjunctive: *versât*. The imperfect subjunctive is no longer in current use, but you will find it in some literary texts. It occurs in similar situations to the present subjunctive, but in sentences where the main verb is in the imperfect, pluperfect or conditional tense. Its stem is the same as the past historic but the endings are different.

3a Lisez cet extrait du conte *Le Petit Prince*. Choisissez dans le texte un mot ou une expression qui a le même sens que les expressions ci-dessous.

> J'ai vécu seul, sans personne à qui parler véritablement, jusqu'à une panne dans le désert du Sahara, il y a six ans. Quelque chose s'était cassé dans le moteur de mon avion. Et comme je n'avais avec moi ni mécanicien, ni passagers, je me préparai à essayer de réussir, tout seul, une réparation difficile. C'était pour moi une question de vie ou de mort. J'avais à peine de l'eau à boire pour huit jours.
>
> Le premier soir je me suis donc endormi sur le sable à mille milles de toute terre habitée. J'étais bien plus isolé qu'un naufragé sur un radeau au milieu de l'océan. Alors vous imaginez ma surprise, au lever du jour, quand une drôle de petite voix m'a réveillé. Elle disait:
>
> – S'il vous plaît… dessine-moi un mouton!
>
> – Hein!
>
> – Dessine-moi un mouton…
>
> J'ai sauté sur les pieds comme si j'avais été frappé par la foudre. J'ai bien frotté mes yeux. J'ai bien regardé. Et j'ai vu un petit bonhomme tout à fait extraordinaire qui me considérait gravement.
>
> Je regardai donc cette apparition avec des yeux tout ronds d'étonnement. N'oubliez pas que je me trouvais à mille milles de toute région habitée. Or mon petit bonhomme ne me semblait ni égaré, ni mort de fatigue, ni mort de faim, ni mort de soif, ni mort de peur. Il n'avait en rien l'apparence d'un enfant perdu au milieu du désert. Quand je réussis enfin à parler, je lui dis:
>
> – Mais… qu'est-ce que tu fais là?
>
> Et il me répéta alors, tout doucement, comme une chose très sérieuse:
>
> – S'il vous plaît… dessine-moi un mouton…
>
> *Le Petit Prince,* Antoine de Saint-Exupéry (1943)

1 presque pas
2 quand le soleil est apparu
3 je me suis levé soudainement
4 complètement
5 sans élever la voix

3b Relisez l'extrait et répondez aux questions en français.

1 Pourquoi le narrateur s'est-il retrouvé dans le désert du Sahara?
2 Pourquoi le narrateur a-t-il dû faire une réparation tout seul?
3 Pourquoi sa vie était-elle en danger?
4 Le lendemain matin, qu'est-ce qui a surpris le narrateur?
5 Pourquoi le narrateur s'est-il frotté les yeux?
6 Qu'est-ce qui était bizarre dans l'apparence du « petit bonhomme »?
7 Qu'est-ce que le narrateur lui a demandé d'expliquer?
8 Pourquoi avons-nous l'impression que le « petit bonhomme » n'écoutait pas le narrateur?

4 Traduisez en anglais le paragraphe sur Antoine de Saint-Exupéry (« Né en juin 1900 … un immense succès mondial. »).

Antoine De Saint-Exupéry

Né en juin 1900 dans une famille issue de la noblesse française, Antoine de Saint-Exupéry a passé une enfance heureuse malgré la mort prématurée de son père. Il est devenu pilote lors de son service militaire en 1921 à Strasbourg. Il s'est inspiré de ses expériences d'aviateur pour publier ses premiers romans: *Courrier sud* en 1929 et *Vol de nuit* en 1931. Il a servi dans l'Armée de l'air pendant la Seconde Guerre mondiale et il a disparu en mer avec son avion en juillet 1944. Quant au *Petit Prince*, ce conte plein de charme et d'humanité est devenu très vite un immense succès mondial.

En plus… Pour apprécier au mieux *Le Petit Prince*, il faut lire la version qui a été publiée en 1943 à New York et en 1946 en France avec les aquarelles de l'auteur.

Vocabulaire

égaré *lost*
la foudre *lightning*
le mille *mile*
le naufragé *shipwrecked sailor*
le radeau *raft*

5a Lisez cet extrait du conte *Le Message*. Trouvez dans le texte les verbes 1–8 au passé simple. Écrivez l'infinitif de chaque verbe et traduisez-le en anglais.

En 1819, j'allais de Paris à Moulins. L'état de ma bourse m'obligeait à voyager sur l'impériale de la diligence. Les Anglais, vous le savez, regardent les places situées dans cette partie aérienne de la voiture comme les meilleures. Durant les premières lieues de la route, j'ai trouvé mille excellentes raisons pour justifier l'opinion de nos voisins. Un jeune homme, qui me parut être un peu plus riche que je ne l'étais, monta, par goût, près de moi, sur la banquette. Il accueillit mes arguments par des sourires inoffensifs. Bientôt une certaine conformité d'âge, de pensée, notre mutuel amour pour le grand air, pour les riches aspects des pays que nous découvrions à mesure que la lourde voiture avançait, fit naître entre nous une espèce d'amitié. Nous n'avions pas fait trente lieues que nous parlions des femmes et de l'amour. Il fut naturellement question de nos maîtresses. À une lieue de Pouilly, la diligence versa. Mon malheureux camarade jugea devoir, pour sa sûreté, s'élancer sur les bords d'un champ fraîchement labouré, au lieu de se cramponner à la banquette, comme je le fis, et de suivre le mouvement de la diligence. Il prit mal son élan ou glissa, je ne sais comment l'accident eut lieu, mais il fut écrasé par la voiture, qui tomba sur lui. Nous le transportâmes dans une maison de paysan. À travers les gémissements que lui arrachaient d'atroces douleurs, il put me léguer un de ces soins à remplir auxquels les derniers vœux d'un mourant donnent un caractère sacré. Au milieu de son agonie, le pauvre enfant se tourmentait, avec toute la candeur dont on est souvent victime à son âge, de la peine que ressentirait sa maîtresse si elle apprenait brusquement sa mort par un journal. Il me pria d'aller moi-même la lui annoncer.

Le Message, Balzac (1832)

1	parut	**5**	prit
2	accueillit	**6**	transportâmes
3	fut	**7**	put
4	fis	**8**	pria

5b Relisez l'extrait. Écrivez un résumé en français en utilisant vos propres mots. Écrivez 100 mots au maximum. Mentionnez:

- le voyage que le narrateur effectuait
- la rencontre avec le jeune homme
- l'accident et ses conséquences.

Literary language

Literary French has its challenges for the non-native reader. You can expect to come across unfamiliar words such as those describing outdated objects or concepts. You may also have to unravel complex sentences.

The sentence *À travers les gémissements … un caractère sacré* in the Balzac extract becomes more accessible once you realise that *que* is followed by inverted word order (i.e. it could be written *les gémissements que d'atroces douleurs lui arrachaient...*) and that *auxquels* refers back to *soins*.

Honoré De Balzac

Honoré de Balzac est né dans un milieu bourgeois à Tours le 20 mai 1799. On peut considérer Balzac comme l'inventeur du roman moderne avec son ensemble romanesque de la *Comédie humaine*. Il a écrit 137 œuvres comprenant des romans réalistes, fantastiques, philosophiques, ainsi que des contes, des nouvelles, des essais et des études analytiques. Balzac est mort à Paris le 18 août 1850.

En plus…

En 1828, il a fait faillite après s'être lancé comme éditeur et imprimeur. Il n'a jamais pu accéder à l'Académie française.

Vocabulaire

la candeur *innocence*
cramponner *to hang on tight*
la diligence *stagecoach*
l'impériale (f) *upper deck*
léguer *to leave (something to someone)*
la lieue *league (unit of distance)*
prendre son élan *to gain momentum*
verser *to overturn*

WHAT IS THE INDIVIDUAL RESEARCH PROJECT?

The individual research project requires you to research an area of interest that relates to a French-speaking country.

You will have two minutes to give a presentation on your topic and then you will be required to discuss it with your teacher for a further 9–10 minutes. This is worth up to 35 marks (5 marks for the presentation and 30 marks for the discussion) out of a total of 60 for the whole speaking exam.

You will need to be able to demonstrate your ability to do and evaluate research, and express and defend your opinion. You cannot choose the same topic as another student in your class, nor can you research a text or film you are studying as part of your course.

Choosing a topic

Choose your topic and be sure to immerse yourself in it thoroughly so that you can make the subject your own, with your own ideas and angles:

- Think about your own interests – if you are interested in a sport, you could choose a topic related to that sport in France.
- You might choose a topic you feel strongly about, which may be related to one of the areas studied in French – a political or social issue, for example.
- You could talk about a different film or book by one of the directors or authors you have studied.
- Think about the other subjects you are studying – if you are studying science there may be a famous French-speaking scientist who grabs your interest.
- Think about what you have enjoyed studying from the course. For example, there might be a site in the cultural heritage section that you have visited.
- Think about a francophone country or area of interest to you – maybe you are interested in Haiti and could find out more about the country.

Move on to think about questions you might want to ask and answer on that topic and do some preliminary research:

- Can you find anything in a quick internet search? If not, it might be a harder area to research.
- What's the 'hook' of the topic that draws you towards it?
- Can you find enough to talk about and have a discussion on?

Conseil

- If you don't know where to start, make a list of what you feel comfortable and confident talking about.

- Your topic, or your particular angle on the topic, should be different from whatever has been chosen by other members of your class.

- You can always ask your teacher for advice on choosing a topic.

- You can also ask your teacher's advice about whether the subject matter is suitable. Your teacher can also give you guidance on coming up with a proposed project title.

1 **Faites des plans sur quelques sujets d'intérêt – par exemple, un organigramme – et répondez aux questions pour chacun:**

- Est-ce que vous avez déjà une compréhension du sujet?
- Qu'est-ce qu'il faudra apprendre pour maîtriser le sujet? Faites une liste.
- Comment pourriez-vous approfondir votre compréhension du sujet? Qu'est-ce que vous pourriez dire d'original à ce sujet?
- Lequel des sujets que vous avez choisis vous paraît le plus intéressant?

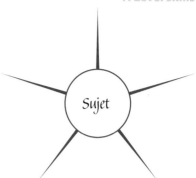

Sujet

Research

Once you have chosen your topic, create a research plan:

- Draw up a timetable for research and planning, including time for evaluation and reflection.
- Book several appointments with your teacher to discuss progress made, and for your teacher to advise you.
- Make a list of what you want to find out and the different angles you want to explore on the topic.
- Think about the research sources you are going to use. You <u>must</u> use the internet for at least one of your sources but think about other paper-based sources you could use. You may want to talk to some experts.

Make sure that your notes are clear and that you sift through information rather than including everything you find. It is a good idea to use a research diary where you might list progress made and resources consulted. Think about using highlighters as well as bookmarking so as not to lose information found on the internet.

- Decide on several questions that you would like to try to answer through your research. This will help focus your mind.
- Use a variety of sources. You might use the internet for written sources but also consider video channels. It may be that a film or song you would like to talk about is available on a streaming service.
- Many French library resources are now online. Scanned archive materials are sometimes available in departmental archives.
- When using a search engine such as Google, check that your filters are set to accept results from outside the UK. Set the language of your results to French and use the French domain: www.google.fr.

Conseil

- Your teacher can suggest sources of reference, provide guidance on research techniques and help with planning your time.

- Consider alternative viewpoints in your research. You could ask families and friends their opinions in English. This will inspire you to empathise and help with preparation for discussions.

- Stay focused on your topic and continually review the central questions that you are looking to explore.

- Always carry out research in the target language. The process of translating the information will help you to understand the topic and provide you with authentic vocabulary and idiomatic phrases.

Sujet:		
Il s'agit de...		
Idée clé:	Idée clé:	Idée clé:
Dans l'ensemble, ce que je pense c'est...		

2 **Faites un plan de recherche.**

- Regardez le calendrier de l'année scolaire. Décidez avec votre professeur combien de temps vous avez. Connaissez-vous la date de votre examen?
- Faites la liste des rubriques pour votre feuille d'examen.
- Faites une liste des sources de recherche et organisez un journal de recherche.

Analysing research

When analysing your research, think about the following:

- Who is the author of the source and what is their viewpoint?
- Is there any relevant statistical information that could form part of your presentation or support your findings?
- What is your opinion or point of view on the questions that arise from your topic?

If you consider whether a source is biased or factual, it can help you think about your own opinion on the topic, or it could provide a point of reference for the discussion. Group your research together under subheadings, and find a logical sequence in which to present it.

Decide which items you want to be part of your two-minute presentation, and which items you want to hold back for the ensuing discussion, so that you can expand with evidence or counter an argument.

Be prepared to discuss the subject further in the discussion. The examiner may have a question that you did not think of. Keep a note of where you got your research from as this could be asked about. Consider how you will talk about how you chose your sources, and what surprised or interested you. Think carefully about the research you did and how it could be improved. Revisit it and review it after a break of a few days.

Structuring and preparing for the presentation and discussion

The first thing to do before starting to prepare your presentation and discussion is to finalise your list of headings in English. These need to prompt the discussion that you want and ensure that it does not go off topic. Your teacher can advise you on whether these are appropriate.

You should also think about the language and structures you want to use in your conversation. Draw up a tick list of 10–15 phrases or terms and practise using these in lots of different situations. For example, using the subjunctive mood with a phrase like *bien que*…

3 **Préparez une liste d'expressions et de structures grammaticales à utiliser pour votre présentation. Trouvez:**

- une bonne méthode pour introduire chaque point
- des phrases pour introduire votre opinion ainsi que les opinions d'autres personnes
- une façon de ressaisir l'initiative si vous faites une erreur
- des exemples de verbes ou expressions qui prennent le subjonctif
- des phrases pour présenter les points dans un ordre bien défini
- quelques phrases indiquant que vous avez fini un point afin d'éviter de bafouiller.

Conseil

- Your teacher is allowed to provide advice on analysing research. Is the author biased? When was the source written?

- Consider the relevance of each piece of research to your topic and headings.

- As you analyse the research, think about how you might present and discuss it in a variety of ways in the target language.

Conseil

- Your teacher can advise you on the headings you have put together but can't advise you on the two-minute presentation itself. This must be your own work.

- Make sure it remains focused on the headings you have put together – it is only two minutes long and is there to introduce the topic, leading you into the majority of your material that will form the basis of the discussion afterwards.

Managing a discussion

Once you have delivered your two-minute presentation, a longer discussion section follows, which attracts most marks:

- Try to lead the conversation by having plenty to say about each of the headings you have listed, so that you are ready for anything that might arise in the discussion.
- Use a visual organiser such as a flow diagram or Venn diagram to organise your ideas under headings rather than writing a script.
- Think of ways to link your sections together.
- Anticipate questions: look at your presentation and think about areas that you may be asked about.
- Review your research: what could be useful in a discussion? Did you uncover alternative viewpoints? Develop a range of ways to give opinions and other key phrases so that you can avoid repetition and demonstrate range.
- Practise empathising. Try to demonstrate that you have thought about your subject material from lots of different angles.

4a **Préparez une présentation en français de deux minutes au maximum sur l'un des sujets suivants:**

- votre émission anglaise ou américaine préférée
- votre livre anglais préféré.

4b **À trois. Faites votre présentation entre vous.**

- La personne 1 fait la présentation.
- La personne 2 note des commentaires:
  – les bonnes expressions
  – les erreurs à corriger
  – la langue qu'on pourrait améliorer ou développer
  – des détails qu'on pourrait ajouter.
- La personne 3 pose des questions en considérant une opinion alternative. Par exemple, si la personne 1 aime une émission romantique, la personne 3 peut suggérer comment ajouter des détails aux raisons données, et proposer une opinion opposée.

Conseil

- The discussion part of the exam is not designed to catch you out. Look carefully at the mark scheme so you understand how your work will be marked. Talk to your teacher about this and identify your weaknesses early.

- Avoid putting too much time into preparation for the two-minute presentation. The discussion is your opportunity to really shine, and to show your fluency and range.

- Do not rote-learn answers to questions. This can lead to major problems, particularly if those questions are not asked. Know the material and practise lots of ways to get your points and opinions across.

- Keep some of your better points, expressions and facts back. If you use them all up in the presentation, you will have no good points to make in the conversation.

Quelques thèmes possibles: le sport, le cinéma, l'architecture

Paris Saint-Germain

Le Festival de Cannes

La Grande Mosquée de Djenné, au Mali, inscrite sur la liste du patrimoine mondial de l'Unesco

Introductory phrases

La question que je voudrais aborder…	*The question that I would like to address…*
Je parlerai tout d'abord de…	*First of all, I will speak about…*
Je commencerai par la question de…	*I will begin with the question of…*
Tout d'abord…	*First of all…*
Par rapport à…	*Regarding…*
Il s'agit ici de…	*It's about…*

Comparing and contrasting

En revanche…	*On the other hand…*
Contrairement à ce qu'on pense généralement…	*Contrary to popular opinion…*
Comparons…	*Let's compare…*
Notons à ce sujet que…	*We note that…*
Pourtant…	*However…*
Cependant…	*Nevertheless…*
Par contre…	*However / On the other hand…*
À l'inverse…	*Conversely…*

Opinions

À mon avis…	*In my opinion…*
Il y a ceux qui disent que…	*There are those who say that…*
Nombreux sont ceux qui demandent à ce que…	*Many people ask that…*
Certains pensent que…	*Some people think that…*
Je ne suis pas d'accord…	*I don't agree…*
Il est peu probable que (+ subj)…	*It's unlikely that…*

Reacting to a question

Dans un certain sens, oui.	*In a certain sense, yes.*
Quant à…	*As for…*
Il n'est pas question de…	*There is no question of…*
Il en va de même pour…	*This also goes for…*

Conclusions

En guise de conclusion…	*In conclusion…*
Pour clore cette discussion…	*To conclude this discussion…*
Pour mettre un terme à (ce débat / cette discussion)…	*To bring (this debate / discussion) to an end…*

Grammaire

1.1 Gender of nouns

Knowing the gender of a French noun is largely a question of careful learning, but there are guidelines to help you. The following general rules apply, but be careful as there are exceptions.

Masculine nouns

Nouns ending in the letter groups listed below are masculine – but note the exceptions.

ending	example	exceptions
-acle	un obstacle	
-age	le courage	la cage, une image, la page, la plage
-ail	le portail	
-al	le total	
-amme	le programme	la gamme
-eau	un oiseau	
-ème	le problème	
-er	le fer	la mer
-et	le billet	
-isme	le tabagisme	
-ment	le commencement	la jument
-oir	le miroir	

Feminine nouns

Nouns ending in the letter groups listed below are feminine – but note the exceptions.

ending	example	exceptions
-ance	la tendance	
-anse	la danse	
-ée	la journée	le lycée, le musée
-ence	la prudence	le silence
-ense	la défense	
-esse	la jeunesse	
-ie	la vie	le génie
-ière	la matière	le cimetière
-ise	la valise	
-sion	une expression	
-té	la santé	le côté, le pâté, le traité, le comité
-tié	une amitié	
-tion	la natation	le bastion
-ure	la nature	

Masculine nouns with modified feminine form

The feminine equivalent of many masculine nouns is formed by adding -e:

un commerçant – une commerçante
un Américain – une Américaine

Other patterns for masculine and feminine nouns are listed below.

masc. ending	fem. ending	masculine noun	feminine noun
-eur	-euse	le chanteur	la chanteuse
-teur	-trice	un instituteur	une institutrice
-eau	-elle	le jumeau	la jumelle
-er	-ère	le boulanger	la boulangère
-ien	-ienne	un Italien	une Italienne
-on	-onne	le Breton	la Bretonne
-f	-ve	le veuf	la veuve
-x	-se	un époux	une épouse

Single gender nouns

Some nouns retain the same gender, irrespective of the person described.

Always masculine:

un amateur, un bébé, un médecin, un peintre, un professeur (but un / une prof), un témoin

Always feminine:

une connaissance, une personne, une recrue, une sentinelle, une star, une vedette, une victime

1.2 Plural forms of nouns

The plural of a noun is normally formed by adding -s:

un livre – des livres

Other patterns for singular / plural forms are listed below.

sing. ending	pl. ending	example (sing. / pl.)
-al	-aux *or* -als	animal / animaux bal / bals, festival / festivals
-ail	-aux *or* -ails	travail / travaux détail / détails
-au, -eau, -eu	*add* -x	bateau / bateaux, jeu / jeux
-ou	-ous *or* -oux	trou / trous bijou / bijoux, genou / genoux
-s, -x, -z	*no change*	fils / fils, voix / voix, gaz / gaz

Learn these special cases:

le ciel – les cieux

un œil – les yeux

le grand-parent – les grands-parents

madame – mesdames

mademoiselle – mesdemoiselles

monsieur – messieurs

1.3 Definite articles: *le, la, l', les* – 'the'

The definite article is usually used in the same way as 'the' in English. However, in French it is often required where 'the' is omitted. Learn these in particular:

1 Before abstract nouns or nouns used to generalise:

L'argent donne la liberté.
Money gives freedom.

2 Before names of continents, countries, regions and languages:

La France est le pays d'Europe le plus visité.
France is the most visited country in Europe.

Le français n'est pas trop difficile.
French is not too difficult.

But the definite article is **not** required after *en* and *de*, with feminine place names only:

Cette année, nous allons en Normandie.
Elle revient de Norvège.

It is also **not** required with languages placed immediately after the verb *parler*:

Ici, on parle japonais.

3 Before arts, sciences, school subjects, sports, illnesses:

La physique nous permet de mieux comprendre l'univers.
Le sida nous fait bien peur.

4 Before parts of the body:

Pliez les genoux.
Il s'est cassé la jambe.

5 Before meals and drinks:

Le petit déjeuner est servi à partir de sept heures.

6 Before fractions:

Les trois quarts de l'électorat sont indifférents.

7 Before titles:

le président Hollande

1.4 Indefinite articles: *un, une, des* – 'a', 'an', 'some', 'any'

Note that *un / une* is **not** needed in the following situations:

1 When stating a person's occupation:

Mon père est médecin.
My father is **a** doctor.

2 After *quel, comme, en, en tant que, sans, ni*:

Quel frimeur!
What a show-off!

Je vous parle en tant que professeur.
I'm speaking to you as a teacher.

Tu n'as ni crayon ni stylo?
Haven't you got either a pencil or a pen?

3 In a list:

Étudiants, ouvriers, cadres: tous étaient là.
Students, workers, managers: they were all there.

1.5 Partitive articles: *du, de la, de l', des* – 'some', 'any'

The partitive article means 'some' or 'any' and describes an unspecified quantity.

*Je voudrais **du** beurre, s'il vous plaît.*
I'd like **some** butter, please.

	singular	plural
masculine	du / de l'	des
feminine	de la / de l'	des

All the forms change to *de* in the following situations:

1 After a negative verb (this also applies to the indefinite article *un* and *une*):

*Je joue **du** violon, je ne joue pas **de** piano.*
I play the violin, I don't play the piano.

(But note there is no change after *ne… que*:

*Il ne mange que **du** poisson.* He only eats fish.)

2 In expressions of quantity such as *assez de, trop de*:

*Ça cause trop **de** pollution.*
It causes too much pollution.

3 With plural nouns preceded by an adjective:

*On fait **des** efforts / On fait **de gros** efforts pour…*
We're making efforts / great efforts to…

4 In expressions such as:

bordé de, couvert de, entouré de, plein de, rempli de

2.1 Adjective agreement and position

Adjectives must agree in gender and number with their noun. Usually a masculine singular form needs to add *-e* for the feminine form, *-s* for the plural and *-es* for feminine plural.

masc. sing.	fem. sing.	masc. pl.	fem. pl.
vert	vert**e**	vert**s**	vert**es**

Adjectives that already end in *-e* do not need an extra *-e* in the feminine form: *jeune / jeune*. Those that end in *-s* or *-x* do not change in the masculine plural form: *dangereux / dangereux*.

Other patterns for masculine / feminine endings:

masc. sing.	fem. sing.	example
-er	-ère	mensonger / mensongère
-eur	-euse	trompeur / trompeuse
-f	-ve	informatif / informative
-x	-se	dangereux / dangereuse
-l	-lle	nul / nulle
-on	-onne	bon / bonne
-eil	-eille	pareil / pareille
-el	-elle	officiel / officielle
-en	-enne	moyen / moyenne
-et	-ète	inquiet / inquiète
-c	-che *or* que	blanc / blanche, public / publique

Invariable adjectives

Some adjectives never change; in dictionaries these are marked **inv.** for invariable. They include compounds such as *bleu foncé*, *bleu marine*, and colours where a noun is used as an adjective, such as *marron* ('brown' – lit. 'chestnut').

Position of adjectives

Most adjectives <u>follow</u> the noun they describe: *une jupe bleue*, *une chemise blanche*.

However, several common adjectives come <u>before</u> the noun they describe: *le mauvais temps, le premier avril*. These include:

beau	bon	gentil	joli	mauvais	méchant
vilain	grand	gros	haut	petit	vaste
jeune	nouveau	vieux	premier	deuxième	

2.2 Comparatives and superlatives

By adding *plus… que* (more… than), *moins… que* (less… than) or *aussi… que* (as… as) around adjectives, you can compare one thing to another. Each adjective still has to agree with its noun.

*Le taux de chômage est **plus élevé qu'**en Italie.*
The unemployment rate is higher than in Italy.

*La vie est **moins difficile qu'**en Pologne.*
Life is less difficult than in Poland.

To form superlatives (the most / biggest / best, etc.), use *le / la / les plus / moins* + adjective:

*C'est le problème **le plus difficile**.*
It's the most difficult problem.

*Les jeunes sont **les plus concernés**.*
Young people are the most affected.

Some useful irregular forms:

bon – meilleur(e)(s) – le / la / les meilleur(e)(s)
good – better – the best

mauvais – pire – le / la / les pire(s)
bad – worse – the worst

2.3 Adverbs and adverbial phrases

Formation

Most adverbs are formed from the feminine form of an adjective plus *-ment*:

franc / franche frank – *franchement* frankly

Adjectives ending in a vowel use the masculine form to form the adverb:

absolu – absolument

Adjectives ending in *-ent* or *-ant* use the following pattern:

évident – évidemment, constant – constamment

A number of adverbs end in *-ément*:

profond – profondément, énorme – énormément

Note two irregular forms:

bon – bien
good – well

mauvais – mal
bad – badly

Usage

Adverbs qualify verbs. Once they are formed, they never change (unlike adjectives). Very often an adverb describes how or when an action happens.

Il chante constamment.
He sings constantly.

Adverbs usually follow verbs. In a compound tense, they come between the auxiliary and the past participle:

*J'ai **poliment** demandé la permission.*
I asked permission politely.

But many adverbs of time and place follow the past participle:

*Je l'ai vu **hier**.*
I saw him yesterday.

Some adverbs are words you already know but may not think of as adverbs.

- Intensifiers and quantifiers, i.e. to show how strongly an adjective applies:
  très, un peu, trop, si, seulement, beaucoup, assez, plus, moins, tellement, presque, la plupart, plusieurs, tant

- Adverbs of time:
  après, avant, toujours, hier, aujourd'hui, demain, d'abord, enfin, parfois, souvent, tard, tôt

- Adverbs of place:
  ici, là, ailleurs, loin, dessus, dessous, dedans, devant, derrière, partout

Comparatives and superlatives of adverbs

These are formed in the same way as for adjectives:

moins *souvent* **que**…

plus *vite* **que**…

aussi *facilement* **que**…

Note two irregular forms:

bien – mieux – le mieux
well – better – the best

mal – pire / pis – le pis / le pire
badly – worse – the worst

NB *(le) pis* is rarely used except in the expressions *tant pis* and *ça va de mal en pis*.

*Il parle **bien** allemand mais il parle **mieux** français.*
He speaks German well but French better.

---

3 Pronouns

3.1 Subject pronouns

singular		plural	
je	*I*	nous	*we*
tu	*you*	vous	*you (plural or polite)*
il	*he, it*	ils	*they (m. or m. & f.)*
elle	*she, it*	elles	*they (f.)*
on	*one, we*		

Use *tu* when talking to a child, a person your own age or an adult you know very well such as a member of your family.

Use *vous* when talking to more than one person, a person you don't know or an adult you know but are not on familiar terms with.

Use *on* when talking about people in general and also, in informal speech, for 'we' (instead of *nous*).

When referring to a mixed group of people, remember to use the masculine plural *ils*.

3.2 Object pronouns

An object pronoun replaces a noun that is not the subject 'doing' the verb but is affected by that verb, i.e. is the object. Unlike in English, the pronoun goes before the verb.

A <u>direct</u> object pronoun replaces a noun linked 'directly' to the verb.

*Tu aimes **les haricots**? Je **les** adore!*
Do you like beans? I love them!

*S'il y a **un problème**, il faut **le** résoudre.*
If there is a problem, we must solve it.

An <u>indirect</u> object pronoun replaces a noun that is linked to the verb by a preposition, usually *à*.

*Je téléphone **à ma mère**. Je **lui** téléphone tous les jours.*
I phone **her** every day.

*Je demande **à mes copains** de sortir. Je **leur** demande de jouer au tennis.* I ask them to play tennis.

- Verbs that are used with a direct object include:
  attendre to wait for, *chercher* to look for

- Verbs that are used with an indirect object include:
  demander à qn de faire qch* to ask someone to do something
  dire à qn to tell / say to someone
  parler à qn to speak / talk to someone
  promettre à qn de faire qch to promise someone to do something
  téléphoner à qn to telephone someone
  (**qn = quelqu'un, qch = quelque chose*)

- Verbs that can be used with a direct and an indirect object include:
  donner qch à qn to give something to someone
  envoyer qch à qn to send something to someone

direct object pronouns		indirect object pronouns	
me (m')	*me*	me (m')	*(to) me*
te (t')	*you*	te (t')	*(to) you*
le (l')	*him, it*	lui	*(to) him / it*
la (l')	*her, it*	lui	*(to) her / it*
nous	*us*	nous	*(to) us*
vous	*you*	vous	*(to) you*
les	*them*	leur	*(to) them*

Note that for the first and second persons, (me, you, us, you pl.), the direct and indirect object pronouns are identical: *me, te, nous, vous*.

For the third person (him, her, it, them), the object pronouns are different: *le, la, les* for direct, and *lui, leur* for indirect.

Object pronouns also precede verbs in other tenses:
*Je **lui** ai téléphoné hier.*
I phoned him / her yesterday.
*Je **vous** dirai tout.*
I will tell you everything.
*Elles **nous** invitaient toujours.*
They always invited us.

With a negative, the negative expression goes around the pronoun as well as the verb:
*Je **ne lui** ai **pas** téléphoné.*
I didn't phone him / her.

If two object pronouns occur together, this is the sequence:
me, te, nous, vous go before *le, la, les* which go before *lui, leur.*

*Vous **me l'**avez dit.*
You told me. (You told it to me.)

*Je **les lui** ai offerts.*
I gave her them. (I gave them to her.)

See 3.6 for order when used with *y* and *en*.

3.3 Disjunctive (or emphatic) pronouns

singular		plural	
moi	*me*	nous	*us*
toi	*you (sing.)*	vous	*you (plural)*
lui	*him*	eux	*them (m. or m. & f.)*
elle	*her*	elles	*them (f.)*
soi	*one, oneself (used with* on*)*		

Disjunctive pronouns, which always refer to people not things, are used:

1 For emphasis:
***Moi**, je ne suis pas d'accord.*
I don't agree.

*C'est **lui** qui devrait céder, pas **elle**.*
It's him who should give way, not her.

2 Before -*même(s)*, meaning '-self' or '-selves':
*Il l'a construit **lui-même**.*
He built it himself.

3 After prepositions such as *chez, pour, sans, avec*:
*Tu vas rentrer directement chez **toi**?*
Are you going straight back home?

*Chacun pour **soi**!*
Each one for himself!

*Il est parti avec / sans **eux**.*
He left with / without them.

4 After certain verbs followed by *à* or *de*:

verb + *à*, e.g. *faire attention à, penser à, s'adresser à, s'intéresser à*:

*Elle pense toujours **à lui**.*
She's always thinking about him.

*Il faut faire attention **à eux**.*
You have to pay attention to them.

verb + *de*, e.g. *dépendre de, penser de, profiter de, s'approcher de*:

*Qu'est-ce qu'elle pense **de moi**?*
What does she think of me?

*Elle s'est approchée **de lui**.*
She approached him.

3.4 Relative pronouns

Relative pronouns are words like 'who', 'which' and 'that', used to connect two parts of a sentence.

qui	*who, which, that*
que	*who, whom, which, that*
ce qui	*what, something that*
ce que	*what, something that*
quoi	*what*
où	*where, when*
dont	*of which, whose*
lequel, laquelle	*which (sing.)*
lesquels, lesquelles	*which (pl.)*

1 *Qui* is the most common of these. It represents someone or something that is the subject of the verb that follows:
*Elle s'entend bien avec sa mère, **qui** l'écoute attentivement.*
She gets on well with her mother, who listens to her carefully.

2 *Que* represents someone or something that is the object of the verb that follows:
*C'est quelqu'un **que** je vois assez souvent.*
He / She is someone (whom / that) I see quite often.

3 *Qui* is used for 'who' or 'whom' after a preposition:
*La tante **avec qui** il habite…*
The aunt with whom he lives / that he lives with…

The relative pronoun can be left out in English – 'the aunt he lives with' – but not in French.

4 *Ce qui* is used for the subject of a verb:
Ce qui *est essentiel, c'est…*
What is essential is…

Ce que is used for the object of a verb:
Ce que *je préfère, c'est…*
What I prefer is…

5 *Quoi* is used for 'what' after a preposition such as *de*:
*Je ne sais pas de **quoi** tu parles.*
I don't know what you're talking about.

6 *Où* means 'where' or, after a noun referring to time, 'when':
*La ville **où** j'habite est…*
The town where I live is…

*Le jour **où** il est né, on a dit que…*
On the day (when) he was born, they said…

7 *Dont* means 'whose' or 'of which'. It replaces *de + qui*, or *de + lequel*, and can refer to people or things:
*Un étudiant **dont** je connais la tante…*
A student whose aunt I know…

*Voilà le magasin **dont** j'ai parlé.*
There's the shop (that) I spoke about.

Dont is used to connect a noun to verbs followed by *de*, such as *avoir besoin de* (to need):

*Voici le livre **dont** il a besoin.*
Here's the book he needs. (the book of which he has need)

Dont is also used with numbers and expressions of quantity:

*Trois étudiants **dont** deux Africains…*
Three students, of whom two are Africans…

8 *Lequel* agrees in gender and number with the noun it refers to. It also changes to combine with the prepositions *à* and *de*.

	à + (= to which)	**de + (= of which)**
lequel	auquel	duquel
laquelle	à laquelle	de laquelle
lesquels	auxquels	desquels
lesquelles	auxquelles	desquelles

*Le journal **auquel** je suis abonné coûte cher.*
The journal to which I subscribe is expensive.

*La classe **dans laquelle** elle est étudiante…*
The class that she is a student in / in which she is a student…

3.5 Pronouns *y* and *en*

The pronoun **y** has two main uses:

1 Meaning 'there' or 'to there', replacing a place already mentioned:
*On **y** va?*
Shall we go (there)?

2 Replacing a noun (not a person) or a verb introduced by *à*, such as *penser à quelque chose*:
*As-tu pensé aux conséquences? Non, je n'**y** ai pas pensé.*
Have you thought about the consequences? No, I have not thought about them.

The pronoun **en** has two main uses:

1 Meaning 'from there' or 'out of there':
*Il a mis la main dans sa poche et il **en** a sorti un billet de 100 euros.*
He put his hand in his pocket and got out a 100-euro note.

2 Replacing a noun (not a person) or a verb introduced by *de,* such as *empêcher quelqu'un de faire quelque chose*:
*Marie, que penses-tu de ton cadeau? J'**en** suis ravie.*
Marie, what do you think of your present? I'm delighted with it.

*Pourquoi n'a-t-il pas protesté? Parce que les autorités l'**en** ont empêché.*
Why didn't he protest? Because the authorities prevented him (from protesting).

In this case, *en* often has the sense of 'some', 'any', 'of it', 'about it', 'of them':

*Tu n'as pas d'argent à me prêter? Si, j'**en** ai.*
Haven't you got any money to lend me? Yes, I have some.

3.6 Order of pronouns

The sequence of pronouns before a verb is as follows:

1	**2**	**3**	**4**	**5**
me				
te	le	lui		
se	la	leur	y	en
nous	les			
vous				

*Il **m'en** a parlé. Il ne comprend pas la blague: il faut **la lui** expliquer.*
He has talked **to me about it**. He does not understand the joke: you have to explain **it to him**.

4 Demonstrative adjectives and pronouns

Demonstrative adjectives are the equivalent of 'this', 'that', 'those', 'these' used before a noun.

*Je voudrais **ces** chaussures.* I'd like **these / those** shoes.

	singular	**plural**
masculine	ce (cet *before vowel or silent* h)	ces
feminine	cette	ces

To be more precise you can add *-ci* or *-là* after the noun:

Je voudrais ce manteau-ci.
I'd like this coat here.

Je voudrais ces bottes-là.
I'd like those boots there.

Demonstrative pronouns are similar to the adjectives above but replace the noun, so are the equivalent of 'this one', 'that one', 'these ones', 'those ones'.

	singular	plural
masculine	celui	ceux
feminine	celle	celles

They are often followed by *qui*, *que* or *de*, as in the examples below.

*Il a choisi une voiture – **celle qui** est la plus chère.*
He chose a car – the one that is the most expensive.

*Regardez les modèles, prenez **ceux que** vous préférez.*
Look at the models, take the ones you prefer.

*Ma voiture est rouge mais **celle de** Marc est grise.*
My car is red but Marc's is grey.

They can be used with a preposition:

*Le quartier où je suis né est en banlieue, mais **celui où** j'habite maintenant est dans le centre.*
The area where I was born is in the suburbs, but the one where I live now is in the centre.

You can add *-ci* or *-là* to emphasise that you're referring to 'this one here' or 'those ones there':

*Je préfère **celles-ci**.*
I prefer <u>these</u> ones (here).

*Quelle voiture? **Celle-ci** ou **celle-là**?*
Which car? This one or that one?

5   Indefinite adjectives and pronouns

These are words like *autre*, *chaque / chacun*, *même*, *plusieurs*, *quelque / quelqu'un*, *tout*.

J'ai choisi l'autre film.
I chose the other film.

J'ai vu les autres.
I've seen the others.

Chaque semaine, je joue au badminton.
Each week, I play badminton.

Chacun choisit un sport.
Each person chooses a sport.

- *Quelque* has a plural form: *quelques semaines*, *quelques jours*. It is used without an *-s* before numbers, to mean 'about':
  Les quelque 300 000 estivants…
  The 300,000 or so holidaymakers…

- Note the use of *de* + adjective in phrases like *quelque chose d'intéressant*, *quelqu'un de bien*, *rien de nouveau*.

6   Possessive adjectives and pronouns

A possessive adjective must agree with its noun.

***Mon père** m'énerve.* ***Ma mère** est trop stricte.*
My father annoys me. My mother is too strict.

	masculine	feminine	masc. & fem. plural
my	mon	ma	mes
your	ton	ta	tes
his, her, its, one's	son	sa	ses
our	notre	notre	nos
your	votre	votre	vos
their	leur	leur	leurs

Possessive pronouns incorporate a definite article (a word for 'the').

	masc. sing.	fem. sing.	masc. pl.	fem. pl.
mine	le mien	la mienne	les miens	les miennes
yours	le tien	la tienne	les tiens	les tiennes
his, hers, one's	le sien	la sienne	les siens	les siennes
ours	le nôtre	la nôtre	les nôtres	les nôtres
yours	le vôtre	la vôtre	les vôtres	les vôtres
theirs	le leur	la leur	les leurs	les leurs

*C'est votre sac, madame? Oui, c'est **le mien**.*
Is this your bag, madam? Yes, it's mine.

Another way to express possession, with *être*, is to use *à* + name, *à* + disjunctive pronoun, or *à* + *qui*:

*C'est **à Patrick**?*
Is this Patrick's?

*C'est **à toi**? Non, c'est **à elles**.*
Is this yours? No, it's theirs (fem.).

*C'est **à qui**, ce sac?*
Whose is this bag?

7 Verbs

7.1 The present tense

There is only one form of the present tense in French but it has various meanings in English:

Il regarde un film.
He <u>is watching</u> a film.

Il achète des DVD en ligne?
<u>Does he buy</u> DVDs online?

Non, il les télécharge.
No, <u>he downloads</u> them.

Also (see 7.26):

Il cherche depuis une heure.
<u>He's been searching</u> for an hour.

Regular verbs

Many verbs fall into three main groups or 'conjugations' according to whether their infinitive ends in -er, -ir or -re. You find the present tense stem by removing the two-letter ending, and then add the regular endings shown in bold in the table below.

	-er: jouer	-ir: finir	-re: attendre
je / j'	jou**e**	fin**is**	attend**s**
tu	jou**es**	fin**is**	attend**s**
il / elle / on	jou**e**	fin**it**	attend
nous	jou**ons**	fin**issons**	attend**ons**
vous	jou**ez**	fin**issez**	attend**ez**
ils / elles	jou**ent**	fin**issent**	attend**ent**

Irregular verbs

Some key verbs are irregular in the present tense; you need to learn these patterns by heart.

avoir *(to have)*	j'ai, tu as, il a, nous avons, vous avez, ils ont
être *(to be)*	je suis, tu es, il est, nous sommes, vous êtes, ils sont
aller *(to go)*	je vais, tu vas, il va, nous allons, vous allez, ils vont
venir *(to come)*	je viens, tu viens, il vient, nous venons, vous venez, ils viennent
tenir *(to hold)*	je tiens, tu tiens, il tient, nous tenons, vous tenez, ils tiennent
faire *(to do / make)*	je fais, tu fais, il fait, nous faisons, vous faites, ils font
prendre *(to take)*	je prends, tu prends, il prend, nous prenons, vous prenez, ils prennent
dormir *(to sleep)*	je dors, tu dors, il dort, nous dormons, vous dormez, ils dorment
dire *(to say)*	je dis, tu dis, il dit, nous disons, vous dites, ils disent
écrire *(to write)*	j'écris, tu écris, il écrit, nous écrivons, vous écrivez, ils écrivent

espérer* *(to hope)*	j'espère, tu espères, il espère, nous espérons, vous espérez, ils espèrent
lire *(to read)*	je lis, tu lis, il lit, nous lisons, vous lisez, ils lisent
mettre *(to put)*	je mets, tu mets, il met, nous mettons, vous mettez, ils mettent
recevoir *(to receive)*	je reçois, tu reçois, il reçoit, nous recevons, vous recevez, ils reçoivent
voir *(to see)*	je vois, tu vois, il voit, nous voyons, vous voyez, ils voient
connaître *(to know)*	je connais, tu connais, il connaît, nous connaissons, vous connaissez, ils connaissent
jeter *(to throw)*	je jette, tu jettes, il jette, nous jetons, vous jetez, ils jettent

*préférer works like espérer: note the changing accents!

Modal verbs

Modal verbs are used to qualify actions, for example in terms of their desirability, necessity or probability.

	pouvoir *(can / to be able to)*	devoir *(must / to have to)*	vouloir *(to want to)*	savoir *(to know how to)*
je	peux	dois	veux	sais
tu	peux	dois	veux	sais
il / elle / on	peut	doit	veut	sait
nous	pouvons	devons	voulons	savons
vous	pouvez	devez	voulez	savez
ils / elles	peuvent	doivent	veulent	savent

When modal verbs are followed by another verb, the latter is in the infinitive:

On doit accepter…
We have to accept…
Tu peux regarder…
You can watch…
Ils savent nager.
They know how to swim.

7.2 The perfect tense

Use the perfect tense to express completed actions in the past, e.g. 'I played' or 'I have played'.

To form the perfect tense you need two parts: an auxiliary (a present tense form of *avoir* or *être*) and a past participle. Past participles are explained in 7.3.

Verbs which take *avoir*

Most verbs use the present tense of *avoir* (*j'ai, tu as, il a, nous avons, vous avez, ils ont*) to form the perfect tense.

*La délinquance **a diminué**.*
Crime has diminished.

*Ils **ont résolu** le problème.*
They solved the problem.

Verbs which take *être*

Some common verbs use the present tense of *être* to form the perfect tense (*je suis, tu es, il est, nous sommes, vous êtes, ils sont*).

*Je **suis allé** en ville.*
I went to town.

*Il **est né** en 1890.*
He was born in 1890.

You need to memorise which verbs take *être*; they are connected with movement or a change of state, and it can help to learn them in pairs as in the table below.

aller	*to go*	venir	*to come*
arriver	*to arrive*	partir	*to leave*
entrer	*to enter, to go in*	sortir	*to go out*
monter	*to go up*	descendre	*to go down*
naître	*to be born*	mourir	*to die*
retourner	*to return*	rentrer	*to go home*
rester	*to stay*	tomber	*to fall*
devenir	*to become*	revenir	*to come back*

All **reflexive verbs** form the perfect tense with *être*.

*Je **me suis** peu **intéressé** aux études.* I wasn't very interested in studying.

*Ils **se sont intégrés** facilement.* They fitted in easily.

With all these *être* verbs, the past participle must agree with the subject of the verb, adding a final *-e* for a feminine subject, *-s* for plural, *-es* for feminine plural.

*Les inégalités **sont devenues** plus évidentes.*
The inequalities have become more obvious.

je suis parti / partie	nous sommes partis / parties
tu es parti / partie	
il est parti	vous êtes parti / partie / partis / parties
elle est partie	
on est parti / partie / partis / parties	ils sont partis
	elles sont parties

7.3 The past participle

The past participle is a key element of compound tenses such as the perfect tense (see 7.2), the pluperfect (7.8), the future perfect (7.9) and the perfect infinitive (7.24).

For regular verbs it is formed as follows:

-er: stem + -é	-ir: stem + -i	-re: stem + -u
trouver – trouvé	finir – fini	vendre – vendu

Some past participles are irregular and need to be learned:

English	infinitive	past participle
to have	avoir	**eu**
to drink	boire	**bu**
to know	connaître	**connu**
to run	courir	**couru**
to have to	devoir	**dû**
to say	dire	**dit**
to write	écrire	**écrit**
to be	être	**été**
to do	faire	**fait**
to read	lire	**lu**
to put	mettre	**mis**
to die	mourir	**mort**
to be born	naître	**né**
to open	ouvrir	**ouvert**
to be able	pouvoir	**pu**
to take	prendre	**pris**
to receive	recevoir	**reçu**
to know how to	savoir	**su**
to come	venir	**venu**
to live	vivre	**vécu**
to see	voir	**vu**
to want	vouloir	**voulu**

Agreement of past participles

When *être* is the auxiliary verb used to form the perfect tense, the past participle agrees with the subject by adding a final *-e* (if the subject is feminine), *-s* (if masculine) or *-es* (if feminine plural).

When *avoir* is the auxiliary, normally the past participle does not change… unless there is a direct object which comes before the verb. When this happens, the past participle has to agree with the object (called a 'preceding direct object').

In the sentence below, *la Convention* is the direct object, represented by the pronoun *l'* which comes before the perfect tense of *signer*:

*On a élaboré la Convention de Genève et aujourd'hui près de 150 États **l'ont signée**.*
The Geneva Convention was drawn up and today nearly 150 states have signed it.

The past participle *signé* needs to be feminine, *signée*. (Note that *élaboré* does not need the feminine ending! It has a direct object, but not a preceding direct object.)

Another example:

*Où sont mes chaussures? Je **les ai mises** dans ta chambre.*
Where are my shoes? I put them in your bedroom.

Les is a direct object pronoun standing for *les chaussures* which are feminine plural, so the past participle has to agree. (Note that in this case the ending affects pronunciation: *mis* has a silent *s*, but *mise / mises* ends with a *z* sound.)

7.4 The imperfect tense

The imperfect tense is used for:

- a general description in the past, to translate 'she felt sad' or 'it was good'

- a continuous or interrupted action in the past, to say 'I was watching TV (when…)'

- a repeated or habitual action in the past, e.g. 'I used to play netball' or 'I would play netball'.

See below (1–5) for further uses.

To form the imperfect tense, take the stem, which is the *nous* form of the present tense without the *-ons*, and add the endings shown in the table below.

avoir: nous avons: **av-**

faire: nous faisons: **fais-**

finir: nous finissons: **finiss-**

attendre: nous attendons: **attend-**

Exception: *être:* **ét-**

	endings	example: *faire*
je	-ais	je faisais
tu	-ais	tu faisais
il / elle / on	-ait	il / elle / on faisait
nous	-ions	nous faisions
vous	-iez	vous faisiez
ils / elles	-aient	ils / elles faisaient

Further uses of the imperfect tense

1 The imperfect of *être en train de* + infinitive:

*J'**étais** en train de me lever quand on a sonné à la porte.*
I was just (in the middle of) getting up when the bell rang.

2 With *depuis*, meaning 'had been doing' (see 7.26):

*Ils **attendaient** depuis une heure quand le train est arrivé.*
They had been waiting for an hour when the train arrived.

3 The imperfect of *venir de* + infinitive to say 'had just done' (see 7.26):

*Nous **venions** d'arriver lorsqu'il a cessé de pleuvoir.*
We had just arrived when it stopped raining.

4 After *si* when the main verb is in the conditional:

*Si j'**avais** assez d'argent, je passerais mes vacances au Sénégal.*
If I had enough money, I would spend my holidays in Senegal.

5 After *si* when making a suggestion:

*Si on **sortait** ce soir?*
What if we went out this evening?

7.5 The immediate future

Use the immediate future to talk about the near future: to say something 'is going to' happen.

*Je **vais télécharger** cette chanson.*
I'm going to download this song.

It is made up of two parts: the present tense of *aller* (*je vais, tu vas, il va, nous allons, vous allez, ils vont*) and an infinitive.

7.6 The future tense

Use the future tense to make predictions and statements about the future: to say something 'will' happen, including in *si* sentences after the present tense.

*Ce projet **entraînera** des problèmes.*
This project will bring problems.

*On **finira** par comprendre.*
We will end up understanding.

*Les Américains **feront** beaucoup.*
The Americans will do a lot.

*On **devra** continuer la production.*
We will have to continue production.

*Si je vais à Paris, je **visiterai** le Museé d'Orsay.*
If I go to Paris, I will visit the Orsay Museum.

Most verbs have a regular future tense. To form the future tense of regular verbs, add the following endings to the infinitive. For *-re* verbs, remove the final *-e* from the infinitive before you add the endings.

	endings	regarder	choisir	répondre
je	-ai	regarderai	choisirai	répondrai
tu	-as	regarderas	choisiras	répondras
il/elle/on	-a	regardera	choisira	répondra
nous	-ons	regarderons	choisirons	répondrons
vous	-ez	regarderez	choisirez	répondrez
ils/elles	-ont	regarderont	choisiront	répondront

Irregular verbs

Some key verbs have an irregular future stem, so you need to learn these. The endings are the same as for regular verbs.

aller	ir-	j'irai
avoir	aur-	j'aurai
devoir	devr-	je devrai
envoyer	enverr-	j'enverrai
être	ser-	je serai
faire	fer-	je ferai
pouvoir	pourr-	je pourrai
savoir	saur-	je saurai
venir	viendr-	je viendrai
voir	verr-	je verrai
vouloir	voudr-	je voudrai
falloir	faudr-	(il) faudra

7.7 The conditional

Use the conditional (strictly speaking, a 'mood' not a 'tense') to convey 'would', 'could' or 'should', i.e. to talk about what would happen or how something would be.

*Quel message **laisseriez**-vous?*
What message **would** you **leave**?

*Ce **serait** triste si tout le monde se ressemblait.*
It **would be** sad if we were all the same.

The conditional is also used (e.g. in journalism) to allege an unproven statement:
*Les Roms **seraient** entre deux et trois mille.*
There are said to be between two and three thousand Gypsies.

To form it, start with the future tense stem (see 7.6), and add the conditional endings, which are identical to the imperfect endings (see 7.4).

	endings	regarder	choisir	répondre
je	-ais	regarderais	choisirais	répondrais
tu	-ais	regarderais	choisirais	répondrais
il / elle / on	-ait	regarderait	choisirait	répondrait
nous	-ions	regarderions	choisirions	répondrions
vous	-iez	regarderiez	choisiriez	répondriez
ils / elles	-aient	regarderaient	choisiraient	répondraient

Because the conditional uses the same stem as the future tense, the irregular stems are exactly the same as for the future – see list in 7.6.

Modal verbs

The conditional forms of modal verbs are particularly useful and worth learning.

Devoir in the conditional + infinitive =
should / ought to
*On **devrait** trier les déchets.*
We should sort our refuse.

Pouvoir in the conditional + infinitive =
could / might
*Vous **pourriez** faire un don.*
You could make a donation.

Vouloir in the conditional + infinitive =
would like to
***Voudriez**-vous nous aider?*
Would you like to help us?

Il faut becomes *il faudrait* in the conditional =
it would be necessary to, would have to
*Il **faudrait** réduire nos besoins.*
We would have to reduce our needs.

Il vaut becomes *il vaudrait* =
it would be worth, it would be better to
*Il **vaudrait** mieux résoudre ce problème.*
It would be better to solve this problem.

7.8 The pluperfect tense

As in English, the pluperfect is a compound tense used to talk about what 'had happened'.

*Il a dit qu'il **avait commencé** à jouer au handball à l'école.*
He said that he **had started** to play handball at school.

*Elle a expliqué qu'elle **était arrivée** trop tard.*
She explained that she **had arrived** too late.

The pluperfect is made up of two parts: the imperfect of *avoir* or *être* and a past participle. Past participles are explained in 7.3. As with the perfect tense, with *être* verbs, the past participle must agree with the subject.

avoir verbs, e.g. faire	être verbs, e.g. aller
j'avais fait	j'étais allé(e)
tu avais fait	tu étais allé(e)
il / elle / on avait fait	il / elle / on était allé(e)(s)
nous avions fait	nous étions allé(e)s
vous aviez fait	vous étiez allé(e)(s)
ils / elles avaient fait	ils / elles étaient allé(e)s

7.9 The future perfect tense

The future perfect expresses what 'will have happened' before another event or by a certain time in the future. It is formed from the future of *avoir* or *être* and a past participle.

*Dans une semaine, j'**aurai déposé** mes papiers.*
In a week, I **will have handed in** my papers.

*Demain, à cette heure, mon frère **sera arrivé**.*
By this time tomorrow, my brother **will have arrived**.

It is used after expressions such as *quand, dès que, après que, une fois que, aussitôt que, lorsque* when the verb in the main clause is in the future. (NB This is different from English: see the first example below, where the English is not 'he will have arrived'.)

*Il m'appellera dès qu'il **sera arrivé**.*
He will phone me as soon as he **has arrived**.

It can express a supposition or a threat:

*Il **aura** encore **oublié**.*
He'll have forgotten again.

*Tu l'**auras cherché**!*
You will have earned it! / It'll be your fault!

avoir verbs, e.g. perdre	être verbs, e.g. partir
j'aurai perdu	je serai parti(e)
tu auras perdu	tu seras parti(e)
il / elle / on aura perdu	il / elle / on sera parti(e)(s)
nous aurons perdu	nous serons parti(e)s
vous aurez perdu	vous serez parti(e)(s)
ils / elles auront perdu	ils / elles seront parti(e)s

7.10 The conditional perfect

The conditional perfect expresses what 'would have happened'. It is formed from the <u>conditional</u> of *avoir* or *être* and a past participle.

*Il **aurait travaillé** un peu plus si…*
He would have worked a bit more if…

*Mathieu n'**aurait** pas **partagé** sa fortune parce que…*
Mathieu wouldn't have shared his fortune because…

*Il ne **serait** pas **devenu** footballeur professionnel.*
He wouldn't have become a professional footballer.

With *être*, remember to make the past participle agree with the subject, as in the perfect tense:

*À ce moment-là **elle** serait parti**e**.*
She would have left by then.

Note the useful conditional perfect forms of *devoir* and *pouvoir*, which express that something 'should have happened' and 'could have happened':

*Elle **aurait dû** partir plus tôt.*
She should have left earlier.

*Les immigrés **auraient pu** faire leur demande avant.*
The immigrants could have made their request before.

When there is an 'if' clause as well as a main clause in the conditional perfect, the 'if' clause is in the <u>pluperfect</u> tense, as in English:

*Il ne **serait** pas **devenu** footballeur s'il n'<u>avait</u> pas <u>eu</u> la chance d'être sportif.*
He wouldn't have become a footballer if he <u>hadn't</u> <u>had</u> the luck to be a sportsman.

avoir verbs, e.g. *perdre*	*être* verbs, e.g. *partir*
j'aurais perdu	je serais parti(e)
tu aurais perdu	tu serais parti(e)
il / elle / on aurait perdu	il / elle / on serait parti(e)(s)
nous aurions perdu	nous serions parti(e)s
vous auriez perdu	vous seriez parti(e)(s)
ils / elles auraient perdu	ils / elles seraient parti(e)s

7.11 The past historic

The past historic (*le passé simple*) is the literary equivalent of the perfect tense. It is used only in formal writing (e.g. historical writing, novels and newspaper articles). You will hardly ever need to use it yourself, but it is important to be able to recognise and understand it.

*Le conflit algérien **provoqua** une crise morale.*
The Algerian conflict provoked a moral crisis.

*Il **reçut** une lettre.*
He received a letter.

*La réputation de la France **souffrit**.*
France's reputation suffered.

All *-er* verbs (including *aller*) follow the pattern shown for *regarder* in the table. Regular *-ir* and *-re* verbs have the endings shown for *répondre*. Many irregular verbs have the endings shown for *recevoir*.

	regarder	**répondre**	**recevoir**
je	regardai	répondis	reçus
tu	regardas	répondis	reçus
il / elle / on	regarda	répondit	reçut
nous	regardâmes	répondîmes	reçûmes
vous	regardâtes	répondîtes	reçûtes
ils / elles	regardèrent	répondirent	reçurent

Note these irregular verbs:

avoir	j'eus, il eut, ils eurent
être	je fus, il fut, ils furent
faire	je fis, il fit, ils firent
voir	je vis, il vit, ils virent
venir	je vins, il vint, ils vinrent

7.12 The subjunctive mood

The subjunctive and indicative parts of the verb are known as <u>moods</u> of the verb, not tenses; they convey the speaker's attitude to the action described.

The subjunctive is nearly always used in a subordinate clause, i.e. the second part of a sentence, introduced by *que*. It is used when statements are not to be taken as pure fact, but more as a matter of judgement or attitude.

1   It is used after conjunctions including these:

avant que before

après que after

bien que although

quoique although

afin que so that

pour que so that

de façon que in such a way that

sans que without

*… **avant qu'il** ne **soit** trop tard.*
… before it is too late. (Formal French adds *ne*.)

*Il faut transformer les véhicules **pour qu'ils soient** moins gourmands en énergie.*
We have to transform vehicles so that they consume less energy.

2   It is used after impersonal verbs including these:

il faut que

il est nécessaire / impératif / essentiel que

*Il est important **que nous changions** nos véhicules…*
It's important that we change our vehicles…

3 It is used after expressions of wish, doubt, fear, uncertainty, regret:

je veux que

je voudrais que

je ne pense pas que

pensez-vous que…?

on craint que

il est possible que

il se peut que

je regrette que

je suis désolé(e) que

j'ai honte que

*Je ne pense pas **que cela soit** possible.*
I don't think that is possible.

NB It is <u>not</u> used after expressions of probability (where there is little doubt), so the following require a verb in the indicative ('normal', not subjunctive): *il est probable que, il est certain que, il me paraît que, il me semble que.*

4 It is used after words with a sense of the superlative, followed by *qui* or *que*:

le seul, l'unique, le premier, le dernier, le meilleur

*C'est **la seule** espèce **qui puisse** résister.*
It's the only species that can resist.

7.13 The present subjunctive

For most regular verbs, the present subjunctive is formed from the stem – the *ils / elles* form of the present tense minus the final -*ent* – plus the endings -*e*, -*es*, -*e*, -*ions*, -*iez*, -*ent*.

Example: *finir*
ils / elles form of the present tense: *ils finissent*
stem *finiss-*
present subjunctive: *je finisse, tu finisses, il finisse, nous finissions, vous finissiez, ils finissent*

Note that the *nous* and *vous* forms are the same as the imperfect tense.

Irregular forms worth learning:

aller	aille, ailles, aille, allions, alliez, aillent
avoir	aie, aies, ait, ayons, ayez, aient
être	sois, sois, soit, soyons, soyez, soient
faire	fasse, fasses, fasse, fassions, fassiez, fassent
falloir	il faille
pouvoir	puisse, puisses, puisse, puissions, puissiez, puissent
savoir	sache, saches, sache, sachions, sachiez, sachent
vouloir	veuille, veuilles, veuille, voulions, vouliez, veuillent

7.14 The perfect subjunctive

In sentences that need the subjunctive, it may be necessary to use the perfect subjunctive, not the present subjunctive. This is when it expresses something that happened in the past, before the verb in the main clause. The perfect subjunctive is formed from *avoir* or *être* in the subjunctive and a past participle.

*Bien qu'elle **ait perdu** 15 kilos,…*
Although she has lost 15 kg,…

*Je suis désolé que mon fils **ait agressé** ce garçon.*
I'm sorry that my son attacked this boy.

*Cette production est la meilleure que j'**aie** jamais **vue**.*
This production is the best I've ever seen.

*Il se peut qu'**elle soit** déjà **partie**.*
It's possible that she has already left.

*Je regrette que cet incident **se soit passé**.*
I'm sorry this incident has taken place.

avoir** verbs, e.g. **voir	***être** verbs, e.g. **aller***
j'aie vu	je sois allé(e)
tu aies vu	tu sois allé(e)
il / elle / on ait vu	il / elle / on soit allé(e)(s)
nous ayons vu	nous soyons allé(e)s
vous ayez vu	vous soyez allé(e)(s)
ils / elles aient vu	ils / elles soient allé(e)s

7.15 The imperfect subjunctive

This is used in literature and formal writing; you need to be able to recognise and understand it. It is formed by adding the endings shown in the table below to the stem; the stem is the *il / elle* part of the past historic (see 7.11), without any final -*t*. Note the added circumflex in the 3rd person.

	endings	*-er* verbs, e.g. *parler (il parla)*	*-ir* verbs, e.g. *finir (il finit)*
je	-sse	je parlasse	je finisse
tu	-sses	tu parlasses	tu finisses
il / elle / on	-^t	il / elle / on parlât	il / elle / on finît
nous	-ssions	nous parlassions	nous finissions
vous	-ssiez	vous parlassiez	vous finissiez
ils / elles	-ssent	ils / elles parlassent	ils / elles finissent

7.16 The passive voice

The passive voice describes an event without necessarily mentioning who is responsible for it: I <u>was attacked</u>; that car <u>has been sold</u>; the building <u>had been closed</u>. (To specify who or what the action has been done by, add *par…* as in some of the examples below.)

Verbs in the passive contrast with verbs in the <u>active</u> voice, where the subject carries out the action in the verb: I <u>attacked</u> the task; they <u>have sold</u> that car; someone <u>had closed</u> the building.

Use an appropriate form of *être* plus a past participle (see 7.3) which must agree with the subject. *Être* can be in any tense; see the underlined words in the examples.

- present: *Les océans **sont pollués** par les accidents de pétroliers.*
  The oceans are polluted by oil tanker accidents.

- perfect: *La récolte **a été détruite**.*
  The harvest has been / was destroyed.

- imperfect: *Il **était** toujours **surpris** par les chiffres.*
  He was always surprised by the figures.

- pluperfect: *Des candidats **avaient été exclus**.*
  Some candidates had been excluded.

- future: *Des coopérations **seront organisées**.*
  Joint operations will be organised.

Avoiding the passive

The passive is used less often in French than in English. It's usually better to avoid it in French, and use instead an expression with *on* or a reflexive verb.

***On** m'a agressé(e).* I was attacked.

***On** avait exclu des candidats.*
Some candidates had been excluded.

*Les produits **se vendent** sur Internet.*
The products are sold on the internet.

Note that, in particular, the passive cannot be used to translate English phrases such as 'I was asked…' and 'they were given…' In French these would need to be reworded to use *on*:

On m'a demandé… On leur a offert…

7.17 The imperative

The imperative is used to give instructions and commands. They can be positive ('do…') or negative ('don't…'). They can also be informal (*tu* form) or formal (*vous* form), or a suggestion – 'Let's…' (*nous* form).

To form the imperative, remove the subject pronoun from the <u>present</u> tense. With *-er* verbs, for the *tu* form, remove the final *-s*.

present tense	imperative
-er verbs	
tu regardes	Regarde la télé. *Watch TV.*
nous regardons	Regardons le film. *Let's watch the film.*
vous regardez	Regardez les spots. *Watch the ads.*
-ir verbs	
tu choisis	Choisis un produit. *Choose a product.*
nous choisissons	Choisissons un cadeau. *Let's choose a gift.*
vous choisissez	Choisissez une émission. *Choose a programme.*
-re verbs	
tu prends	Prends une photo. *Take a photo.*
nous prenons	Prenons une glace. *Let's have an ice cream.*
vous prenez	Prenez de l'argent. *Take some money.*

A few verbs have irregular imperatives and need to be learned separately.

avoir	aie, ayons, ayez
être	sois, soyons, soyez
savoir	sache, sachons, sachez
vouloir	veuille, veuillons, veuillez

The *tu* imperative form of *aller* is *va*, except in the expression *vas-y!* (go on!) where the *s* is pronounced like a *z*.

Reflexive imperatives always require the extra reflexive pronoun, placed after the verb:

dépêche-toi, dépêchons-nous, dépêchez-vous

7.18 Present participles

The present participle can by used by itself, at the beginning of a sentence, to express the idea of 'because' or 'since':

***Croyant** qu'il s'était trompé de chemin, il a fait demi-tour.*
Thinking that he'd taken the wrong route, he turned round.

It can also be used after the preposition *en* to mean 'while' or 'by':

*… **en faisant** éclater les frontières culturelles*
… while breaking down cultural barriers

***En se connectant**, on peut accéder à tout.*
By going online, you can access everything.

It is formed from the *nous* form of the present tense, changing the *-ons* to *-ant*.

faire – nous faisons – en faisant

connecter – nous connectons – en connectant

For reflexive verbs, use a reflexive pronoun appropriate to the context:
En me connectant, je peux…

7.19 Direct and indirect speech

Direct speech is used for the actual words being said; they often appear within speech marks.

Il a dit: « Il y a des problèmes de logement. »
He said: 'There are housing problems.'

Indirect speech is when someone's words are reported by the speaker or someone else.

Il a dit qu'il y avait des problèmes de logement.
He said there were housing problems.

Verb tenses have to change when you use **indirect speech** – see examples in the grid below.

direct speech	indirect speech
Je suis paresseux. *present*	Il a dit qu'il était paresseux. *imperfect*
Je ferai plus attention la prochaine fois. *future*	Il a dit qu'il ferait plus attention la prochaine fois. *conditional*
J'ai commencé à jouer à l'école. *perfect*	Il a dit qu'il avait commencé à jouer à l'école. *pluperfect*
Demain, j'aurai préparé mes affaires. *future perfect*	Il a dit que le lendemain, il aurait préparé ses affaires. *conditional perfect*

Pronouns and possessive adjectives may also need to change, from first to third person: *je* becomes *il* or *elle*, *mes affaires* becomes *ses affaires*, and so on.

In text containing **direct speech**, the verb and subject are inverted after the words spoken, so *il a dit* becomes *a-t-il dit* or *a dit + nom*.

« J'ai appris à jouer à l'âge de onze ans », a dit le prof.
'I learned to play at the age of eleven', said the teacher.

« J'en suis devenue accro », a-t-elle dit.
'I became hooked,' she said.

7.20 Reflexive verbs

Reflexive verbs are conjugated in the same way as other verbs, but have a reflexive pronoun between subject and verb: *me, te, se, nous, vous, se*.

*Je **m'intéresse** à la communication.*
I'm interested in communication.

s'intéresser *to be interested*	
je m'intéresse	nous nous intéressons
tu t'intéresses	vous vous intéressez
il / elle / on s'intéresse	ils / elles s'intéressent

In the perfect tense, reflexive verbs take *être* and the past participle agrees with the subject:

*On s'est bien entendu**s** / entendu**es**.*
We (masc. / fem.) got on well.

The infinitive usually begins with **se** or **s'**, but when it is used in a sentence the pronoun changes to agree with the subject of the main verb:

*Je voudrais **me doucher**.* I'd like to have a shower.

In a positive command, the reflexive pronoun is attached to the end of the imperative:

*Asseyez-**vous**!* Sit down!

But in a negative command, the reflexive pronoun stays in its usual place in front of the verb:

*Ne **vous** asseyez pas!* Don't sit down!

7.21 Impersonal verbs

As well as *il y a* (there is / are) and *il reste* (there's… left), there are other impersonal verbs used only in the *il* form, the third person singular.

il est trois heures, il pleut, il fait mauvais – and other time and weather phrases

il faut… it is necessary to…

il vaut mieux… it's worth…

il est + adjectif (clair / important / essentiel, etc.) + de / que

They can be used in other tenses:

***Il y aura** plus de prisons engorgées.*

***Il était évident que** le taux de criminalité avait chuté.*

7.22 Infinitive constructions

You often need to use the infinitive form of a verb, particularly when it follows another verb or a preposition. The lists below give some instances.

Verbs followed by the infinitive with no preposition between

aimer	to like to
croire	to believe
devoir	to have to
espérer	to hope
faire	to make, to do
falloir	to be necessary
laisser	to let
oser	to dare
penser	to think
pouvoir	to be able
préférer	to prefer
savoir	to know how to
vouloir	to want to

*J'**espère finir** bientôt.*
I hope to finish soon.

*Il **faut comprendre** que…*
You have to understand that…

*On **peut faire** de la publicité en ligne.*
You can advertise online.

Verbs followed by *à* + infinitive

aider à	to help to
apprendre à	to learn to
arriver à	to manage to
chercher à	to try to
commencer à	to begin to
continuer à	to continue to
encourager à	to encourage to
hésiter à	to hesitate to
penser à	to think of
réussir à	to succeed in

On **commence à prendre** conscience du déclin.
We're beginning to take note of the decline.

Verbs followed by *de* + infinitive

accepter de	to agree to
s'arrêter de	to stop
avoir envie de	to feel like
avoir le droit de	to have the right to
avoir peur de	to be afraid to
cesser de	to stop
choisir de	to choose to
continuer de	to continue to
décider de	to decide to
empêcher de	to prevent
essayer de	to try to
éviter de	to avoid
finir de	to finish
oublier de	to forget to
refuser de	to refuse to
rêver de	to dream of
risquer de	to be likely to
venir de	to have just

J'ai **décidé de cesser de fumer** l'année dernière.
I decided to stop smoking last year.

Prepositions + infinitive

au lieu de	instead of
afin de	so as to
avant de	before
par	by
pour	in order to
sans	without
sur le point de	about to

afin d'apaiser les banlieues…
in order to appease the suburbs…
sans compter le coût…
without counting the cost…

7.23 Dependent infinitives

Faire + infinitive indicates that the subject 'causes' an action to be done by someone or something else. Compare the following examples:

Je répare la douche. I'm repairing the shower (myself).

Je fais réparer la douche.
I'm getting the shower repaired, i.e. I'm getting someone round to repair the shower.

Faire may be used in any tense, for example:

Je vais faire réparer la douche.
I'm going to get the shower repaired.

J'ai fait réparer la douche.
I've had the shower repaired.

Other examples:

faire construire to have something built

faire penser: *Cela me fait penser à…*
That makes me think of…

faire comprendre: *Cela nous a fait comprendre que…* It has made us understand that…

se faire + **infinitive**
This indicates that the subject gets something done to or for himself / herself.

se faire embaucher: *Il s'est fait embaucher dans une usine.*
He got a job / got himself employed in a factory.

se faire renvoyer: *Je me suis fait renvoyer.*
I got myself sacked.

se faire faire: *Je me suis fait faire un petit potager.*
I had a little vegetable garden made for me.

7.24 Perfect infinitives

The perfect infinitive is used after *après* to convey 'after doing' or 'after having done' something. (The French structure is more like 'after to have done…'.) Use the infinitive of *avoir* or *être* and a past participle. The normal rules about past participle agreement apply.

*Après **avoir réfléchi**, je pars quand même.*
After thinking about it, I'm leaving all the same.

*Après **être arrivée**, elle a défait ses valises.*
After arriving, she unpacked her cases.

*Après **avoir eu** des problèmes avec les agences, je veux voyager à ma guise.*
Having had problems with travel agencies, I like to travel under my own steam.

7.25 Negatives

To say you don't do something, simply put *ne* before the verb (or in a compound tense, before the auxiliary verb) and *pas* after it.

*Je **ne** fais **pas** de sport.*
I don't do any sport.

*Je **n'**ai **pas** fait de sport hier.*
I didn't do any sport yesterday.

*Je **ne** suis **pas** allé(e) au centre sportif.*
I didn't go to the sports centre.

Other negative expressions:

ne... plus	no more / no longer	Je ne fume plus.
ne... jamais	never	Je ne joue jamais au rugby.
ne... rien	nothing	Ils ne font rien.
ne... personne	no-one, nobody	Elle n'aime personne.
ne... que	only	Il n'en reste que deux.
ne... aucun(e)	not any	Il n'en reste aucun.
ne... nulle part	nowhere	On ne va nulle part.
ne... ni... ni...	neither... nor...	Je n'aime ni le tennis ni le cricket.

In the perfect tense, the negative expression goes around *avoir* or *être*, except *ne... personne / aucun / que* where it goes round both parts of the verb:

*Je **n'ai jamais** joué au handball.*
I've never played handball.

*Il **n'a vu personne**.*
He did not see anyone.

*Je n'en **ai acheté que** cinq.*
I've bought only five of them. / I only bought five.

If you want to make an infinitive negative, the negative expression comes before the infinitive:

*Il a décidé de **ne plus jouer** au tennis.*
He decided to not play tennis any more.

*Il est important de **ne rien déranger**.*
It is important not to disturb anything.

7.26 Using *depuis, il y a* and *venir de*

depuis

Depuis means 'since' or 'for (a time)' in the past. If the action is still going on, use it with the present tense:

*Je **vais** à la pêche depuis l'âge de huit ans.*
I've been going fishing since I was eight.

*Elle **apprend** le français depuis six mois.*
She's been learning French for six months.

If the action lasted for some time but is now over, use *depuis* with the imperfect tense:

*J'**attendais** le bus depuis dix minutes.*
I had been waiting for the bus for 10 minutes.

il y a

You can use *il y a* with the perfect tense to mean 'ago', not to be confused with *il y a* meaning 'there is' or 'there are'.

*Il a commence à travailler **il y a** trois mois.*
He started work three months ago.

venir de

Venir de in the present tense is used to convey the idea of something that has just happened:

*Je **viens** d'arriver.*
I've just arrived.

*Elle **vient** de me le dire.*
She's just told me.

*Nous **venons** d'apprendre la nouvelle.*
We've just heard the news.

Use the imperfect tense of *venir de* to say something had just happened:

*Je **venais** de finir mon dîner, quand…*
I had just finished my dinner, when…

---

8 **Prepositions**

8.1 *à* and *de*

Remember that when *à* or *de* come before a definite article (*le, la, l', les*), they may need to change:

	masc.	fem.	before vowel or silent *h*	masc. plural	fem. plural
à	au	à la	à l'	aux	aux
de	du	de la	de l'	des	des

*Je vais **au cinéma** une fois par mois.*
I go to the cinema once a month.

*J'adore aller **aux magasins** le weekend.*
I love going to the shops at the weekend.

*Le lycée se trouve en face **de l'hôtel**.*
The school is opposite the hotel.

*J'habite tout près **des magasins**.*
I live right near the shops.

8.2 Other prepositions

après	after
avant	before
avec	with
chez	at the house of
dans	in
depuis	for / since
derrière	behind
devant	in front of
en face de	opposite
en	in / by / on / to
entre	between
par	by / per
pendant	during
pour	for
près de	near
sans	without
sous	under
sur	on
vers	about / towards

Certain prepositions in French are used in the same way as their English equivalents:

*J'aime mieux partir **en** vacances **avec** mes copains.*
I prefer to go **on** holiday **with** my friends.

*Il est arrivé **à** l'aéroport **sans** passeport.*
He arrived **at** the airport **without** a passport.

However, in many cases, the choice of the correct preposition needs some thought, and a good dictionary can help here.

dans le train on the train; *sous la pluie* in the rain;
à la télévision on the television

For holiday destinations, note the following:

- feminine countries require *en* for 'to' or 'in':

  en France, en Hollande

- masculine countries take *au*:

  au Japon, au Canada

- masculine plurals take *aux*:

  aux États-Unis, aux Pays-Bas

- towns and islands take *à*:

  à Paris, à Madagascar

9　Conjunctions

Conjunctions (also called connectives) link parts of sentences. Some common ones are listed below.

mais	but
au contraire	on the contrary
par contre	on the other hand
pourtant, cependant, quand même	however
néanmoins, tout de même	nevertheless
car, comme, parce que, puisque	for, since, because
vu que	seeing that
d'autant plus que	all the more since
dans la mesure où	insofar as
d'ailleurs, de plus	besides, moreover
donc, alors, par conséquent	and so, therefore
en fait, en effet	in fact
bien sûr	of course
certes	certainly
d'abord	first of all
puis, ensuite	then
enfin	finally
de toute façon, en tout cas	in any case

10　Interrogatives

To ask a 'yes / no' question, you can:

- use rising intonation (*Vous aimez cette musique?*)

- start with *est-ce que* (*Est-ce que vous aimez cette musique?*)

- invert pronoun and verb (*Aimez-vous cette musique?*).

To ask for other information, you need an interrogative adverb, pronoun or adjective, as listed below.

quand	when	Quand est-ce qu'il arrive?
où	where	Où es-tu allé en vacances?
comment	how	Comment va-t-elle voyager?
combien	how many / how much	Combien de pages y a-t-il?
pourquoi	why	Pourquoi est-ce que tu fais ça?
qui	who	Qui va en ville?
que	what	Que dit-il?
quoi	what (after a preposition)	Avec quoi?
quel	which, what	Quels fruits aimez-vous?
lequel*	which one	Lequel préférez-vous?

* See page 160

Asking about people: 'who?'

Qui or *Qui est-ce qui* is used to ask about the <u>subject</u> of the verb:

Qui parle? Qui est-ce qui parle?
Who's speaking?

Qui or *Qui est-ce que* is used to ask about the <u>object</u> of the verb:

Qui as-tu appelé? Qui est-ce que tu as appelé?
Who did you call?

Asking about things: 'what?'

Qu'est-ce qui is used to ask about the <u>subject</u> of the verb:

Qu'est-ce qui est biodégradable?
What is biodegradable?

Que or *Qu'est-ce que* is used to ask about the <u>object</u> of the verb:

Que faites-vous des déchets? Qu'est-ce que vous faites des déchets?
What do you do with the rubbish?

Use *quoi* when the object of the sentence is preceded by a preposition:

*Vous le faites **avec quoi**?*
What do you do that with?

Quoi is also used in *C'est quoi?* (What is it?), an informal alternative to *Qu'est-ce que c'est?*

Asking 'which?'

Quel is an adjective and must agree with the noun it qualifies: *quel, quelle, quels, quelles.*

À quelle heure…?
At what time…?
En quelle année est-il né?
In which year was he born?
Quels sports faites-vous?
Which sports do you do?

Asking 'which one?'

Lequel must agree with the noun it represents: *lequel, laquelle, lesquels, lesquelles.*

Je cherche une auberge. Laquelle recommandez-vous?
Which one do you recommend?

When *lequel* etc. follow *à* or *de*, they contract: see grid for *lequel* as a relative pronoun, in section 3.4.

11   Word order: inversion of a subject and verb

In French, the normal word order is: subject (a noun or pronoun) followed by verb:

On va en ville.
We're going to town.

With some question forms, and following quotations in direct speech, there is inversion, i.e. the subject and the verb swap places. Between two vowels, add a *t* with hyphens:

« Où va-t-on? » demanda-t-il.
'Where are we going?' he asked.

« En ville » répondit-elle.
'To town,' she replied.

Some adverbs and adverbial phrases at the beginning of a clause trigger subject–verb inversion.

Toujours est-il qu'on risque de laisser des empreintes électroniques en se connectant.
Nevertheless, the fact remains that you might leave electronic fingerprints when you log on.

C'est risqué: du moins peut-on se protéger des virus.
It's risky – at least you can protect yourself against viruses.

En vain s'oppose-t-on à la technologie.
In vain people are opposed to technology.

(Alternatively, you can often keep normal word order by placing the adverb later in the sentence: *On s'oppose en vain à la technologie.*)

In longer sentences, the subject may be repeated as a pronoun (*il / elle*, etc.). It is the pronoun (rather than the full subject) that is inverted with the verb:

Rarement les automobilistes peuvent-ils excéder la vitesse sans surveillance.
Motorists are rarely able to break the speed limit without being watched by cameras.

Aussi les systèmes de navigation par satellite en voiture sont-ils dangereux.
Therefore, satellite navigation systems in cars are dangerous.

With *peut-être* (perhaps) and *sans doute* (no doubt, of course) you have to either use inversion or add *que* and use normal word order. So in the following pairs, both sentences are correct:

Peut-être augmenteront-ils la surveillance.
Peut-être qu'ils augmenteront la surveillance.
Perhaps they'll increase surveillance.

Sans doute les avances comportent-elles des problèmes aussi.
Sans doute que les avances comportent des problèmes aussi.
No doubt, advances also bring problems.

12 Verb tables

		present	perfect	imperfect	future	conditional	subjunctive
REGULAR VERBS							
-er verbs jouer *to play*	je / j'	joue	ai joué	jouais	jouerai	jouerais	joue
	tu	joues	as joué	jouais	joueras	jouerais	joues
	il / elle / on	joue	a joué	jouait	jouera	jouerait	joue
	nous	jouons	avons joué	jouions	jouerons	jouerions	jouions
	vous	jouez	avez joué	jouiez	jouerez	joueriez	jouiez
	ils / elles	jouent	ont joué	jouaient	joueront	joueraient	jouent
-ir verbs finir *to finish*	je / j'	finis	ai fini	finissais	finirai	finirais	finisse
	tu	finis	as fini	finissais	finiras	finirais	finisses
	il / elle / on	finit	a fini	finissait	finira	finirait	finisse
	nous	finissons	avons fini	finissions	finirons	finirions	finissions
	vous	finissez	avez fini	finissiez	finirez	finiriez	finissiez
	ils / elles	finissent	ont fini	finissaient	finiront	finiraient	finissent
-re verbs vendre *to sell*	je / j'	vends	ai vendu	vendais	vendrai	vendrais	vende
	tu	vends	as vendu	vendais	vendras	vendrais	vendes
	il / elle / on	vend	a vendu	vendait	vendra	vendrait	vende
	nous	vendons	avons vendu	vendions	vendrons	vendrions	vendions
	vous	vendez	avez vendu	vendiez	vendrez	vendriez	vendiez
	ils / elles	vendent	ont vendu	vendaient	vendront	vendraient	vendent
reflexive verbs s'amuser *to enjoy* *oneself*	je	m'amuse	me suis amusé(e)	m'amusais	m'amuserai	m'amuserais	m'amuse
	tu	t'amuses	t'es amusé(e)	t'amusais	t'amuseras	t'amuserais	t'amuses
	il / elle / on	s'amuse	s'est amusé(e)(s)	s'amusait	s'amusera	s'amuserait	s'amuse
	nous	nous amusons	nous sommes amusé(e)s	nous amusions	nous amuserons	nous amuserions	nous amusions
	vous	vous amusez	vous êtes amusé(e)(s)	vous amusiez	vous amuserez	vous amuseriez	vous amusiez
	ils / elles	s'amusent	se sont amusé(e)s	s'amusaient	s'amuseront	s'amuseraient	s'amusent
IRREGULAR VERBS							
aller *to go*	je / j'	vais	suis allé(e)	allais	irai	irais	aille
	tu	vas	es allé(e)	allais	iras	irais	ailles
	il / elle / on	va	est allé(e)(s)	allait	ira	irait	aille
	nous	allons	sommes allé(e)s	allions	irons	irions	allions
	vous	allez	êtes allé(e)(s)	alliez	irez	iriez	alliez
	ils / elles	vont	sont allé(e)s	allaient	iront	iraient	aillent
avoir *to have*	je / j'	ai	ai eu	avais	aurai	aurais	aie
	tu	as	as eu	avais	auras	aurais	aies
	il / elle / on	a	a eu	avait	aura	aurait	ait
	nous	avons	avons eu	avions	aurons	aurions	ayons
	vous	avez	avez eu	aviez	aurez	auriez	ayez
	ils / elles	ont	ont eu	avaient	auront	auraient	aient
devoir *to have to /* *must*	je / j'	dois	ai dû	devais	devrai	devrais	doive
	tu	dois	as dû	devais	devras	devrais	doives
	il / elle / on	doit	a dû	devait	devra	devrait	doive
	nous	devons	avons dû	devions	devrons	devrions	devions
	vous	devez	avez dû	deviez	devrez	devriez	deviez
	ils / elles	doivent	ont dû	devaient	devront	devraient	doivent
dire *to say /* *to tell*	je / j'	dis	ai dit	disais	dirai	dirais	dise
	tu	dis	as dit	disais	diras	dirais	dises
	il / elle / on	dit	a dit	disait	dira	dirait	dise
	nous	disons	avons dit	disions	dirons	dirions	disions
	vous	dites	avez dit	disiez	direz	diriez	disiez
	ils / elles	disent	ont dit	disaient	diront	diraient	disent

		present	**perfect**	**imperfect**	**future**	**conditional**	**subjunctive**
être *to be*	je / j'	suis	ai été	étais	serai	serais	sois
	tu	es	as été	étais	seras	serais	sois
	il / elle / on	est	a été	était	sera	serait	soit
	nous	sommes	avons été	étions	serons	serions	soyons
	vous	êtes	avez été	étiez	serez	seriez	soyez
	ils / elles	sont	ont été	étaient	seront	seraient	soient
faire *to do / to make*	je / j'	fais	ai fait	faisais	ferai	ferais	fasse
	tu	fais	as fait	faisais	feras	ferais	fasses
	il / elle / on	fait	a fait	faisait	fera	ferait	fasse
	nous	faisons	avons fait	faisions	ferons	ferions	fassions
	vous	faites	avez fait	faisiez	ferez	feriez	fassiez
	ils / elles	font	ont fait	faisaient	feront	feraient	fassent
mettre *to put*	je / j'	mets	ai mis	mettais	mettrai	mettrais	mette
	tu	mets	as mis	mettais	mettras	mettrais	mettes
	il / elle / on	met	a mis	mettait	mettra	mettrait	mette
	nous	mettons	avons mis	mettions	mettrons	mettrions	mettions
	vous	mettez	avez mis	mettiez	mettrez	mettriez	mettiez
	ils / elles	mettent	ont mis	mettaient	mettront	mettraient	mettent
pouvoir *to be able to / can*	je / j'	peux	ai pu	pouvais	pourrai	pourrais	puisse
	tu	peux	as pu	pouvais	pourras	pourrais	puisses
	il / elle / on	peut	a pu	pouvait	pourra	pourrait	puisse
	nous	pouvons	avons pu	pouvions	pourrons	pourrions	puissions
	vous	pouvez	avez pu	pouviez	pourrez	pourriez	puissiez
	ils / elles	peuvent	ont pu	pouvaient	pourront	pourraient	puissent
prendre *to take*	je / j'	prends	ai pris	prenais	prendrai	prendrais	prenne
	tu	prends	as pris	prenais	prendras	prendrais	prennes
	il / elle / on	prend	a pris	prenait	prendra	prendrait	prenne
	nous	prenons	avons pris	prenions	prendrons	prendrions	prenions
	vous	prenez	avez pris	preniez	prendrez	prendriez	preniez
	ils / elles	prennent	ont pris	prenaient	prendront	prendraient	prennent
sortir *to go out*	je	sors	suis sorti(e)	sortais	sortirai	sortirais	sorte
	tu	sors	es sorti(e)	sortais	sortiras	sortirais	sortes
	il / elle / on	sort	est sorti(e)(s)	sortait	sortira	sortirait	sorte
	nous	sortons	sommes sorti(e)s	sortions	sortirons	sortirions	sortions
	vous	sortez	êtes sorti(e)(s)	sortiez	sortirez	sortiriez	sortiez
	ils / elles	sortent	sont sorti(e)s	sortaient	sortiront	sortiraient	sortent
venir *to come*	je	viens	suis venu(e)	venais	viendrai	viendrais	vienne
	tu	viens	es venu(e)	venais	viendras	viendrais	viennes
	il / elle / on	vient	est venu(e)(s)	venait	viendra	viendrait	vienne
	nous	venons	sommes venu(e)s	venions	viendrons	viendrions	venions
	vous	venez	êtes venu(e)(s)	veniez	viendrez	viendriez	veniez
	ils / elles	viennent	sont venu(e)s	venaient	viendront	viendraient	viennent
vouloir *to want*	je / j'	veux	ai voulu	voulais	voudrai	voudrais	veuille
	tu	veux	as voulu	voulais	voudras	voudrais	veuilles
	il / elle / on	veut	a voulu	voulait	voudra	voudrait	veuille
	nous	voulons	avons voulu	voulions	voudrons	voudrions	voulions
	vous	voulez	avez voulu	vouliez	voudrez	voudriez	vouliez
	ils / elles	veulent	ont voulu	voulaient	voudront	voudraient	veuillent

The publisher and authors would like to thank the following for permission to use photographs and other copyright material:

Cover: mmac72/iStockphoto; **p8**: iStockphoto; **p9**(l): Inter-LGBT / Illustration: Clémence Thune; **p9**(m): Icpix_can/Alamy Stock Photo; **p9**(r): EAN-SEBASTIEN EVRARD/AFP/Getty Images; **p10**(t): Maurizio De Mattei/Shutterstock; **p10**(b): Richard Lautens/Getty Images; **p12**: Moviestore Collection/REX; **p13**: Minas Panagiotakis/Getty Images; **p14**: Guoqiang Xue/Shutterstock; **p16**: MartinPrescott/Getty Images; **p18**: EQRoy/Shutterstock; **p19**(t): Francois G. Durand/WireImage/Getty Images; **p19**(b): Mauro Ujetto/NurPhoto/Getty Images; **p20**: iStockphoto; **p21**: Haut De Court/REX; **p22**: Olga Besnard/Shutterstock; **p24**: iStockphoto; **p28**(t): Atlaspix/Alamy Stock Photo; **p28**(b): PHILIPPE HUGUEN/Getty Images; **p29**: Vereshchagin Dmitry/Shutterstock; **p30**: PHILIPPE HUGUEN/Getty Images; **p32**: iStockphoto; **p33**: Hadrian/Shutterstock; **p34**: PHILIPPE HUGUEN/AFP/Getty Images; **p35**: PIERRE ANDRIEU/AFP/Getty Images; **p36**: iStockphoto; **p37**: Shutterstock; **p38**: © Emmanuelle Alès; **p39-45**: iStockphoto; **p48**: Tutti Frutti/Shutterstock; **p49**: iStockphoto; **p50-51**: Shutterstock; **p52**: AFP/Getty Images; **p53**: Paul Shannon; **p54**: iStockphoto; **p56**: RICHARD BOUHET/AFP/Getty Images; **p58**: SEBASTIEN BOZON/AFP/Getty Images; **p58**(l-r): Shutterstock; **p60**: Franck CRUSIAUX/Gamma-Rapho/Getty Images; **p61**: iStockphoto; **p65**: Eric BERACASSAT/Gamma-Rapho/Getty Images; **p68**(t): Gwengoat/iStockphoto; **p68**(m): Neftali/Shutterstock; **p68**(b): Kobkob/Shutterstock; **p69**: BENOIT TESSIER/AFP/GettyImages; **p70**: FRANCOIS GUILLOT/AFP/Getty Images; 72: Shutterstock; **p73**: Tinxi/Shutterstock; **p76**: pa european pressphoto agency b.v./Alamy Stock Photo; **p78**: Agence Action d'Eclat : Odile Finck : Présidente Stefan Anderson : Directeur de Création Agnès COMTE : Responsable de Clientèle; **p81**: ANNE-CHRISTINE POUJOULAT/Getty Images; **p85**: Shutterstock; **p88**: Hadrian/Shutterstock; **p89**: Cameroun24.net; **p90**: THOMAS SAMSON/AFP/Getty Images; **p92**: EQRoy/Shutterstock; **p94**: Shutterstock; **p96**: FRANCOIS NASCIMBENI/AFP/Getty Images; **p97**: Shutterstock; **p98**: Alexandre Rotenberg/Shutterstock; **p99**: Gareth Boden; **p100**: Dennis van de Water/Shutterstock; **p101**: Collection Christophel/Alamy Stock Photo; **p103**: Lee Brown/Alamy Stock Photo; **p104**: STEEVE DUGUAY/AFP/GettyImages; **p108**: NurPhoto/Getty Images; **p109**: Musée national de l'histoire de l'immigration - @BETC; **p110**: Alessandra Benedetti/Corbis/Getty Images; **p111**: Shutterstock; **p112**: ZUMA Press, Inc./Alamy Stock Photo; **p113**: AF archive/Alamy Stock Photo; **p114**: EyeWire; **p115**: PHILIPPE WOJAZER/AFP/Getty Images; **p116**: Daniel Vernon/Alamy Stock Photo; **p117**: Carl Court/Getty Images; **p118**: JEAN-PHILIPPE KSIAZEK/AFP/Getty Images; **p120, 121**: Shutterstock; **p122**: Joel Carillet/Getty Images; **p123**: Jazzmany/Shutterstock; **p124**: Hadrian/Shutterstock; **p128**(t): AF archive/Alamy Stock Photo; **p128**(b): Moviestore Collection/REX; **p129**(t): Collection Christophel/Alamy Stock Photo; **p129**(t): Granger Historical Picture Archive/Alamy Stock Photo; **p130**: Paul Popper/Popperfoto/Getty Images; **p132**: Ullstein bild/Getty Images; **p134**: AFP/Getty Images; **p135**: adoc-photos/Corbis/Getty Images; **p136**(t): catwalker/Shutterstock; **p136**(m, b): Shutterstock; **p139**(l): Silvia_Preihs/Shutterstock; **p139**(m): taniavolobueva/Shutterstock; **p139**(r): Watch_The_World/Shutterstock.

Artwork by QBS Learning (**p77**).

The publisher and authors are grateful to the following for permission to reprint extracts from copyright material:

p8, Avec les remerciements de: www.citoyendedemain.net; **p10**, Gouvernement du Québec, Conseil supérieur de l'éducation; **p12**, www.izroom.com; **p13**, Le Chandail de Hockey, by Roch Carrier, with permission from Groupe Librex; **p14**, « Le texte et les exercices 1 à 3 sont librement inspirés du guide de la campagne belge de lutte contre l'homophobie et la transphobie www.ettoitescase-e.be »; **p16**, « Les discriminations liées à l'âge sont en régulière augmentation », interview de Dominique Baudis, recueilli par Pierre BIENVAULT, paru dans le journal La Croix du 01/10/2013 © La Croix; **p21** (reading and listening passage), Abdeljalil Akkari, « Introduction », Revue internationale d'éducation de Sèvres, 63, 2013, 33-42. DOI : 10.4000/ries.3466; **p24**, Le Monde est chez nous : une initiative de la Région Provence-Alpes-Côte d'Azur, conçue et réalisée par la Régie culturelle régionale, coproduite par Marseille-Provence 2013, accueillie par la Ville d'Aubagne, en partenariat avec la communauté d'agglomération du Pays d'Aubagne et de l'Étoile (France); **p25**, Jean-Pierre MACHELON http://www.ladocumentationfrancaise.fr/rapports-publics/064000727-les-relations-des-cultes-avec-les-pouvoirs-publics © La documentation française; **p30**, © Marie Wemaere et Olivier Crombez / lexpress.fr / 21.03.2005 (adapté); **p31** (listening passage), Anne-laure Gannac, 2006,

pour Psychologies.com; **p32**, Charline Vergne 2016, pour Psychologies.com; P34, « A Angoulême, des refuges sont aménagés pour les SDF », de Jean-Baptiste FRANÇOIS, paru dans le journal la Croix du 20/6/2016 © La Croix; **p35** (listening passage), Anissa Boumediene © 20minutes; **p35**, Adapted from "Des tentes sur le Canal Saint-Martin pour rappeler le sort des sans-abris", Paris, France | AFP | lundi 09/06/2014, © 1994-2014 Agence France-Presse; P36, « Contre les discriminations, quelles alternatives au CV anonyme », de Jean-Baptiste FRANÇOIS, paru sur www.la-croix.com le 18/05/2012 © La Croix; **p38** (listening passage), Université Sorbonne Nouvelle - Paris 3; **p39**, Khady Marième © L'Afrique des Idées; **p40**, Pascale Autran, 06/07/2016 © Le Parisien; **p41** (listening passage), « Trop de discrimination au sein de la fonction publique », de Lauriane CLEMENT, paru sur www.la-croix.com le 13/07/2016 © La Croix; **p43**, © Témoignage chrétien; **p44** (listening passage), Faustine Vincent © 20 minutes; **p45**, Adapted from "Retour doux-amer au pays pour de nombreux Irakiens" by Jean Marc Mojon, Aziziyah, Irak | AFP | samedi 02/04/2016 © 1994-2016 Agence France-Presse; **p49**, Gérard Mermet, Francoscopie; **p50**, Jean-Baptiste Drouet, 2007 pour Psychologies.com; **p53** (listening passage), A.R. © 20 minutes; **p54**, Michel Porret 17/03/2014 © Le Temps; **p55**, « Justice et prison », de Dominique GREINER, paru sur www.la-croix.com le 08/08/2016 © La Croix; **p56**, 26/06/2012 © Le Parisien; **p57** (listening passage), Simon Koch/Le Matin; P58, « La 'prison sans barreaux' divise les magistrats et les politiques », de Marie BOËTON, paru sur www.la-croix.com le 03/06/2014 © La Croix; **p61**, Matthieu Goar 14/06/2011 ©20minutes; **p63**, © 20 minutes avec AFP; **p64**, « Les travaux d'intérêt general, une peine en forme de deuxième chance », de Flore THOMASSET, paru sur www.la-croix.com le 27/11/2013 © La Croix; **p64** (listening passage), © 20 minutes; **p65**, La tribune » et www.legalworld.be; **p70**, © Bayard Presse – Phosphore N°308 - Texte: David Groison, 2007; P72, « Faut-il abaisser l'âge du droit de vote à 16 ans? », de Marianne MEUNIER, paru sur www.la-croix.com le 23/01/2014 © La Croix; **p74**, © Le Monde, Six idées reçues sur les jeunes et la politique, Claire Ané 18/12/2014; **p75** (listening passage), © La Liberté, 24/09/2015; **p76**, T.L.G. 07/12/2015 © 20minutes; **p77**, Anne-Laëtitia Béraud 13/12/2015 © 20minutes; **p78**, © Le Monde, Le vote obligatoire anticpé des 16-ans - Quels-remèdes à l'abstention des jeunes, Claire Ané, 15/04/16; **p83**, © Conseil de la jeunesse; **p85**, Equitas-Centre international d'éducation aux droits humains/International Centre for Human Rights Education, www.equitas.org; **p92**, (adapted text) © Le Monde avec AFP, Air France : une semaine de grève, 13 % des vols annulés, 27/07/16 (adapté); **p93** (listening passage), archives du journal Sud Ouest; **p96a**, © lefigaro.fr / 12.01.2016 (adapté); **p96b**, © Tristan Quinault Maupoil/lefigaro.fr / 12.01.2016 (adapté); 98, Extrait de http://www.france24.com/fr/20160623-loi-travail-policiers-manifestation-securite-cgt-fo-martinez-mailly-prefecture-crs-gendarme. Intégralité de l'article disponible sur le site rfi.fr, http://www.rfi.fr/, Groupe France Médias Monde 🔳 ;**p101**, 'Élise ou la vraie vie' de Claire Etcherelli, © Éditions Denoël, 1967; **p103**, Archives/MédiaQMI; **p104**, archives du journal Sud Ouest; **p111** (listening passage), © Laurent Chabrun / lexpress.fr / 09.10.2012 (adapté); **p114**, Dorian de Meeûs 11/01/2014 www.lalibre.be; **p116**, 24/10/2014 © Le Parisien; **p117** (listening passage), Anne-Laëtitia Béraud 15/12/2014 © 20 minutes; **p119** (listening passage) & **p120** (reading passage), Timothée Boutry 09/08/2016 © Le Parisien; **p121** (listening passage), Corinne Mélis, « Nanas-Beurs, Voix d'Elles-Rebelles et Voix de Femmes », Revue européenne des migrations internationales [En ligne], vol. 19 - n°1 | 2003, mis en ligne le 18 février 2013, consulté le 20 octobre 2016. http://remi.revues.org/364; **p123**, Christian Losson, Michel Henry, Sylvain Mouillard et Luc Mathieu, 22/05/2015 © Libération; **p123** (listening passage), http://www.rue89lyon.fr/; **p128**, © La Cinémathèque française; **p132**, Coll Fortunio, Editions de Fallois © Marcel Pagnol, 2004.

The publisher and authors would like to thank the following for their help and advice:

Frédérique Jouhandin (development editor)

Florence Bonneau (language consultant and permissions editor)

Audio recordings produced by Colette Thomson for Footstep Productions Ltd; Andrew Garratt (sound engineer).

Although we have made every effort to trace and contact all copyright holders before publication this has not been possible in all cases. If notified, the publisher will rectify any errors or omissions at the earliest opportunity.

Links to third party websites are provided by Oxford in good faith and for information only. Oxford disclaims any responsibility for the materials contained in any third party website referenced in this work.